Du même auteur
dans la même collection

DU CÔTÉ DE CHEZ SWANN
A L'OMBRE DES JEUNES FILLES EN FLEURS (2 vol.)
LE CÔTÉ DE GUERMANTES (2 vol.)
LA PRISONNIÈRE
LA FUGITIVE
LE TEMPS RETROUVÉ

SODOME
ET
GOMORRHE

★★

MARCEL PROUST

A LA RECHERCHE
DU TEMPS PERDU

Édition réalisée sous la direction de
Jean MILLY

SODOME ET GOMORRHE

* *

Edition du texte, Introduction et Notes
par
Emily EELLS-OGÉE

GF
FLAMMARION

On trouvera en fin de volume
un résumé de la seconde partie de
Sodome et Gomorrhe, *l'accueil de la critique,*
une bibliographie et une chronologie.

SODOME ET GOMORRHE II

CHAPITRE DEUXIÈME
(suite)

Un autre incident fixa davantage encore mes préoccupations du côté de Gomorrhe. J'avais vu sur la plage une belle jeune femme élancée et pâle de laquelle les yeux, autour de leur centre, disposaient des rayons si géométriquement lumineux qu'on pensait devant son regard à quelque constellation. Je songeais combien cette jeune fille était plus belle qu'Albertine et comme il était plus sage de renoncer à l'autre. Tout au plus le visage de cette belle jeune femme était-il passé au rabot invisible d'une grande bassesse de vie, de l'acceptation constante d'expédients vulgaires, si bien que ses yeux, plus nobles pourtant que le reste du visage, ne devaient rayonner que d'appétits et de désirs. Or le lendemain, cette jeune femme étant placée très loin de nous au Casino, je vis qu'elle ne cessait de poser sur Albertine les feux alternés et tournants de ses regards. On eût dit qu'elle lui faisait des signes comme à l'aide d'un phare. Je souffrais que mon amie vît qu'on faisait si attention à elle, je craignais que ces regards incessamment allumés n'eussent la signification conventionnelle d'un rendez-vous d'amour pour le lendemain. Qui sait ? ce rendez-vous n'était peut-être pas le premier. La jeune femme aux yeux rayonnants avait pu venir une autre année à Balbec. C'était peut-être parce qu'Albertine avait déjà cédé à ses désirs ou à ceux d'une amie que celle-ci se permettait de lui adresser ces brillants signaux. Ils faisaient alors plus que réclamer quelque chose pour le présent, ils s'autorisaient pour cela des bonnes heures du passé.

Ce rendez-vous, en ce cas, ne devait pas être le premier, mais la suite de parties faites ensemble d'autres années. Et en effet les regards ne disaient pas : « Veux-tu ? » Dès que la jeune femme avait aperçu Albertine, elle avait tourné tout à fait la tête et fait luire vers elle des regards chargés de mémoire, comme si elle avait eu peur et stupéfaction que mon amie ne se souvînt pas. Albertine, qui la voyait très bien, resta flegmatiquement immobile, de sorte que l'autre, avec le même genre de discrétion qu'un homme qui voit son ancienne maîtresse avec un autre amant, cessa de la regarder et de s'occuper plus d'elle que si elle n'avait pas existé.

Mais quelques jours après j'eus la preuve des goûts de cette jeune femme et aussi de la probabilité qu'elle avait connu Albertine autrefois. Souvent, quand dans la salle du Casino, deux jeunes filles se désiraient, il se produisait comme un phénomène lumineux, une sorte de traînée phosphorescente allant de l'une à l'autre. Disons en passant que c'est à l'aide de telles matérialisations, fussent-elles impondérables, par ces signes astraux enflammant toute une partie de l'atmosphère, que Gomorrhe dispersée, tend, dans chaque ville, dans chaque village, à rejoindre ses membres séparés, à reformer la cité biblique tandis que partout, les mêmes efforts sont poursuivis, fût-ce en vue d'une reconstruction intermittente par les nostalgiques, par les hypocrites, quelquefois par les courageux exilés de Sodome.

Une fois je vis l'inconnue qu'Albertine avait eu l'air de ne pas reconnaître, juste à un moment où passait la cousine de Bloch. Les yeux de la jeune femme s'étoilèrent, mais on voyait bien qu'elle ne connaissait pas la demoiselle israélite. Elle la voyait pour la première fois, éprouvait un désir, guère de doutes, nullement la même certitude qu'à l'égard d'Albertine, Albertine sur la camaraderie de qui elle avait dû tellement compter que devant sa froideur elle avait ressenti la surprise d'un étranger habitué de Paris mais qui ne l'habite pas et qui, étant revenu y passer quelques semaines, à la place du petit théâtre où il avait l'habitude de passer de bonnes soirées, voit qu'on a construit une banque.

La cousine de Bloch alla s'asseoir à une table où elle regarda un magazine. Bientôt la jeune femme vint s'asseoir d'un air distrait à côté d'elle. Mais sous la table on aurait pu voir bientôt se tourmenter leurs pieds, puis leurs jambes et leurs mains qui étaient confondues. Les paroles suivirent, la conversation s'engagea, et le naïf mari de la jeune femme qui la cherchait partout fut étonné de la trouver faisant des projets pour le soir même avec une jeune fille qu'il ne connaissait pas. Sa femme lui présenta comme une amie d'enfance la cousine de Bloch, sous un nom inintelligible, car elle avait oublié de lui demander comment elle s'appelait. Mais la présence du mari fit faire un pas de plus à leur intimité, car elles se tutoyèrent, s'étant connues au couvent, incident dont elles rirent fort plus tard, ainsi que du mari berné, avec une gaieté qui fut une occasion de nouvelles tendresses.

Quant à Albertine je ne peux pas dire que nulle part au Casino, sur la plage, elle eût avec une jeune fille des manières trop libres. Je leur trouvais même un excès de froideur et d'insignifiance qui semblait plus que de la bonne éducation, une ruse destinée à dépister les soupçons. A telle jeune fille, elle avait une façon rapide, glacée et décente, de répondre à très haute voix : « Oui, j'irai vers cinq heures au tennis. Je prendrai mon bain demain matin vers huit heures », et de quitter immédiatement la personne à qui elle venait de dire cela — qui avait un terrible air de vouloir donner le change, et soit de donner un rendez-vous soit plutôt, après l'avoir donné bas, de dire fort cette phrase, en effet insignifiante, pour ne pas « se faire remarquer ». Et quand ensuite je la voyais prendre sa bicyclette et filer à toute vitesse, je ne pouvais m'empêcher de penser qu'elle allait rejoindre celle à qui elle avait à peine parlé.

Tout au plus lorsque quelque belle jeune femme descendait d'automobile au coin de la plage, Albertine ne pouvait-elle s'empêcher de se retourner. Et elle expliquait aussitôt : « Je regardais le nouveau drapeau qu'ils ont mis devant les bains. Ils auraient pu faire plus de frais. L'autre était assez miteux. Mais je crois vraiment que celui-ci est encore plus moche. »

Une fois Albertine ne se contenta pas de la froideur et je n'en fus que plus malheureux. Elle me savait ennuyé qu'elle pût quelquefois rencontrer une amie de sa tante, qui avait « mauvais genre » et venait quelquefois passer deux ou trois jours chez Mme Bontemps. Gentiment, Albertine m'avait dit qu'elle ne la saluerait plus. Et quand cette femme venait à Incarville, Albertine disait : « A propos vous savez qu'elle est ici. Est-ce qu'on vous l'a dit ? » comme pour me montrer qu'elle ne la voyait pas en cachette. Un jour qu'elle me disait cela elle ajouta : « Oui je l'ai rencontrée sur la plage et exprès, par grossièreté, je l'ai presque frôlée en passant, je l'ai bousculée. » Quand Albertine me dit cela il me revint à la mémoire une phrase de Mme Bontemps à laquelle je n'avais jamais repensé, celle où elle avait dit devant moi à Mme Swann combien sa nièce Albertine était effrontée, comme si c'était une qualité, et comment elle avait dit à je ne sais plus quelle femme de fonctionnaire que le père de celle-ci avait été marmiton. Mais une parole de celle que nous aimons ne se conserve pas longtemps dans sa pureté ; elle se gâte, elle se pourrit. Un ou deux soirs après je repensai à la phrase d'Albertine et ce ne fut plus la mauvaise éducation dont elle s'enorgueillissait — et qui ne pouvait que me faire sourire — qu'elle me sembla signifier, c'était autre chose, et qu'Albertine, même peut-être sans but précis, pour irriter les sens de cette dame ou lui rappeler méchamment d'anciennes propositions, peut-être acceptées autrefois, l'avait frôlée rapidement, pensait que je l'avais appris peut-être comme c'était en public, et avait voulu d'avance prévenir une interprétation défavorable.

Au reste, ma jalousie causée par les femmes qu'aimait peut-être Albertine, allait brusquement cesser.

*
**

Nous étions Albertine et moi devant la station Balbec du petit train d'intérêt local. Nous nous étions fait conduire par l'omnibus de l'hôtel, à cause du mauvais temps. Non loin de nous était M. Nissim Bernard, lequel avait un œil poché. Il trompait depuis peu l'enfant des chœurs d'*Athalie* avec le garçon d'une ferme assez achalandée du voisinage, « Aux Cerisiers ». Ce garçon rouge, aux traits abrupts, avait absolument l'air d'avoir comme tête une tomate. Une tomate exactement semblable servait de tête à son frère jumeau. Pour le contemplateur désintéressé, il y a cela d'assez beau dans ces ressemblances parfaites de deux jumeaux que la nature, comme si elle s'était momentanément industrialisée, semble débiter des produits pareils. Malheureusement, le point de vue de M. Nissim Bernard était autre et cette ressemblance n'était qu'extérieure. La tomate n° 2 se plaisait avec frénésie à faire exclusivement les délices des dames, la tomate n° 1 ne détestait pas condescendre aux goûts de certains messieurs. Or chaque fois que secoué ainsi que par un réflexe, par le souvenir des bonnes heures passées avec la tomate n° 1, M. Bernard se présentait « Aux Cerisiers », myope (et du reste la myopie n'était pas nécessaire pour les confondre), le vieil Israélite jouant sans le savoir Amphytrion s'adressait au frère jumeau et lui disait : « Veux-tu me donner rendez-vous pour ce soir ? » Il recevait aussitôt une solide « tournée ». Elle vint même à se renouveler au cours d'un même repas, où il continuait avec l'autre, les propos commencés avec le premier. A la longue elle le dégoûta tellement, par association d'idées, des tomates, même de celles comestibles, que chaque fois qu'il entendait un voyageur en commander à côté de lui au Grand-Hôtel, il lui chuchotait : « Excusez-moi, Monsieur, de m'adresser à vous, sans vous connaître.

Mais j'ai entendu que vous commandiez des tomates. Elles sont pourries aujourd'hui. Je vous le dis dans votre intérêt car pour moi cela m'est égal, je n'en prends jamais. » L'étranger remerciait avec effusion ce voisin philanthrope et désintéressé, rappelait le garçon, feignait de se raviser : « Non, décidément, pas de tomates. » Aimé, qui connaissait la scène, en riait tout seul et pensait : « C'est un vieux malin que Monsieur Bernard, il a encore trouvé le moyen de faire changer la commande. » M. Bernard, en attendant le tram en retard, ne tenait pas à nous dire bonjour à Albertine et à moi, à cause de son œil poché. Nous tenions encore moins à lui parler. C'eût été pourtant presque inévitable si à ce moment-là, une bicyclette n'avait fondu à toute vitesse sur nous, le lift en sauta, hors d'haleine. Mme Verdurin avait téléphoné un peu après notre départ pour que je vinsse dîner, le surlendemain ; on verra bientôt pourquoi. Puis, après m'avoir donné les détails du téléphonage, le lift nous quitta et comme ces « employés » démocrates, qui affectent l'indépendance à l'égard des bourgeois, et entre eux rétablissent le principe d'autorité, voulant dire que le concierge et le voiturier pourraient être mécontents s'il était en retard, il ajouta : « Je me sauve à cause de mes chefs. »

Les amies d'Albertine étaient parties pour quelque temps. Je voulais la distraire. A supposer qu'elle eût éprouvé du bonheur à passer les après-midi rien qu'avec moi, à Balbec, je savais qu'il ne se laisse jamais posséder complètement et qu'Albertine, encore à l'âge (que certains ne dépassent pas) où on n'a pas découvert que cette imperfection tient à celui qui éprouve le bonheur non à celui qui le donne, eût pu être tentée de faire remonter à moi la cause de sa déception. J'aimais mieux qu'elle l'imputât aux circonstances qui, par moi combinées, ne nous laisseraient pas la facilité d'être seuls ensemble, tout en l'empêchant de rester au Casino et sur la digue sans moi. Aussi je lui avais demandé ce jour-là de m'accompagner à Doncières où j'irais voir Saint-Loup. Dans ce même but de l'occuper je lui conseillais la peinture qu'elle avait apprise autrefois. En travaillant elle ne se demanderait pas si elle était heureuse ou malheureuse. Je l'eusse volontiers emmenée aussi dîner de temps en temps chez les Verdurin et chez les Cambremer qui, certainement, les uns et les autres, eussent volontiers reçu une amie présentée par moi, mais il fallait d'abord que je fusse certain que Mme Putbus n'était pas encore à la Raspelière. Ce n'était guère que sur place que je pouvais m'en rendre compte et comme je savais d'avance que le surlendemain Albertine était obligée d'aller aux environs avec sa tante, j'en avais profité pour envoyer une dépêche à Mme Verdurin lui demandant si elle pourrait me recevoir le mercredi. Si Mme Putbus était là, je m'arrangerais pour voir sa femme de chambre, m'assurer s'il y avait un risque qu'elle vînt à Balbec, en ce cas savoir quand, pour emmener Albertine au loin ce jour-là. Le petit chemin de fer d'intérêt local faisant une boucle qui n'existait pas quand je l'avais pris avec ma grand-mère, passait maintenant à Doncières-la-Goupil, grande station d'où partaient des trains importants et notamment l'express par lequel j'étais venu voir Saint-Loup, de Paris et y étais rentré. Et à cause du mauvais temps, l'omnibus du Grand-Hôtel nous conduisit, Albertine et moi, à la station du petit tram, Balbec-plage.

Le petit chemin de fer [1] n'était pas encore là, mais on voyait, oisif et lent, le panache de fumée qu'il avait laissé en route, et qui maintenant réduit à ses seuls moyens de nuage peu mobile, gravissait lentement les pentes vertes de la falaise de Criquetot. Enfin le petit tram, qu'il avait précédé pour prendre une direction verticale, arriva à son tour, lentement. Les voyageurs qui allaient le prendre s'écartèrent pour lui faire place, mais sans se presser, sachant qu'ils avaient affaire à un marcheur débonnaire, presque humain et qui, guidé comme la bicyclette d'un débutant, par les signaux complaisants du chef de gare, sous la tutelle puissante du mécanicien, ne risquait de renverser personne et se serait arrêté où on aurait voulu.

Ma dépêche expliquait le téléphonage des Verdurin

et elle tombait d'autant mieux que le mercredi (le surlendemain se trouvait être un mercredi) était jour de grand dîner pour Mme Verdurin, à la Raspelière, comme à Paris, ce que j'ignorais. Mme Verdurin ne donnait pas de « dîners », mais elle avait des « mercredis ». Les mercredis étaient des œuvres d'art. Tout en sachant qu'ils n'avaient leurs pareils nulle part, Mme Verdurin introduisait entre eux des nuances. « Ce dernier mercredi ne valait pas le précédent, disait-elle. Mais je crois que le prochain sera un des plus réussis que j'aie jamais donnés. » Elle allait parfois jusqu'à avouer : « Ce mercredi-ci n'était pas digne des autres. En revanche, je vous réserve une grosse surprise pour le suivant. » Dans les dernières semaines de la saison de Paris, avant de partir pour la campagne, la Patronne annonçait la fin des mercredis. C'était une occasion de stimuler les fidèles : « Il n'y a plus que trois mercredis, il n'y en a plus que deux, disait-elle du même ton que si le monde était sur le point de finir. Vous n'allez pas lâcher mercredi prochain pour la clôture. » Mais cette clôture était factice, car elle avertissait : « Maintenant officiellement il n'y a plus de mercredis. C'était le dernier pour cette année. Mais je serai tout de même là le mercredi. Nous ferons mercredi entre nous ; qui sait ? ces petits mercredis intimes, ce seront peut-être les plus agréables. » A la Raspelière les mercredis étaient forcément restreints, et comme selon qu'on avait rencontré un ami de passage, on l'avait invité tel ou tel soir, c'était presque tous les jours mercredi. « Je ne me rappelle pas bien le nom des invités, mais je sais qu'il y a Madame la Marquise de Camembert », m'avait dit le lift ; le souvenir de nos explications relatives aux Cambremer n'était pas arrivé à supplanter définitivement celui du mot ancien, dont les syllabes familières et pleines de sens venaient au secours du jeune employé quand il était embarrassé pour ce nom difficile, et étaient immédiatement préférées et réadoptées par lui, non pas paresseusement et comme un vieil usage indéracinable mais à cause du besoin de logique et de clarté qu'elles satisfaisaient.

Nous nous hâtâmes pour gagner un wagon vide où je pusse embrasser Albertine tout le long du trajet. N'ayant rien trouvé nous montâmes dans un compartiment où était déjà installée une dame à figure énorme, laide et vieille, à l'expression masculine, très endimanchée, et qui lisait la *Revue des Deux Mondes*. Malgré sa vulgarité, elle était prétentieuse dans ses gestes, et je m'amusai à me demander à quelle catégorie sociale elle pouvait appartenir ; je conclus immédiatement que ce devait être quelque tenancière de grande maison de filles, une maquerelle en voyage. Sa figure, ses manières le criaient. J'avais ignoré seulement jusque-là que ces dames lussent la *Revue des Deux Mondes*. Albertine me la montra non sans cligner de l'œil en me souriant. La dame avait l'air extrêmement digne ; et comme de mon côté je portais en moi la conscience que j'étais invité pour le surlendemain au point terminus de la ligne du petit chemin de fer chez la célèbre Mme Verdurin, qu'à une station intermédiaire j'étais attendu par Robert de Saint-Loup, et qu'un peu plus loin j'aurais fait grand plaisir à Mme de Cambremer en venant habiter Féterne, mes yeux pétillaient d'ironie en considérant cette dame importante qui semblait croire qu'à cause de sa mise recherchée, des plumes de son chapeau, de sa *Revue des Deux Mondes*, elle était un personnage plus considérable que moi. J'espérais que la dame ne resterait pas beaucoup plus que M. Nissim Bernard et qu'elle descendrait au moins à Toutainville, mais non. Le train s'arrêta à Évreville, elle resta assise. De même à Montmartin-sur-Mer, à Parville-la-Bingard, à Incarville, de sorte que de désespoir, quand le train eut quitté Saint-Frichoux qui était la dernière station avant Doncières, je commençai à enlacer Albertine sans m'occuper de la dame. A Doncières, Saint-Loup était venu m'attendre à la gare, avec les plus grandes difficultés, me dit-il, car habitant chez sa tante, mon télégramme ne lui était parvenu qu'à l'instant et il ne pourrait, n'ayant pu arranger son temps d'avance, me consacrer qu'une heure. Cette heure me parut hélas ! bien trop longue car à peine descendus du wagon, Albertine ne fit plus attention qu'à Saint-Loup. Elle ne causait pas avec moi, me répondait à peine si je lui adressais la parole, me repoussa quand je m'approchai d'elle. En revanche, avec Robert, elle riait de son rire tentateur, elle lui parlait avec volubilité, jouait avec le chien qu'il avait, et tout en agaçant la bête, frôlait exprès son maître. Je me rappelai que le jour où Albertine s'était laissée embrasser par moi pour la première fois, j'avais eu un sourire de gratitude pour le séducteur inconnu qui avait amené en elle une modification si profonde et m'avait tellement simplifié la tâche. Je pensais à lui maintenant avec horreur. Robert avait dû se rendre compte qu'Albertine ne m'était pas indifférente, car il ne répondit pas à ses agaceries ce qui la mit de mauvaise humeur contre moi ; puis il me parla comme si j'étais seul ce qui, quand elle l'eut remarqué, me fit remonter dans son estime. Robert me demanda si je ne voulais pas essayer de trouver parmi les amis avec lesquels il me faisait dîner chaque soir à Doncières quand j'y avais séjourné, ceux qui y étaient encore. Et comme il donnait lui-même dans le genre de prétention agaçante qu'il réprouvait : « A quoi ça te sert-il d'avoir *fait du charme* pour eux avec tant de persévérance si tu ne veux pas les revoir ? » Je déclinai sa proposition car je ne voulais pas risquer de m'éloigner d'Albertine, mais aussi parce que maintenant j'étais détaché d'eux. D'eux, c'est-à-dire de moi. Nous désirons passionnément qu'il y ait une autre vie où nous serions pareils à ce que nous sommes ici-bas. Mais nous ne réfléchissons pas, que même sans attendre cette autre vie, dans celle-ci, au bout de quelques années nous sommes infidèles à ce que nous avons été, à ce que nous voulions rester immortellement. Même sans supposer que la mort nous modifiât plus que ces changements qui se produisent au cours de la vie, si dans cette autre vie nous rencontrions le moi que nous avons été, nous nous détournerions de nous comme de ces personnes avec qui on a été lié mais qu'on n'a pas vues depuis longtemps — par exemple les amis de Saint-Loup qu'il me plaisait tant chaque soir de retrouver au *Faisan Doré* et dont la conversation ne serait plus maintenant pour moi qu'importunité et que gêne. A cet égard, et parce que je préférais ne pas aller y retrouver ce qui m'y avait plu, une promenade dans Doncières aurait pu me paraître préfigurer l'arrivée au paradis. On rêve beaucoup du paradis ou plutôt de nombreux paradis successifs mais ce sont tous, bien avant qu'on ne meure, des paradis perdus, et où l'on se sentirait perdu.

Il nous laissa à la gare. « Mais tu peux avoir près d'une heure à attendre, me dit-il. Si tu la passes ici tu verras sans doute mon oncle Charlus qui reprend tantôt le train pour Paris, dix minutes avant le tien. Je lui ai déjà fait mes adieux parce que je suis obligé d'être rentré avant l'heure de son train. Je n'ai pu lui parler de toi puisque je n'avais pas encore eu ton télégramme. » Aux reproches que je fis à Albertine quand Saint-Loup nous eut quittés, elle me répondit qu'elle avait voulu, par sa froideur avec moi effacer à tout hasard l'idée qu'il avait pu se faire, si au moment de l'arrêt du train, il m'avait vu, penché contre elle et mon bras passé autour de sa taille. Il avait en effet remarqué cette pose (je ne l'avais pas aperçu, sans cela je me fusse placé plus correctement à côté d'Albertine) et avait eu le temps de me dire à l'oreille : « C'est cela, ces jeunes filles si pimbêches dont tu m'as parlé et qui ne voulaient pas fréquenter Mlle de Stermaria parce qu'elles lui trouvaient mauvaise façon ? » J'avais dit en effet à Robert et très sincèrement quand j'étais allé de Paris le voir à Doncières et comme nous reparlions de Balbec, qu'il n'y avait rien à faire avec Albertine, qu'elle était la vertu même. Et maintenant que depuis longtemps, j'avais, par moi-même, appris que c'était faux, je désirais encore plus que Robert crût que c'était vrai. Il m'eût suffi de dire à Robert que j'aimais Albertine. Il était de ces êtres qui savent se refuser un plaisir pour épargner à leur ami des souffrances qu'ils ressentiraient comme si elles étaient les leurs. « Oui, elle est très enfant. Mais tu ne sais rien sur elle ? »

ajoutai-je avec inquiétude. « Rien, sinon que je vous ai vus posés comme deux amoureux. »

« Votre attitude n'effaçait rien du tout », dis-je à Albertine quand Saint-Loup nous eut quittés. « C'est vrai, me dit-elle, j'ai été maladroite, je vous ai fait de la peine, j'en suis bien plus malheureuse que vous. Vous verrez que jamais je ne serai plus comme cela ; pardonnez-moi », me dit-elle en me tendant la main d'un air triste. A ce moment, du fond de la salle d'attente où nous étions assis, je vis passer lentement, suivi à quelque distance d'un employé qui portait ses valises, M. de Charlus[2].

A Paris où je ne le rencontrais qu'en soirée, immobile, sanglé dans un habit noir, maintenu dans le sens de la verticale par son fier redressement, son élan pour plaire, la fusée de sa conversation, je ne me rendais pas compte à quel point il avait vieilli. Maintenant, dans un complet de voyage clair qui le faisait paraître plus gros, en marche et se dandinant, balançant un ventre qui bedonnait et un derrière presque symbolique, la cruauté du grand jour décomposait sur les lèvres, en fard, en poudre de riz fixée par le cold-cream, sur le bout du nez, en noir sur les moustaches teintes dont la couleur d'ébène contrastait avec les cheveux grisonnants, tout ce qui aux lumières eût semblé l'animation du teint chez un être encore jeune.

Tout en causant avec lui, mais brièvement, à cause de son train, je regardais le wagon d'Albertine pour lui faire signe que je venais. Quand je détournai la tête vers M. de Charlus, il me demanda de vouloir bien appeler un militaire, parent à lui, qui était de l'autre côté de la voie exactement comme s'il allait monter dans notre train, mais en sens inverse, dans la direction qui s'éloignait de Balbec. « Il est dans la musique du régiment, me dit M. de Charlus. Comme vous avez la chance d'être assez jeune, moi, l'ennui d'être assez vieux pour que vous puissiez m'éviter de traverser et d'aller jusque-là. » Je me fis un devoir d'aller vers le militaire désigné et je vis en effet aux lyres brodées sur son col qu'il était de la musique. Mais au moment où j'allais m'acquitter de ma commission, quelle ne fut pas ma surprise et je peux dire mon plaisir en reconnaissant Morel, le fils du valet de chambre de mon oncle et qui me rappelait tant de choses. J'en oubliai de faire la commission de M. de Charlus. « Comment, vous êtes à Doncières ? » — « Oui et on m'a incorporé dans la musique au service des batteries. » Mais il me répondit cela d'un ton sec et hautain. Il était devenu très « poseur » et évidemment ma vue, en lui rappelant la profession de son père, ne lui était pas agréable. Tout d'un coup je vis M. de Charlus fondre sur nous. Mon retard l'avait évidemment impatienté. « Je désirerais entendre ce soir un peu de musique, dit-il à Morel sans aucune entrée en matière, je donne cinq cents francs pour la soirée, cela pourrait peut-être avoir quelque intérêt pour un de vos amis, si vous en avez dans la musique. » J'avais beau connaître l'insolence de M. de Charlus, je fus stupéfait qu'il ne dît même pas bonjour à son jeune ami. Le Baron ne me laissa pas du reste le temps de la réflexion. Me tendant affectueusement la main : « Au revoir, mon cher », me dit-il pour me signifier que je n'avais qu'à m'en aller. Je n'avais du reste laissé que trop longtemps seule ma chère Albertine. « Voyez-vous, lui dis-je en remontant dans le wagon, la vie de bains de mer et la vie de voyage me font comprendre que le théâtre du monde dispose de moins de décors que d'acteurs et de moins d'acteurs que de " situations ". » — « A quel propos me dites-vous cela ? » — « Parce que M. de Charlus vient de me demander de lui envoyer un de ses amis, que juste à l'instant, sur le quai de cette gare, je viens de reconnaître pour l'un des miens. » Mais tout en disant cela, je cherchais comment le Baron pouvait connaître la disproportion sociale à quoi je n'avais pas pensé. L'idée me vint d'abord que c'était par Jupien dont la fille, on s'en souvient, avait semblé s'éprendre du violoniste. Ce qui me stupéfiait pourtant c'est que, avant de partir pour Paris dans cinq minutes, le Baron demandât à entendre de la musique. Mais revoyant la fille de Jupien dans mon souvenir, je commençais à trouver que les « reconnaissances » exprimeraient au contraire une part importante de la vie, si on savait aller jusqu'au romanesque vrai, quand tout d'un coup j'eus un éclair et compris que j'avais été bien naïf. M. de Charlus ne connaissait pas le moins du monde Morel, ni Morel M. de Charlus, lequel, ébloui mais aussi intimidé par un militaire qui ne portait pourtant que des lyres, m'avait requis, dans son émotion pour lui amener celui qu'il ne soupçonnait pas que je connusse. En tous cas l'offre des cinq cents francs avait dû remplacer pour Morel l'absence de relations antérieures, car je les vis qui continuaient à causer, sans penser qu'ils étaient à côté de notre tram. Et me rappelant la façon dont M. de Charlus était venu vers Morel et moi, je saisissais sa ressemblance avec certains de ses parents, quand ils levaient une femme dans la rue. Seulement l'objet visé avait changé de sexe. A partir d'un certain âge, et même si des évolutions différentes s'accomplissent en nous, plus on devient soi, plus les traits familiaux s'accentuent. Car la nature, tout en contribuant harmonieusement au dessin de sa tapisserie, interrompt la monotonie de la composition grâce à la variété des figures interceptées. Au reste la hauteur avec laquelle M. de Charlus avait toisé le violoniste est relative selon le point de vue auquel on se place. Elle eût été reconnue par les trois quarts des gens du monde qui s'inclinaient, non pas par le préfet de police qui, quelques années plus tard, le faisait surveiller.

« Le train de Paris est signalé, Monsieur », dit l'employé qui portait les valises. « Mais je ne prends pas le train, mettez tout cela en consigne, que diable ! » dit M. de Charlus en donnant vingt francs à l'employé stupéfait du revirement et charmé du pourboire. Cette générosité attira aussitôt une marchande de fleurs. « Prenez ces œillets, tenez, cette belle rose, mon bon Monsieur, cela vous portera bonheur. » M. de Charlus, impatienté, lui tendit quarante sous en échange de quoi la femme offrit ses bénédictions et derechef ses fleurs. « Mon Dieu, si elle pouvait nous laisser tranquilles », dit M. de Charlus en s'adressant d'un ton ironique et gémissant, et comme un homme énervé, à Morel à qui il trouvait quelque douceur de demander son appui. « Ce que nous avons à dire est déjà assez compliqué. » Peut-être l'employé de chemin de fer n'étant pas encore très loin, M. de Charlus ne tenait-il pas à avoir une nombreuse audience, peut-être ces phrases incidentes permettaient-elles à sa timidité hautaine de ne pas aborder trop directement la demande de rendez-vous. Le musicien, se tournant d'un air franc, impératif et décidé vers la marchande de fleurs, leva vers elle une paume qui la repoussait et lui signifiait qu'on ne voulait pas de ses fleurs et qu'elle eût à fiche le camp au plus vite. M. de Charlus vit avec ravissement ce geste autoritaire et viril, manié par la main gracieuse pour qui il aurait dû être encore trop lourd, trop massivement brutal, avec une fermeté et une souplesse précoces qui donnaient à cet adolescent encore imberbe l'air d'un jeune David capable d'assumer un combat contre Goliath. L'admiration du Baron était involontairement mêlée de ce sourire que nous éprouvons à voir chez un enfant une expression d'une gravité au-dessus de son âge. « Voilà quelqu'un par qui j'aimerais être accompagné dans mes voyages et aidé dans mes affaires. Comme il simplifierait ma vie », se dit M. de Charlus.

Le train de Paris (que le Baron ne prit pas) partit. Puis nous montâmes dans le nôtre, Albertine et moi, sans que j'eusse su ce qu'étaient devenus M. de Charlus et Morel. « Il ne faut plus jamais nous fâcher, je vous demande encore pardon, me redit Albertine en faisant allusion à l'incident Saint-Loup. Il faut que nous soyons toujours gentils tous les deux, me dit-elle tendrement. Quant à votre ami Saint-Loup, si vous croyez qu'il m'intéresse en quoi que ce soit, vous vous trompez bien. Ce qui me plaît seulement en lui, c'est qu'il a l'air de tellement vous aimer. » — « C'est un très bon garçon », dis-je en me gardant de prêter à Robert des qualités supérieures imaginaires comme je n'aurais pas manqué de faire par amitié pour lui si j'avais été avec toute autre personne qu'Albertine. « C'est un être excellent, franc, dévoué, loyal, sur qui on peut compter pour tout. » En disant cela je me bornais, retenu par ma jalousie, à dire au sujet de Saint-Loup la vérité, mais aussi c'était bien la vérité que je disais. Or elle s'exprimait exactement dans les mêmes termes dont s'était servie pour me parler de lui Mme de Villeparisis, quand je ne le connaissais pas encore, l'imaginais si différent, si hautain et me disais : « On le trouve bon parce que c'est un grand seigneur. » De même quand elle m'avait dit : « Il serait si heureux », je me figurai, après l'avoir aperçu devant l'hôtel, prêt à mener, que les paroles de sa tante étaient pure banalité mondaine, destinées à me flatter. Et je m'étais rendu compte ensuite qu'elle l'avait dit sincèrement, en pensant à ce qui m'intéressait, à mes lectures, et parce qu'elle savait que c'était cela qu'aimait Saint-Loup, comme il devait m'arriver de dire sincèrement à quelqu'un faisant une histoire de son ancêtre La Rochefoucauld, l'auteur des *Maximes*, et qui eût voulu aller demander des conseils à Robert : « Il sera si heureux. » C'est que j'avais appris à le connaître. Mais en le voyant la première fois je n'avais pas cru qu'une intelligence parente de la mienne pût s'envelopper de tant d'élégance extérieure de vêtements et d'attitude. Sur son plumage je l'avais jugé d'une autre espèce. C'était Albertine maintenant qui, peut-être un peu parce que Saint-Loup, par bonté pour moi avait été si froid avec elle, me dit ce que j'avais pensé autrefois : « Ah ! il est si dévoué que cela ! Je remarque qu'on trouve toujours toutes les vertus aux gens, quand ils sont du Faubourg Saint-Germain. » Or, que Saint-Loup fût du Faubourg Saint-Germain, c'est à quoi je n'avais plus songé une seule fois au cours de ces années où, se dépouillant de son prestige, il m'avait manifesté ses vertus. Changement de perspective pour regarder les êtres, déjà plus frappant dans l'amitié que dans les simples relations sociales, mais combien plus encore dans l'amour, où le désir a une échelle si vaste, grandit à des proportions telles, les moindres signes de froideur, qu'il m'en avait fallu bien moins que celle qu'avait au premier abord Saint-Loup, pour que je me crusse tout d'abord dédaigné d'Albertine, que je m'imaginasse ses amies comme des êtres merveilleusement inhumains, et que je n'attachasse qu'à l'indulgence qu'on a pour la beauté et pour une certaine élégance, le jugement d'Elstir quand il me disait de la petite bande, tout à fait dans le même sentiment que Mme de Villeparisis de Saint-Loup : « Ce sont de bonnes filles. » Or ce jugement n'est-ce pas celui que j'eusse volontiers porté quand j'entendais Albertine dire : « En tous cas, dévoué ou non, j'espère bien ne plus le revoir puisqu'il a amené de la brouille entre nous. Il ne faut plus se fâcher tous les deux. Ce n'est pas gentil. » Je me sentais, puisqu'elle avait paru désirer Saint-Loup, à peu près guéri pour quelque temps de l'idée qu'elle aimait les femmes, ce que je me figurais inconciliable. Et, devant le caoutchouc d'Albertine dans lequel elle semblait devenue une autre personne, l'infatigable errante des jours pluvieux, et qui, collé, malléable et gris en ce moment semblait moins devoir protéger son vêtement contre l'eau qu'avoir été trempé par elle et s'attacher au corps de mon amie comme afin de prendre l'empreinte de ses formes pour un sculpteur, j'arrachai cette tunique qui épousait jalousement une poitrine désirée et attirant Albertine à moi :

> Mais toi ne veux-tu pas, voyageuse indolente,
> Rêver sur mon épaule en y posant ton front [3] ?

lui dis-je en prenant sa tête dans mes mains et en lui montrant les grandes prairies inondées et muettes qui s'étendaient dans le soir tombant jusqu'à l'horizon fermé sur les chaînes parallèles de vallonnements lointains et bleuâtres.

Le surlendemain, le fameux mercredi, dans ce même petit chemin de fer que je venais de prendre, à Balbec, pour aller dîner à la Raspelière, je tenais beaucoup à ne pas manquer Cottard à Graincourt-Saint-Vast où un nouveau téléphonage de Mme Verdurin m'avait dit que je le retrouverais. Il devait monter dans mon train et m'indiquerait où il fallait descendre pour trouver les voitures qu'on envoyait de la Raspelière à la gare. Aussi, le petit tram ne s'arrêtant qu'un instant à Graincourt, première station après Doncières, d'avance je m'étais mis à la portière tant j'avais peur de ne pas voir Cottard ou de ne pas être vu de lui. Craintes bien vaines ! Je ne m'étais pas rendu compte à quel point le petit clan ayant façonné tous les « habitués » sur le même type, ceux-ci, par surcroît en grande tenue de dîner, attendant sur le quai, se laissaient tout de suite reconnaître à un certain air d'assurance, d'élégance et de familiarité, à des regards qui franchissaient comme un espace vide où rien n'arrête l'attention, les rangs pressés du vulgaire public, guettaient l'arrivée de quelque habitué qui avait pris le train à une station précédente et pétillaient déjà de la causerie prochaine. Ce signe d'élection, dont l'habitude de dîner ensemble avait marqué les membres du petit groupe, ne les distinguait pas seulement, quand nombreux, en force, ils étaient massés, faisant une tache plus brillante au milieu du troupeau des voyageurs — ce que Brichot appelait le « pecus » — sur les ternes visages desquels ne pouvait se lire aucune notion relative aux Verdurin, aucun espoir de jamais dîner à la Raspelière. D'ailleurs ces voyageurs vulgaires eussent été moins intéressés que moi si devant eux on eût prononcé — et malgré la notoriété acquise par certains — les noms de ces fidèles que je m'étonnais de voir continuer à dîner en ville, alors que plusieurs le faisaient déjà, d'après les récits que j'avais entendus, avant ma naissance, à une époque à la fois assez distante et assez vague pour que je fusse tenté de m'en exagérer l'éloignement. Le contraste entre la continuation non seulement de leur existence, mais du plein de leurs forces, et l'anéantissement de tant d'amis que j'avais déjà vus ici ou là, disparaître, me donnait ce même sentiment que nous éprouvons quand à la dernière heure des journaux nous lisons précisément la nouvelle que nous attendions le moins, par exemple celle d'un décès prématuré et qui nous semble fortuit parce que les causes dont il est l'aboutissant nous sont restées inconnues. Ce sentiment est celui que la mort n'atteint pas uniformément tous les hommes, mais qu'une lame plus avancée de sa montée tragique emporte une existence située au niveau d'autres que longtemps encore les lames suivantes épargneront. Nous verrons du reste plus tard la diversité des morts qui circulent invisiblement être la cause de l'inattendu spécial que présentent, dans les journaux, les nécrologies. Puis je voyais qu'avec le temps, non seulement des dons réels qui peuvent coexister avec la pire vulgarité de conversation se dévoilent et s'imposent, mais encore que des individus médiocres arrivent à ces hautes places, attachées dans l'imagination de notre enfance à quelques vieillards célèbres sans songer que le seraient un certain nombre d'années plus tard leurs disciples devenus maîtres, et inspirant maintenant le respect et la crainte qu'ils éprouvaient jadis. Mais si les noms des fidèles n'étaient pas connus du « pecus », leur aspect pourtant les désignait à ses yeux. Même dans le train (lorsque le hasard de ce que les uns et les autres d'entre eux avaient eu à faire dans la journée, les y réunissait tous ensemble), n'ayant plus à cueillir à une station suivante qu'un isolé, le wagon dans lequel ils se trouvaient assemblés, désigné par le coude du sculpteur Ski, pavoisé par *le Temps* de Cottard, fleurissait de loin comme une voiture de luxe et ralliait à la gare voulue, le camarade retardataire. Le seul à qui eussent pu échapper, à cause de sa demi-cécité, ces signes de promission, était Brichot. Mais aussi l'un des habitués assurait volontairement à l'égard de l'aveugle les fonctions de guetteur et dès qu'on avait aperçu son chapeau de paille, son parapluie vert et ses lunettes bleues, on le dirigeait avec douceur et hâte vers le compartiment d'élection. De sorte qu'il était sans exemple qu'un des fidèles, à moins d'exciter les plus graves soupçons de bamboche, ou même de ne pas être venu « par le train », n'eût pas retrouvé les autres en cours de route. Quelquefois l'inverse se produisait : un fidèle avait dû aller assez loin dans l'après-midi et en conséquence devait faire une partie du parcours seul avant d'être rejoint par le groupe ; mais même ainsi isolé, seul de son espèce, il ne manquait pas le plus souvent de produire quelque effet. Le Futur vers lequel il se dirigeait, le désignait à la personne assise sur la banquette d'en face, laquelle se disait : « Ce doit être quelqu'un », discernait, fût-ce autour du chapeau mou de Cottard ou du sculpteur Ski, une vague auréole et n'était qu'à demi étonnée quand à la station suivante, une foule élégante, si c'était leur point terminus, accueillait le fidèle à la portière et s'en allait avec lui vers l'une des voitures qui attendaient, salués tous très bas par l'employé de Douville, ou bien si c'était à une station intermédiaire, envahissait le compartiment. C'est ce que fit, et avec précipitation, car plusieurs étaient arrivés en retard, juste au moment où le train déjà en gare allait repartir, la troupe que Cottard mena au pas de course vers le wagon à la fenêtre duquel il avait vu mes signaux. Brichot qui se trouvait parmi ces fidèles l'était devenu davantage au cours de ces années qui pour d'autres avaient diminué leur assiduité. Sa vue baissant progressivement, l'avait obligé, même à Paris, à diminuer de plus en plus les travaux du soir. D'ailleurs il avait peu de sympathie pour la Nouvelle Sorbonne où les idées d'exactitude scientifique, à l'allemande, commençaient à l'emporter sur l'humanisme. Il se bornait exclusivement maintenant à son cours et aux jurys d'examen ; aussi avait-il beaucoup plus de temps à donner à la mondanité. C'est-à-dire aux soirées chez les Verdurin, ou à celles qu'offrait parfois aux Verdurin tel ou tel fidèle, tremblant d'émotion. Il est vrai qu'à deux reprises l'amour avait manqué de faire ce que les travaux ne pouvaient plus, détacher Brichot du petit clan. Mais Mme Verdurin qui « veillait au grain » et d'ailleurs, en ayant pris l'habitude dans l'intérêt de son salon, avait fini par trouver un plaisir désintéressé dans ce genre de drames et d'exécutions, l'avait irrémédiablement brouillé avec la personne dangereuse, sachant comme elle le disait « mettre bon ordre à tout » et

« porter le fer rouge dans la plaie ». Cela lui avait été d'autant plus aisé pour l'une des personnes dangereuses que c'était simplement la blanchisseuse de Brichot, et Mme Verdurin, ayant ses petites entrées dans le cinquième du professeur, écarlate d'orgueil, quand elle daignait monter ses étages, n'avait eu qu'à mettre à la porte cette femme de rien. « Comment, avait dit la Patronne à Brichot, une femme comme moi vous fait l'honneur de venir chez vous, et vous recevez une telle créature ? » Brichot n'avait jamais oublié le service que Mme Verdurin lui avait rendu en empêchant sa vieillesse de sombrer dans la fange et lui était de plus en plus attaché, alors qu'en contraste avec ce regain d'affection et peut-être à cause de lui, la Patronne commençait à se dégoûter d'un fidèle par trop docile et de l'obéissance de qui elle était sûre d'avance. Mais Brichot tirait de son intimité chez les Verdurin un éclat qui le distinguait entre tous ses collègues de la Sorbonne. Ils étaient éblouis par les récits qu'il leur faisait de dîners auxquels on ne les inviterait jamais, par la mention, dans des revues, ou par le portrait exposé au Salon, qu'avaient fait de lui tel écrivain ou tel peintre réputés dont les titulaires des autres chaires de la Faculté des Lettres prisaient le talent mais n'avaient aucune chance d'attirer l'attention, enfin par l'élégance vestimentaire elle-même du philosophe mondain, élégance qu'ils avaient prise d'abord pour du laisser-aller jusqu'à ce que leur collègue leur eût bienveillamment expliqué que le chapeau haute forme se laisse volontiers poser par terre, au cours d'une visite, et n'est pas de mise pour les dîners à la campagne, si élégants soient-ils, où il doit être remplacé par le chapeau mou, fort bien porté avec le smoking. Pendant les premières secondes où le petit groupe se fut engouffré dans le wagon je ne pus même pas parler à Cottard, car il était suffoqué, moins d'avoir couru pour ne pas manquer le train, que par l'émerveillement de l'avoir attrapé si juste. Il en éprouvait plus que la joie d'une réussite, presque l'hilarité d'une joyeuse farce. « Ah ! elle est bien bonne ! dit-il quand il se fut remis. Un peu plus ! nom d'une pipe, c'est ce qui s'appelle arriver à pic ! » ajouta-t-il en clignant de l'œil non pas pour demander si l'expression était juste car il débordait maintenant d'assurance, mais par satisfaction. Enfin il put me nommer aux autres membres du petit clan. Je fus ennuyé de voir qu'ils étaient presque tous dans la tenue qu'on appelle à Paris smoking. J'avais oublié que les Verdurin commençaient vers le monde une évolution timide ralentie par l'Affaire Dreyfus, accélérée par la musique « nouvelle », évolution d'ailleurs démentie par eux, et qu'ils continueraient de démentir jusqu'à ce qu'elle eût abouti, comme ces objectifs militaires qu'un général n'annonce que lorsqu'il les a atteints, de façon à ne pas avoir l'air battu s'il les manque. Le monde était d'ailleurs, de son côté, tout préparé à aller vers eux. Il en était encore à les considérer comme des gens chez qui n'allait personne de la société mais qui n'en éprouvent aucun regret. Le salon Verdurin passait pour un Temple de la Musique. C'était là, assurait-on, que Vinteuil avait trouvé inspiration, encouragement. Or si la Sonate de Vinteuil restait entièrement incomprise et à peu près inconnue, son nom, prononcé comme celui du plus grand musicien contemporain, exerçait un prestige extraordinaire. Enfin certains jeunes gens du Faubourg s'étant avisés qu'ils devaient être aussi instruits que des bourgeois, il y en avait trois parmi eux qui avaient appris la musique et auprès desquels la Sonate de Vinteuil jouissait d'une réputation énorme. Ils en parlaient, rentrés chez eux, à la mère intelligente qui les avait poussés à se cultiver. Et s'intéressant aux études de leurs fils, au concert les mères regardaient avec un certain respect Mme Verdurin dans sa première loge, qui suivait la partition. Jusqu'ici cette mondanité latente des Verdurin ne se traduisait que par deux faits. D'une part, Mme Verdurin disait de la Princesse de Caprarola : « Ah ! celle-là est intelligente, c'est une femme agréable. Ce que je ne peux pas supporter, ce sont les imbéciles, les gens qui m'ennuient, ça me rend folle. » Ce qui eût donné à penser à quelqu'un d'un peu fin que la Princesse de Caprarola, femme du plus grand monde, avait fait une visite à Mme Verdurin. Elle avait même prononcé son nom au cours d'une visite de condoléances qu'elle avait faite à Mme Swann après la mort du mari de celle-ci et lui avait demandé si elle les connaissait. « Comment dites-vous ? » avait répondu Odette d'un air subitement triste. « Verdurin. » — « Ah ! alors je sais, avait-elle repris avec désolation, je ne les connais pas, ou plutôt je les connais sans les connaître, ce sont des gens que j'ai vus autrefois chez des amis, il y a longtemps, ils sont agréables. » La Princesse de Caprarola partie, Odette aurait bien voulu avoir dit simplement la vérité. Mais le mensonge immédiat était non le produit de ses calculs, mais la révélation de ses craintes, de ses désirs. Elle niait non ce qu'il eût été adroit de nier, mais ce qu'elle aurait voulu qui ne fût pas, même si l'interlocuteur devait apprendre dans une heure que cela était en effet. Peu après elle avait repris son assurance et avait même été au-devant des questions en disant, pour ne pas avoir l'air de les craindre : « Mme Verdurin, mais comment, je l'ai énormément connue », avec une affectation d'humilité comme une grande dame qui raconte qu'elle a pris le tramway. « On parle beaucoup des Verdurin depuis quelque temps », disait Mme de Souvré. Odette, avec un dédain souriant de duchesse répondait : « Mais oui, il me semble en effet qu'on en parle beaucoup. De temps en temps il y a comme cela des gens nouveaux qui arrivent dans la société », sans penser qu'elle était elle-même une des plus nouvelles. « La Princesse de Caprarola y a dîné », reprit Mme de Souvré. « Ah ! répondit Odette en accentuant son sourire, cela ne m'étonne pas. C'est toujours par la Princesse de Caprarola que ces choses-là commencent, et puis il en vient une autre, par exemple la Comtesse Molé. » Odette, en disant cela, avait l'air d'avoir un profond dédain pour les deux grandes dames qui avaient l'habitude d'essuyer les plâtres dans les salons nouvellement ouverts. On sentait à son ton que cela voulait dire qu'elle, Odette, comme Mme de Souvré, on ne réussirait pas à les embarquer dans ces galères-là.

Après l'aveu qu'avait fait Mme Verdurin de l'intelligence de la Princesse de Caprarola, le second signe que les Verdurin avaient conscience du destin futur était que (sans l'avoir formellement demandé, bien entendu) ils souhaitaient vivement qu'on vînt maintenant dîner chez eux en habit du soir ; M. Verdurin eût pu maintenant être salué sans honte par son neveu, celui qui était « dans les choux ».

Parmi ceux qui montèrent dans mon wagon à Graincourt se trouvait Saniette qui jadis avait été chassé de chez les Verdurin par son cousin Forcheville, mais était revenu. Ses défauts, au point de vue de la vie mondaine, étaient autrefois — malgré des qualités supérieures — un peu du même genre que ceux de Cottard, timidité, désir de plaire, efforts infructueux pour y réussir. Mais si la vie, en faisant revêtir à Cottard sinon chez les Verdurin, où il était, par la suggestion que les minutes anciennes exercent sur nous quand nous nous retrouvons dans un milieu accoutumé, resté quelque peu le même, du moins dans sa clientèle, dans son service d'hôpital, à l'Académie de Médecine, des dehors de froideur, de dédain, de gravité qui s'accentuaient pendant qu'il débitait devant ses élèves complaisants ses calembours, avait creusé une véritable coupure entre le Cottard actuel et l'ancien, les mêmes défauts s'étaient au contraire exagérés chez Saniette, au fur et à mesure qu'il cherchait à s'en corriger. Sentant qu'il ennuyait souvent, qu'on ne l'écoutait pas, au lieu de ralentir alors comme l'eût fait Cottard, de forcer l'attention par l'air d'autorité, non seulement il tâchait par un ton badin de se faire pardonner le tour trop sérieux de sa conversation, mais pressait son débit, déblayait, usait d'abréviations pour paraître moins long, plus familier avec les choses dont il parlait, et parvenait seulement, en les rendant inintelligibles, à sembler interminable. Son assurance n'était pas comme celle de Cottard qui glaçait ses malades lesquels, aux gens qui vantaient son aménité dans le monde répondaient : « Ce n'est plus le même homme quand il vous reçoit dans son cabinet, vous dans la lumière, lui à contre-jour et les yeux perçants. » Elle n'imposait pas, on sentait qu'elle cachait trop de timidité, qu'un rien suffirait à la mettre en fuite. Saniette à qui ses amis avaient toujours dit qu'il se défiait trop de lui-même, et qui en effet voyait des gens qu'il jugeait avec raison fort inférieurs obtenir aisément les succès qui lui étaient refusés, ne commençait plus une histoire sans sourire de la drôlerie de celle-ci, de peur qu'un air sérieux ne fît pas suffisamment valoir sa marchandise. Quelquefois, faisant crédit au comique que lui-même avait l'air de trouver à ce qu'il allait dire, on lui faisait la faveur d'un silence général. Mais le récit tombait à plat. Un convive doué d'un bon cœur glissait parfois à Saniette l'encouragement privé, presque secret d'un sourire d'approbation, le lui faisant parvenir furtivement, sans éveiller l'attention, comme on vous glisse un billet. Mais personne n'allait jusqu'à assumer la responsabilité, à risquer l'adhésion publique d'un éclat de rire. Longtemps après l'histoire finie et tombée, Saniette, désolé, restait seul à se sourire à lui-même, comme goûtant en elle et pour soi la délectation qu'il feignait de trouver suffisante et que les autres n'avaient pas éprouvée. Quant au sculpteur Ski, appelé ainsi à cause de la difficulté qu'on trouvait à prononcer son nom polonais, et parce que lui-même affectait depuis qu'il vivait dans une certaine société de ne pas vouloir être confondu avec des parents fort bien posés, mais un peu ennuyeux et très nombreux, il avait, à quarante-cinq ans et fort laid, une espèce de gaminerie, de fantaisie rêveuse qu'il avait gardée pour avoir été jusqu'à dix ans le plus ravissant enfant prodige du monde, coqueluche de toutes les dames. Mme Verdurin prétendait qu'il était plus artiste qu'Elstir. Il n'avait d'ailleurs avec celui-ci que des ressemblances purement extérieures. Elles suffisaient pour qu'Elstir qui avait une fois rencontré Ski, eût pour lui la répulsion profonde que nous inspirent plus encore que les êtres tout à fait opposés à nous, ceux qui nous ressemblent en moins bien, en qui s'étale ce que nous avons de moins bon, les défauts dont nous nous sommes guéris, nous rappelant fâcheusement ce que nous avons pu paraître à certains avant que nous fussions devenus ce que nous sommes. Mais Mme Verdurin croyait que Ski avait plus de tempérament qu'Elstir parce qu'il n'y avait aucun art pour lequel il n'eût de la facilité et elle était persuadée que cette facilité il l'eût poussée jusqu'au talent s'il avait eu moins de paresse. Celle-ci paraissait même à la Patronne un don de plus, étant le contraire du travail qu'elle croyait le lot des êtres sans génie. Ski peignait tout ce qu'on voulait, sur des boutons de manchette ou sur des dessus de porte. Il chantait avec une voix de compositeur, jouait de mémoire en donnant au piano l'impression de l'orchestre, moins par sa virtuosité que par ses fausses basses signifiant l'impuissance des doigts à indiquer qu'ici il y a un piston que du reste il imitait avec la bouche. Cherchant ses mots en parlant pour faire croire à une impression curieuse, de la même façon qu'il retardait un accord plaqué ensuite en disant : « Ping », pour faire sentir les cuivres, il passait pour merveilleusement intelligent, mais ses idées se ramenaient en réalité à deux ou trois extrêmement courtes. Ennuyé de sa réputation de fantaisiste, il s'était mis en tête de montrer qu'il était un être pratique, positif, d'où chez lui une triomphante affectation de fausse précision, de faux bon sens, aggravés parce qu'il n'avait aucune mémoire et des informations toujours inexactes. Ses mouvements de tête, de cou, de jambes, eussent été gracieux s'il eût eu encore neuf ans, des boucles blondes, un grand col de dentelles et de petites bottes de cuir rouge. Arrivés en avance avec Cottard et Brichot à la gare de Graincourt, ils avaient laissé Brichot dans la salle d'attente et étaient allés faire un tour. Quand Cottard avait voulu revenir, Ski avait répondu : « Mais rien ne presse. Aujourd'hui ce n'est pas le train local, c'est le train départemental. » Ravi de voir l'effet que cette nuance dans la précision produisait sur Cottard, il ajouta, parlant de lui-même : « Oui, parce que Ski aime les arts, parce qu'il modèle la glaise, on croit qu'il n'est pas pratique. Personne ne connaît la ligne mieux que moi. » Néanmoins ils étaient revenus vers la gare, quand tout d'un coup apercevant la fumée du petit train qui arrivait, Cottard, poussant un hurlement, avait crié : « Nous n'avons qu'à prendre nos jambes à notre cou. » Ils étaient en effet arrivés juste, la distinction entre le train local et départemental n'ayant jamais existé que dans l'esprit de Ski. « Mais est-ce que la Princesse n'est pas dans le train ? » demanda d'une voix vibrante Brichot dont les lunettes énormes, resplendissantes comme ces réflecteurs que les laryngologues s'attachent au front pour éclairer la gorge de leurs malades, semblaient avoir emprunté leur vie aux yeux du professeur, et peut-être à cause de l'effort qu'il faisait pour accommoder sa vision avec elles, semblaient, même dans les moments les plus insignifiants, regarder elles-mêmes avec une attention soutenue et une fixité extraordinaire. D'ailleurs la maladie en retirant peu à peu la vue à Brichot, lui avait révélé les beautés de ce sens comme il faut souvent que nous nous décidions à nous séparer d'un objet, à en faire cadeau par exemple, pour le regarder, le regretter, l'admirer. « Non, non, la Princesse a été reconduire jusqu'à Maineville des invités de Mme Verdurin qui prenaient le train de Paris. Il ne serait même pas impossible que Mme Verdurin, qui avait à faire à Saint-Mars, fût avec elle ! Comme cela elle voyagerait avec nous et nous ferions route tous ensemble, ce serait charmant. Il s'agira d'ouvrir l'œil à Maineville et le bon ! Ah ! ça ne fait rien, on peut dire que nous avons bien failli manquer le coche. Quand j'ai vu le train j'ai été sidéré. C'est ce qui s'appelle arriver au moment psychologique. Voyez-vous ça que nous ayons manqué le train ? Mme Verdurin s'apercevant que les voitures revenaient sans nous ? Tableau ! ajouta le docteur qui n'était pas encore remis de son émoi. Voilà une équipée qui n'est pas banale. Dites donc, Brichot, qu'est-ce que vous dites de notre petite escapade ? » demanda le docteur avec une certaine fierté. « Par ma foi, répondit Brichot, en effet, si vous n'aviez plus trouvé le train, c'eût été, comme eût parlé feu Villemain [4], un sale coup pour la fanfare ! » Mais moi, distrait dès les premiers instants par ces gens que je ne connaissais pas, je me rappelai tout d'un coup ce que Cottard m'avait dit dans la salle de danse du petit Casino, et comme si un chaînon invisible eût pu relier un organe et les images du souvenir, celle d'Albertine appuyant ses seins contre ceux d'Andrée me faisait un mal terrible au cœur. Ce mal ne dura pas : l'idée de relations possibles entre Albertine et des femmes ne me semblait plus possible depuis l'avant-veille où les avances que mon amie avait faites à Saint-Loup avaient excité en moi une nouvelle jalousie qui m'avait fait oublier la première. J'avais la naïveté des gens qui croient qu'un goût en exclut forcément un autre. À Harambouville, comme le tram était bondé, un fermier en blouse bleue qui n'avait qu'un billet de troisième monta dans notre compartiment. Le docteur, trouvant qu'on ne pourrait pas laisser voyager la Princesse avec lui, appela un employé, exhiba sa carte de médecin d'une grande compagnie de chemin de fer et força le chef de gare à faire descendre le fermier. Cette scène peina et alarma à un tel point la timidité de Saniette que dès qu'il la vit commencer, craignant déjà à cause de la quantité de paysans qui étaient sur le quai qu'elle ne prît les proportions d'une jacquerie, il feignit d'avoir mal au ventre et pour qu'on ne pût l'accuser d'avoir sa part de responsabilité dans la violence du docteur, il enfila le couloir en feignant de chercher ce que Cottard appelait les « waters ». N'en trouvant pas, il regarda le paysage de l'autre extrémité du tortillard. « Si ce sont vos débuts chez Mme Verdurin, Monsieur, me dit Brichot, qui tenait à montrer ses talents à un " nouveau ", vous verrez qu'il n'y a pas de milieu où l'on sente mieux la " douceur de vivre ", comme disait un des inventeurs du dilettantisme, du je m'enfichisme, de beaucoup de mots en isme à la mode chez nos snobinettes, je veux dire Monsieur le Prince de Talleyrand. » Car, quand il parlait de ces grands seigneurs du passé, il trouvait spirituel et « couleur de l'époque », de faire précéder leur titre de Monsieur et disait Monsieur le Duc de la Rochefoucauld, Monsieur le cardinal de Retz, qu'il appelait aussi de temps en temps : « Ce strugle for lifer de Gondi, ce boulangiste de Marcillac[5]. » Et il ne manquait jamais, avec un sourire, d'appeler Montesquieu, quand il parlait de lui : « Monsieur le Président Secondat de Montesquieu. » Un homme du monde spirituel eût été agacé de ce pédantisme qui sent l'école. Mais dans les parfaites manières de l'homme du monde en parlant d'un prince, il y a un pédantisme aussi qui trahit une autre caste, celle où l'on fait précéder le nom Guillaume de « l'Empereur » et où l'on parle à la troisième personne à une Altesse. « Ah ! celui-là, reprit Brichot en parlant de " Monsieur le Prince de Talleyrand ", il faut le saluer chapeau bas. C'est un ancêtre. » — « C'est un milieu charmant, me dit Cottard, vous trouverez un peu de tout, car Mme Verdurin n'est pas exclusive, des savants illustres comme Brichot, de la haute noblesse comme, par exemple, la Princesse Sherbatoff, une grande dame russe, amie de la Grande-Duchesse Eudoxie qui même la voit seule aux heures où personne n'est admis. » En effet la Grande-Duchesse Eudoxie ne se souciant pas que la Princesse Sherbatoff qui depuis longtemps n'était plus reçue par personne, vînt chez elle quand elle eût pu y avoir du monde ne la laissait venir que de très bonne heure, quand l'Altesse n'avait auprès d'elle aucun des amis à qui il eût été aussi désagréable de rencontrer la Princesse que cela eût été gênant pour celle-ci. Comme depuis trois ans, aussitôt après avoir quitté, comme une manucure, la Grande-Duchesse, Mme Sherbatoff partait chez Mme Verdurin qui venait seulement de s'éveiller, et ne la quittait plus, on peut dire que la fidélité de la Princesse passait infiniment celle même de Brichot, si assidu pourtant à ces mercredis où il avait le plaisir de se croire à Paris une sorte de Chateaubriand à l'Abbaye-aux-Bois et où à la campagne, il se faisait l'effet de devenir l'équivalent de ce que pouvait être chez Mme de Châtelet celui qu'il nommait toujours (avec une malice et une satisfaction de lettré) : « M. de Voltaire[6] ».

Son absence de relations avait permis à la Princesse Sherbatoff de montrer depuis quelques années aux Verdurin une fidélité qui faisait d'elle plus qu'une « fidèle » ordinaire, la fidèle type, l'idéal que Mme Verdurin avait longtemps cru inaccessible et, qu'arrivée au retour d'âge, elle trouvait enfin incarné en cette nouvelle recrue féminine. De quelque jalousie qu'en eût été torturée la Patronne, il était sans exemple que les plus assidus de ses fidèles n'eussent « lâché » une fois. Les plus casaniers se laissaient tenter par un voyage ; les plus continents avaient eu une bonne fortune ; les plus robustes pouvaient attraper la grippe, les plus oisifs être pris par leurs vingt-huit jours, les plus indifférents aller fermer les yeux à leur mère mourante. Et c'était en vain que Mme Verdurin leur disait alors comme l'Impératrice romaine qu'elle était le seul général à qui dût obéir sa légion, comme le Christ ou le Kaiser, que celui qui aimait son père et sa mère autant qu'elle et n'était pas prêt à les quitter pour la suivre n'était pas digne d'elle, qu'au lieu de s'affaiblir au lit ou de se laisser berner par une grue, ils feraient mieux de rester près d'elle, elle, seul remède et seule volupté. Mais la destinée qui se plaît parfois à embellir la fin des existences qui se prolongent tard avait fait rencontrer à Mme Verdurin la Princesse Sherbatoff. Brouillée avec sa famille, exilée de son pays, ne connaissant plus que la Baronne Putbus et la Grande-Duchesse Eudoxie, chez lesquelles, parce qu'elle n'avait pas envie de rencontrer les amies de la première, et parce que la seconde n'avait pas envie que ses amies rencontrassent la Princesse, elle n'allait qu'aux heures matinales où Mme Verdurin dormait encore, ne se souvenant pas d'avoir gardé la chambre une seule fois, depuis l'âge de douze ans où elle avait eu la rougeole, ayant répondu le 31 décembre à Mme Verdurin qui, inquiète d'être seule, lui avait demandé si elle ne pourrait pas rester coucher à l'improviste, malgré le jour de l'an : « Mais qu'est-ce qui pourrait m'en empêcher n'importe quel jour ? D'ailleurs, ce jour-là, on reste en famille et vous êtes ma famille », vivant dans une pension et en changeant quand les Verdurin déménageaient, les suivant dans leurs villégiatures, la Princesse avait si bien réalisé pour Mme Verdurin le vers de Vigny :

Toi seule me parus ce qu'on cherche toujours[7],

que la Présidente du petit cercle, désireuse de s'assurer une « fidèle » jusque dans la mort, lui avait demandé que celle des deux qui mourrait la dernière se fît enterrer à côté de l'autre. Vis-à-vis des étrangers — parmi lesquels il faut toujours compter celui à qui nous mentons le plus parce que c'est celui par qui il nous serait le plus pénible d'être méprisé : nous-même, — la Princesse Sherbatoff avait soin de représenter ses trois seules amitiés — avec la Grande-Duchesse, avec les Verdurin, avec la Baronne Putbus — comme les seules, non que des cataclysmes indépendants de sa volonté eussent laissé émerger au milieu de la destruction de tout le reste, mais qu'un libre choix lui avait fait élire de préférence à toute autre, et auxquelles un certain goût de solitude et de simplicité l'avait fait se borner. « Je ne vois *personne* d'autre », disait-elle en insistant sur le caractère inflexible de ce qui avait plutôt l'air d'une règle qu'on s'impose que d'une nécessité qu'on subit. Elle ajoutait : « Je ne fréquente que trois maisons », comme ces auteurs qui craignant de ne pouvoir aller jusqu'à la quatrième annoncent que leur pièce n'aura que trois représentations. Que M. et Mme Verdurin ajoutassent foi ou non à cette fiction, ils avaient aidé la Princesse à l'inculquer dans l'esprit des fidèles. Et ceux-ci étaient persuadés à la fois que la Princesse, entre des milliers de relations qui s'offraient à elle, avait choisi les seuls Verdurin, et que les Verdurin, sollicités en vain par toute la haute aristocratie, n'avaient consenti à faire qu'une exception, en faveur de la Princesse.

A leurs yeux, la Princesse, trop supérieure à son

milieu d'origine pour ne pas s'y ennuyer, entre tant de gens qu'elle eût pu fréquenter, ne trouvait agréable que les seuls Verdurin, et réciproquement ceux-ci, sourds aux avances de toute l'aristocratie qui s'offrait à eux, n'avaient consenti à faire qu'une seule exception, en faveur d'une grande dame plus intelligente que ses pareilles, la Princesse Sherbatoff.

La Princesse était fort riche ; elle avait à toutes les premières une grande baignoire où, avec l'autorisation de Mme Verdurin, elle emmenait les fidèles et jamais personne d'autre. On se montrait cette personne énigmatique et pâle qui avait vieilli sans blanchir et plutôt en rougissant comme certains fruits durables et ratatinés des haies. On admirait à la fois sa puissance et son humilité car ayant toujours avec elle un académicien, Brichot, un célèbre savant, Cottard, le premier pianiste du temps, plus tard M. de Charlus, elle s'efforçait pourtant de retenir exprès la baignoire la plus obscure, restait au fond, ne s'occupait en rien de la salle, vivait exclusivement pour le petit groupe, qui un peu avant la fin de la représentation, se retirait en suivant cette souveraine étrange, et non dépourvue d'une beauté timide, fascinante et usée. Or, si Mme Sherbatoff ne regardait pas la salle, restait dans l'ombre, c'était pour tâcher d'oublier qu'il existait un monde vivant qu'elle désirait passionnément et ne pouvait pas connaître ; la « coterie » dans une « baignoire » était pour elle ce qu'est pour certains animaux l'immobilité quasi cadavérique en présence du danger. Néanmoins le goût de nouveauté et de curiosité qui travaille les gens du monde faisait qu'ils prêtaient peut-être plus d'attention à cette mystérieuse inconnue qu'aux célébrités des premières loges chez qui chacun venait en visite. On s'imaginait qu'elle était autrement que les personnes qu'on connaissait, qu'une merveilleuse intelligence jointe à une bonté divinatrice retenaient autour d'elle ce petit milieu de gens éminents. La Princesse était forcée si on lui parlait de quelqu'un ou si on lui présentait quelqu'un, de feindre une grande froideur, pour maintenir la fiction de son horreur du monde. Néanmoins, avec l'appui de Cottard ou de Mme Verdurin, quelques nouveaux réussissaient à la connaître et son ivresse d'en connaître un était telle qu'elle en oubliait la fable de l'isolement voulu, et se dépensait follement pour le nouveau venu. S'il était fort médiocre, chacun s'étonnait. « Quelle chose singulière que la Princesse qui ne veut connaître personne, aille faire une exception pour cet être si peu caractéristique. » Mais ces fécondantes connaissances étaient rares, et la Princesse vivait étroitement confinée au milieu des fidèles.

Cottard disait beaucoup plus souvent : « Je le verrai mercredi chez les Verdurin », que : « Je le verrai mardi à l'Académie. » Il parlait aussi des mercredis comme d'une occupation aussi importante et aussi inéluctable. D'ailleurs Cottard était de ces gens peu recherchés qui se font un devoir aussi impérieux de se rendre à une invitation que si elles constituaient un ordre, comme une convocation militaire ou judiciaire. Il fallait qu'il fût appelé par une visite bien importante pour qu'il « lâchât » les Verdurin le mercredi, l'importance ayant trait d'ailleurs plutôt à la qualité du malade qu'à la gravité de la maladie. Car Cottard, quoique bon homme, renonçait aux douceurs du mercredi non pour un ouvrier frappé d'une attaque, mais pour le coryza d'un ministre. Encore dans ce cas disait-il à sa femme : « Excuse-moi bien auprès de Mme Verdurin. Préviens que j'arriverai en retard. Cette Excellence aurait bien pu choisir un autre jour pour être enrhumée. » Un mercredi leur vieille cuisinière s'étant coupé la veine du bras, Cottard déjà en smoking pour aller chez les Verdurin avait haussé les épaules quand sa femme lui avait timidement demandé s'il ne pourrait pas panser la blessée : « Mais je ne peux pas, Léontine, s'était-il écrié en gémissant ; tu vois bien que j'ai mon gilet blanc. » Pour ne pas impatienter son mari, Mme Cottard avait fait chercher au plus vite le chef de clinique. Celui-ci, pour aller plus vite, avait pris une voiture, de sorte que la sienne entrant dans la cour au moment où celle de Cottard allait sortir pour le mener chez les

Verdurin, on avait perdu cinq minutes à avancer, à reculer, Mme Cottard était gênée que le chef de clinique vît son maître en tenue de soirée. Cottard pestait du retard, peut-être par remords, et partit avec une humeur exécrable qu'il fallut tous les plaisirs du mercredi pour arriver à dissiper.

Si un client de Cottard lui demandait : « Rencontrez-vous quelquefois les Guermantes ? » c'est de la meilleure foi du monde que le professeur répondait : « Peut-être pas justement les Guermantes, je ne sais pas. Mais je vois tout ce monde-là chez des amis à moi. Vous avez certainement entendu parler des Verdurin. Ils connaissent tout le monde. Et puis eux du moins ce ne sont pas des gens chic décatis. Il y a du répondant. On évalue généralement que Mme Verdurin est riche à trente-cinq millions. Dame, trente-cinq millions, c'est un chiffre. Aussi elle n'y va pas avec le dos de la cuiller. Vous me parliez de la Duchesse de Guermantes. Je vais vous dire la différence : Mme Verdurin c'est une grande dame, la Duchesse de Guermantes est probablement une purée. Vous saisissez bien la nuance, n'est-ce pas ? En tous cas que les Guermantes aillent ou non chez Mme Verdurin, elle reçoit, ce qui vaut mieux, les d'Sherbatoff, les d'Forcheville, et *tutti quanti*, des gens de la plus haute volée, toute la noblesse de France et de Navarre à qui vous me verriez parler de pair à compagnon. D'ailleurs ce genre d'individus recherche volontiers les princes de la science », ajouta-t-il avec un sourire d'amour-propre béat, amené à ses lèvres par la satisfaction orgueilleuse, non pas tellement que l'expression jadis réservée aux Potain, aux Charcot [8], s'appliquât maintenant à lui, mais qu'il sût enfin user comme il convenait de toutes celles que l'usage autorise et qu'après les avoir longtemps piochées, il possédait à fond. Aussi après m'avoir cité la Princesse Sherbatoff parmi les personnes que recevait Mme Verdurin, Cottard ajoutait en clignant de l'œil : « Vous voyez le genre de la maison, vous comprenez ce que je veux dire ? » Il voulait dire ce qu'il y a de plus chic. Or, recevoir une dame russe qui ne connaissait que la

Grande-Duchesse Eudoxie c'était peu. Mais la Princesse Sherbatoff eût même pu ne pas la connaître sans qu'eussent été amoindries l'opinion que Cottard avait relativement à la suprême élégance du salon Verdurin et sa joie d'y être reçu. La splendeur dont nous semblent revêtus les gens que nous fréquentons n'est pas plus intrinsèque que celle de ces personnages de théâtre pour l'habillement desquels il est bien inutile qu'un directeur dépense des centaines de mille francs à acheter des costumes authentiques et des bijoux vrais qui ne feront aucun effet, quand un grand décorateur donnera une impression de luxe mille fois plus somptueuse en dirigeant un rayon factice sur un pourpoint de grosse toile semé de bouchons de verre et sur un manteau en papier. Tel homme a passé sa vie au milieu des grands de la terre qui n'étaient pour lui que d'ennuyeux parents ou de fastidieuses connaissances, parce qu'une habitude contractée dès le berceau les avait dépouillés à ses yeux de tout prestige. Mais en revanche il a suffi que celui-ci vînt par quelque hasard s'ajouter aux personnes les plus obscures, pour que d'innombrables Cottard aient vécu éblouis par des femmes titrées dont ils s'imaginaient que le salon était le centre des élégances aristocratiques, et qui n'étaient même pas ce qu'étaient Mme de Villeparisis et ses amies (des grandes dames déchues que l'aristocratie qui avait été élevée avec elles ne fréquentait plus) ; non, celles dont l'amitié a été l'orgueil de tant de gens, si ceux-ci publiaient leurs mémoires et y donnaient les noms de ces femmes et de celles qu'elles recevaient, personne, pas plus Mme de Cambremer que Mme de Guermantes ne pourrait les identifier. Mais qu'importe ! Un Cottard a ainsi sa baronne, laquelle est pour lui la « baronne », comme dans Marivaux, la baronne dont on ne dit jamais le nom et dont on n'a même pas l'idée qu'elle en a jamais eu un. Cottard croit d'autant plus y trouver résumée l'aristocratie — laquelle ignore cette dame — que plus les titres sont douteux plus les couronnes tiennent de place sur les verres, sur l'argenterie, sur le papier à lettres, sur les malles. De nombreux Cottard qui ont cru passer leur vie au cœur du Faubourg Saint-Germain ont eu leur imagination peut-être plus enchantée de rêves féodaux, que ceux qui avaient effectivement vécu parmi des princes, de même que pour le petit commerçant qui, le dimanche, va parfois visiter des édifices « du vieux temps » c'est quelquefois dans ceux dont toutes les pierres sont du nôtre, et dont les voûtes ont été, par des élèves de Viollet-le-Duc, peintes en bleu et semées d'étoiles d'or, qu'ils ont le plus la sensation du Moyen Age. « La Princesse sera à Maineville. Elle voyagera avec nous. Mais je ne vous présenterai pas tout de suite. Il vaudra mieux que ce soit Mme Verdurin qui fasse cela. A moins que je ne trouve un joint. Comptez alors que je sauterai dessus. » — « De quoi parliez-vous », dit Saniette qui fit semblant d'avoir été prendre l'air. « Je citai à Monsieur, dit Brichot, un mot que vous connaissez bien de celui qui est à mon avis le premier des fins de siècle (du siècle 18 s'entend), le prénommé Charles-Maurice, abbé de Périgord. Il avait commencé par promettre d'être un très bon journaliste. Mais il tourna mal, je veux dire qu'il devint ministre ! La vie a de ces disgrâces. Politicien peu scrupuleux au demeurant qui, avec des dédains de grand seigneur racé ne se gênait pas de travailler à ses heures pour le roi de Prusse, c'est le cas de le dire, et mourut dans la peau d'un centre gauche. »

A Saint-Pierre-des-Ifs monta une splendide jeune fille qui, malheureusement, ne faisait pas partie du petit groupe. Je ne pouvais détacher mes yeux de sa chair de magnolia, de ses yeux noirs, de la construction admirable et haute de ses formes. Au bout d'une seconde elle voulut ouvrir une glace car il faisait un peu chaud dans le compartiment, et ne voulant pas demander la permission à tout le monde, comme seul je n'avais pas de manteau, elle me dit d'une voix rapide, fraîche et rieuse : « Ça ne vous est pas désagréable Monsieur, l'air ? » J'aurais voulu lui dire : « Venez avec nous chez les Verdurin », ou : « Dites-moi votre nom et votre adresse. » Je répondis : « Non, l'air ne me gêne pas, Mademoiselle. » Et après, sans se déranger de sa place : « La fumée, ça ne gêne pas vos amis ? » et elle alluma une cigarette. A la troisième station elle descendit d'un saut. Le lendemain, je demandai à Albertine qui cela pouvait être. Car, stupidement, croyant qu'on ne peut aimer qu'une chose, jaloux de l'attitude d'Albertine à l'égard de Robert, j'étais rassuré, quant aux femmes. Albertine me dit, je crois très sincèrement, qu'elle ne savait pas. « Je voudrais tant la retrouver », m'écriai-je. « Tranquillisez-vous, on se retrouve toujours », répondit Albertine. Dans le cas particulier elle se trompait ; je n'ai jamais retrouvé ni identifié la belle jeune fille à la cigarette. On verra du reste pourquoi pendant longtemps je dus cesser de la chercher. Mais je ne l'ai pas oubliée. Il m'arrive souvent en pensant à elle d'être pris d'une folle envie. Mais ces retours du désir nous forcent à réfléchir que si on voulait retrouver ces jeunes filles-là avec le même plaisir il faudrait revenir aussi à l'année qui a été suivie depuis de dix autres pendant lesquelles la jeune fille s'est fanée. On peut quelquefois retrouver un être, mais non abolir le temps. Tout cela jusqu'au jour imprévu et triste comme une nuit d'hiver, où on ne cherche plus cette jeune fille-là, ni aucune autre, où trouver vous effraierait même. Car on ne se sent plus assez d'attraits pour plaire, ni de force pour aimer. Non pas bien entendu qu'on soit, au sens propre du mot, impuissant. Et quant à aimer, on aimerait plus que jamais. Mais on sent que c'est une trop grande entreprise pour le peu de forces qu'on garde. Le repos éternel a déjà mis des intervalles où l'on ne peut sortir, ni parler. Mettre un pied sur la marche qu'il faut, c'est une réussite comme de ne pas manquer le saut périlleux. Etre vu dans cet état par une jeune fille qu'on aime, même si l'on a gardé son visage et tous ses cheveux blonds de jeune homme ! On ne peut plus assumer la fatigue de se mettre au pas de la jeunesse. Tant pis si le désir charnel redouble au lieu de s'amortir ! On fait venir pour lui une femme à qui l'on ne se souciera pas de plaire, qui ne partagera qu'un soir votre couche et qu'on ne reverra jamais.

« On doit être toujours sans nouvelles du violoniste », dit Cottard. L'événement du jour dans le petit clan était en effet le lâchage du violoniste favori de Mme Verdurin. Celui-ci, qui faisait son service militaire près de Doncières, venait trois fois par semaine dîner à la Raspelière car il avait la permission de minuit. Or, l'avant-veille, pour la première fois, les fidèles n'avaient pu arriver à le découvrir dans le tram. On avait supposé qu'il l'avait manqué. Mais Mme Verdurin avait eu beau envoyer au tram suivant, enfin au dernier, la voiture était revenue vide. « Il a été sûrement fourré au bloc, il n'y a pas d'autre explication de sa fugue. Ah ! dame, vous savez dans le métier militaire avec ces gaillards-là, il suffit d'un adjudant grincheux. » — « Ce sera d'autant plus mortifiant pour Mme Verdurin, dit Brichot, s'il lâche encore ce soir, que notre aimable hôtesse reçoit justement à dîner pour la première fois les voisins qui lui ont loué la Raspelière, le Marquis et la Marquise de Cambremer. » — « Ce soir, le Marquis et la Marquise de Cambremer ! s'écria Cottard. Mais je n'en savais absolument rien. Naturellement je savais comme vous tous qu'ils devaient venir un jour, mais je ne savais pas que ce fût si proche. Sapristi, dit-il en se tournant vers moi, qu'est-ce que je vous ai dit : la Princesse Sherbatoff, le Marquis et la Marquise de Cambremer. » Et après avoir répété ces noms en se berçant de leur mélodie : « Vous voyez que nous nous mettons bien, me dit-il. N'importe, pour vos débuts, vous mettez dans le mille. Cela va être une chambrée exceptionnellement brillante. » Et se tournant vers Brichot, il ajouta : « La Patronne doit être furieuse. Il n'est que temps que nous arrivions lui prêter main-forte. » Depuis que Mme Verdurin était à la Raspelière elle affectait vis-à-vis des fidèles d'être en effet dans l'obligation et au désespoir d'inviter une fois ses propriétaires. Elle aurait ainsi de meilleures conditions pour l'année suivante, disait-elle, et ne le faisait que par intérêt. Mais elle prétendait avoir une telle terreur, se faire un tel monstre d'un dîner avec des gens qui n'étaient pas du petit groupe, qu'elle le remettait toujours. Il l'effrayait du reste un peu pour les motifs qu'elle proclamait, tout en les exagérant, si par un autre côté il l'enchantait pour des raisons de snobisme qu'elle préférait taire. Elle était donc à demi sincère, elle croyait le petit clan quelque chose de si unique au monde, un de ces ensembles comme il faut des siècles pour en constituer un pareil, qu'elle tremblait à la pensée d'y voir introduits ces gens de province, ignorants de la Tétralogie et des « Maîtres », qui ne sauraient pas tenir leur partie dans le concert de la conversation générale et étaient capables, en venant chez Mme Verdurin, de détruire un des fameux mercredis, chefs-d'œuvre incomparables et fragiles, pareils à ces verreries de Venise qu'une fausse note suffit à briser. « De plus, ils doivent être tout ce qu'il y a de plus *anti,* et galonnards », avait dit M. Verdurin. « Ah ! ça par exemple, ça m'est égal, voilà assez longtemps qu'on en parle de cette histoire-là », avait répondu Mme Verdurin qui sincèrement dreyfusarde, eût cependant voulu trouver dans la prépondérance de son salon dreyfusiste une récompense mondaine. Or le dreyfusisme triomphait politiquement mais non pas mondainement. Labori, Reinach, Picquart, Zola[9], restaient pour les gens du monde des espèces de traîtres qui ne pouvaient que les éloigner du petit noyau. Aussi après cette incursion dans la politique, Mme Verdurin tenait-elle à rentrer dans l'art. D'ailleurs d'Indy, Debussy, n'étaient-ils pas « mal » dans l'Affaire ? « Pour ce qui est de l'Affaire, nous n'aurions qu'à les mettre à côté de Brichot, dit-elle (l'universitaire étant le seul des fidèles qui avait pris le parti de l'État-Major, ce qui l'avait fait beaucoup baisser dans l'estime de Mme Verdurin). On n'est pas obligé de parler éternellement de l'Affaire Dreyfus. Non, la vérité c'est que les Cambremer m'embêtent. » Quant aux fidèles, aussi excités par le désir inavoué qu'ils avaient de connaître les Cambremer, que dupes de l'ennui affecté que Mme Verdurin disait éprouver à les recevoir, ils reprenaient chaque jour en causant avec elle les vils arguments qu'elle donnait elle-même en faveur de cette invitation, tâchaient de les rendre irrésistibles. « Décidez-vous une bonne fois, répétait Cottard, et vous aurez les concessions pour le loyer, ce sont eux qui paieront le jardinier, vous aurez la jouissance du pré. Tout cela vaut bien de s'ennuyer une soirée. Je n'en parle que pour vous », ajoutait-il, bien que le cœur lui eût battu une fois que dans la voiture de Mme Verdurin il avait croisé celle de la vieille Mme de Cambremer sur la route, et surtout qu'il fût humilié pour les employés du chemin de fer, quand, à la gare, il se trouvait près du Marquis. De leur côté les Cambremer, vivant bien trop loin du mouvement mondain pour pouvoir même se douter que certaines femmes élégantes parlaient avec quelque considération de Mme Verdurin, s'imaginaient que celle-ci était une personne qui ne pouvait connaître que des bohêmes, n'était même peut-être pas légitimement mariée, et en fait de gens « nés », ne verrait jamais qu'eux. Ils ne s'étaient résignés à y dîner que pour être en bons termes avec une locataire dont ils espéraient le retour pour de nombreuses saisons, surtout depuis qu'ils avaient, le mois précédent, appris qu'elle venait d'hériter de tant de millions. C'est en silence et sans plaisanteries de mauvais goût qu'ils se préparaient au jour fatal. Les fidèles n'espéraient plus qu'il vînt jamais, tant de fois Mme Verdurin en avait déjà fixé devant eux la date toujours changée. Ces fausses résolutions avaient pour but, non seulement de faire ostentation de l'ennui que lui causait ce dîner, mais de tenir en haleine les membres du petit groupe qui habitaient dans le voisinage et étaient parfois enclins à lâcher. Non que la Patronne devinât que le « grand jour » leur était aussi agréable qu'à elle-même, mais parce que, les ayant persuadés que ce dîner était pour elle la plus terrible des corvées, elle pouvait faire appel à leur dévouement. « Vous n'allez pas me laisser seule en tête à tête avec ces Chinois-là ! Il faut au contraire que nous soyons en nombre pour supporter l'ennui. Naturellement nous ne pourrons parler de rien de ce qui nous intéresse. Ce sera un mercredi de raté, que voulez-vous ! »

« En effet, répondit Brichot, en s'adressant à moi, je crois que Mme Verdurin, qui est très intelligente et apporte une grande coquetterie à l'élaboration de ses mercredis, ne tenait guère à recevoir ces hobereaux de grande lignée mais sans esprit. Elle n'a pu se résoudre à inviter la Marquise douairière, mais s'est résignée au fils et à la belle-fille. » — « Ah ! nous verrons la Marquise de Cambremer ? » dit Cottard avec un sourire où il crut devoir mettre de la paillardise et du marivaudage bien qu'il ignorât si Mme de Cambremer était jolie ou non. Mais le titre de marquise éveillait en lui des images prestigieuses et galantes. « Ah ! je la connais », dit Ski qui l'avait rencontrée une fois qu'il se promenait avec Mme Verdurin. « Vous ne la connaissez pas au sens biblique ? », dit en coulant un regard louche sous son lorgnon, le docteur, dont c'était une des plaisanteries favorites. « Elle est intelligente, me dit Ski. Naturellement, reprit-il en voyant que je ne disais rien, et appuyant en souriant sur chaque mot, elle est intelligente et elle ne l'est pas, il lui manque l'instruction, elle est frivole, mais elle a l'instinct des jolies choses. Elle se taira, mais elle ne dira jamais une bêtise. Et puis elle est d'une jolie coloration. Ce serait un portrait qui serait amusant à peindre », ajouta-t-il en fermant à demi les yeux comme s'il la regardait posant devant lui. Comme je pensais tout le contraire de ce que Ski exprimait avec tant de nuances, je me contentai de dire qu'elle était la sœur d'un ingénieur très distingué, M. Legrandin. « Hé bien, vous voyez, vous serez présenté à une jolie femme, me dit Brichot, et on ne sait jamais ce qui peut en résulter. Cléopâtre n'était même pas une grande dame, c'était la petite femme, la petite femme inconsciente et terrible de notre Meilhac [10] et voyez les conséquences non seulement pour ce jobard d'Antoine, mais pour le monde antique. » — « J'ai déjà été présenté à Mme de Cambremer », répondis-je. « Ah ! mais alors vous allez vous trouver en pays de connaissance. » — « Je serai d'autant plus heureux de la voir, répondis-je, qu'elle m'avait promis un ouvrage de l'ancien curé de Combray sur les noms de lieux de cette région-ci et je vais pouvoir lui rappeler sa promesse. Je m'intéresse à ce prêtre et aussi aux étymologies. » — « Ne vous fiez pas trop à celles qu'il indique, me répondit Brichot ; l'ouvrage qui est à la Raspelière et que je me suis amusé à feuilleter ne me dit rien qui vaille ; il fourmille d'erreurs. Je vais vous en donner un exemple. Le mot *bricq* [11] entre dans la formation d'une quantité de noms de lieux de nos environs. Le brave ecclésiastique a eu l'idée passablement biscornue qu'il vient de *briga,* hauteur, lieu fortifié. Il le voit déjà dans les peuplades celtiques, Latobriges, Nemetobriges, etc., et le suit jusque dans des noms comme Briand, Brion, etc. Pour en revenir au pays que nous avons le plaisir de traverser en ce moment avec vous, Bricquebose signifierait le bois de la hauteur, Bricqueville l'habitation de la hauteur, Bricquebec où nous nous arrêterons dans un instant avant d'arriver à Maineville, la hauteur près du ruisseau. Or ce n'est pas du tout cela, pour la raison que *bricq* est le vieux mot norois qui signifie tout simplement un pont. De même que *fleur,* que le protégé de Mme de Cambremer se donne une peine infinie pour rattacher tantôt aux mots scandinaves *floi, flo,* tantôt au mot irlandais *ae* et *aer,* est au contraire, à n'en point douter, le *fiord* des Danois et signifie port. De même l'excellent prêtre croit que la station de Saint-Martin-le-Vêtu, qui avoisine la Raspelière signifie Saint-Martin-le-Vieux *(vetus).* Il est certain que le mot de *vieux* a joué un grand rôle dans la toponymie de cette région. *Vieux* vient généralement de *vadum* et signifie un gué comme au lieu-dit les Vieux. C'est ce que les Anglais appelaient " ford " (Oxford, Hereford). Mais dans le cas particulier, *vieux* vient non pas de *vetus,* mais de *vastatus,* lieu dévasté et nu. Vous avez près d'ici Sottevast, le vast de Setold, Brillevast, le vast de Berold. Je suis d'autant plus certain de l'erreur du curé, que Saint-Martin-le-Vieux s'est appelé autrefois Saint-Martin-du-Gast et même Saint-Martin-de-Terregate. Or le *v* et le *g* dans ces mots sont la même lettre. On dit dévaster mais aussi gâcher. Jâchères et gâtines (du haut allemand *wastinna*) ont ce même sens. Terregate c'est donc *terra vasta*. Quant à Saint-Mars jadis (honni soit qui mal y pense) Saint-Merd, c'est Saint-Medardus qui est tantôt Saint-Médard, Saint-Mard, Saint-Marc, Cinq-Mars, et jusqu'à Dammas. Il ne faut du reste pas oublier que tout près d'ici, des lieux portant ce même nom de Mars attestent simplement une origine païenne (le dieu Mars) restée vivace en ce pays mais que le saint homme se refuse à reconnaître. Les hauteurs dédiées aux dieux sont en particulier fort nombreuses, comme la montagne de Jupiter (Jeumont). Votre curé n'en veut rien voir et en revanche partout où le christianisme a laissé des traces, elles lui échappent. Il a poussé son voyage jusqu'à Loctudy, nom barbare, dit-il, alors que c'est *Locus sancti Tudeni*, et n'a pas davantage, dans Sammarcoles, deviné *Sanctus Martialis*. Votre curé, continua Brichot en voyant qu'il m'intéressait, fait venir les mots en *hon*, *home*, *holm*, du mot *holl* (*hullus*), colline, alors qu'il vient du norois *holm*, île, que vous connaissez bien dans Stockholm, et qui dans tout ce pays-ci est si répandu, la Houlme, Engohomme, Tahoume, Robehomme, Néhomme, Quettehon, etc. » Ces noms me firent penser au jour où Albertine avait voulu aller à Amfreville-la-Bigot (du nom de deux de ses seigneurs successifs, me dit Brichot), et où elle m'avait ensuite proposé de dîner ensemble à Robehomme. « Est-ce que Néhomme, demandai-je, n'est pas près de Carquethuit et de Clitourps ? » — « Parfaitement, Néhomme c'est le holm, l'île ou presqu'île du fameux vicomte Nigel dont le nom est resté aussi dans Néville. Carquethuit et Clitourps dont vous me parlez sont pour le protégé de Mme de Cambremer l'occasion d'autres erreurs. Sans doute il voit bien que *carque*, c'est une église, la *kirche* des Allemands. Vous connaissez Querqueville, sans parler de Dunkerque. Car mieux vaudrait alors nous arrêter à ce fameux mot de *Dun* qui pour les Celtes signifiait une élévation. Et cela vous le retrouverez dans toute la France. Votre abbé s'hypnotisait devant Duneville repris dans l'Eure-et-Loir ; il eût trouvé Châteaudun, Dun-le-Roi dans le Cher, Duneau dans la Sarthe, Dun dans l'Ariège, Dune-les-Places dans la Nièvre, etc., etc. Ce *Dun* lui fait commettre une curieuse erreur en ce qui concerne Douville où nous descendrons et où nous attendent les confortables voitures de Mme Verdurin. Douville, en latin *donvilla,* dit-il. En effet Douville est au pied de grandes hauteurs. Votre curé qui sait tout, sent tout de même qu'il a fait une bévue. Il a lu en effet dans un ancien pouillé *Domvilla*. Alors il se rétracte ; Douville, selon lui, est un fief de l'Abbé, *Domino Abbati,* du mont Saint-Michel. Il s'en réjouit, ce qui est assez bizarre quand on pense à la vie scandaleuse que depuis le *Capitulaire* de Saint-Clair-sur-Epte, on menait au mont Saint-Michel, et ce qui ne serait pas plus extraordinaire que de voir le Roi de Danemark suzerain de toute cette côte où il faisait célébrer beaucoup plus le culte d'Odin que celui du Christ. D'autre part, la supposition que l'*n* a été changée en *m* ne me choque pas et exige moins d'altération que le très correct Lyon qui, lui aussi, vient de *Dun (Lugdunum)*. Mais enfin l'abbé se trompe. Douville n'a jamais été Donville, mais Doville, *Eudonis Villa,* le village d'Eudes. Douville s'appelait autrefois Escalecliff, l'escalier de la pente. Vers 1233, Eudes le Bouteiller, seigneur d'Escalecliff partit pour la Terre-Sainte ; au moment de partir il fit remise de l'église à l'abbaye de Blanchelande. Échange de bons procédés, le village prit son nom, d'où actuellement Douville. Mais j'ajoute que la toponymie, où je suis d'ailleurs fort ignare, n'est pas une science exacte ; si nous n'avions ce témoignage historique, Douville pourrait fort bien venir d'Ouville, c'est-à-dire les Eaux. Les formes en *ai* (Aigues-Mortes), de *aqua,* se changent fort souvent en *eu,* en *ou*. Or il y avait tout près de Douville des eaux renommées, Carquebut. Vous pensez que le curé était trop content de trouver là quelque trace chrétienne, encore que ce pays semble avoir été assez difficile à évangéliser puisqu'il a fallu que s'y reprissent successivement saint Ursal, saint Gofroi, saint Barsanore, saint Laurent de Brèvedent, lequel passa enfin la main aux moines de Beaubec. Mais pour *tuit* l'auteur se trompe, il y voit une forme de *toft,* masure, comme dans Cricquetot, Ectot, Yvetot, alors que c'est le *thveit,* essart, défrichement, comme dans Braquetuit, le Thuit, Regnetuit, etc. De même s'il reconnaît dans Clitourps le *thorp* normand qui veut dire village, il veut que la première partie du nom dérive de *clivus,* pente, alors qu'elle vient de *cliff,* rocher. Mais ses plus grosses bévues viennent moins de son ignorance que de ses préjugés. Si bon Français qu'on soit, faut-il nier l'évidence et prendre Saint-Laurent-en-Bray pour le prêtre romain si connu alors qu'il s'agit de saint Lawrence O'Toole, archevêque de Dublin ? Mais plus que le sentiment patriotique, le parti pris religieux de votre ami lui fait commettre des erreurs grossières. Ainsi vous avez non loin de chez nos hôtes de la Raspelière deux Montmartin, Montmartin-sur-Mer et Mont-Martin-en-Graignes. Pour Graignes, le bon curé n'a pas commis d'erreur, il a bien vu que Graignes, en latin, *Grania,* en grec *crênê,* signifie étangs, marais ; combien de Cresmays, de Croen, de Gremeville, de Lengronne, ne pourrait-on pas citer ? Mais pour Montmartin votre prétendu linguiste veut absolument qu'il s'agisse de paroisses dédiées à saint Martin. Il s'autorise de ce que le saint est leur patron, mais ne se rend pas compte qu'il n'a été pris pour tel qu'après coup ; ou plutôt il est aveuglé par sa haine du paganisme ; il ne veut pas voir qu'on aurait dit Mont-Saint-Martin comme on dit le mont Saint-Michel, s'il s'était agi de saint Martin, tandis que le nom de Montmartin s'applique de façon beaucoup plus païenne à des temples consacrés au dieu Mars, temples dont nous ne possédons pas, il est vrai, d'autres vestiges, mais que la présence incontestée dans le voisinage de vastes camps romains rendrait des plus vraisemblables même sans le nom de Montmartin qui tranche le doute. Vous voyez que le petit livre que vous allez trouver à la Raspelière n'est pas des mieux faits. » J'objectai qu'à Combray le curé nous avait appris souvent des étymologies intéressantes. « Il était probablement mieux sur son terrain, le voyage en Normandie l'aura dépaysé. » — « Et ne l'aura pas guéri, ajoutai-je, car il était arrivé neurasthénique et est reparti rhumatisant. » — « Ah ! c'est la faute à la neurasthénie. Il est tombé de la neurasthénie dans la philologie, comme eût dit mon bon maître Pocquelin [12]. Dites donc, Cottard, vous semble-t-il que la neurasthénie puisse avoir une influence fâcheuse sur la philologie, la philologie une influence calmante sur la neurasthénie et la guérison de la neurasthénie conduire au rhumatisme ? » — « Parfaitement, le rhumatisme et la neurasthénie sont deux formes vicariantes du neuro-arthritisme. On peut passer de l'une à l'autre par métastase. » — « L'éminent professeur, dit Brichot, s'exprime, Dieu me pardonne, dans un français aussi mêlé de latin et de grec qu'eût pu le faire M. Purgon lui-même, de moliéresque mémoire ! A moi, mon oncle, je veux dire notre Sarcey [13] national... » Mais il ne put achever sa phrase. Le professeur venait de sursauter et de pousser un hurlement : « Nom de d'là, s'écria-t-il en passant enfin au langage articulé, nous avons passé Maineville (hé ! hé !) et même Renneville. » Il venait de voir que le train s'arrêtait à Saint-Mars-le-Vieux où presque tous les voyageurs descendaient. « Ils n'ont pas dû pourtant brûler l'arrêt. Nous n'aurons pas fait attention en parlant des Cambremer. » — « Ecoutez-moi, Ski, attendez, je vais vous dire “ une bonne chose ”, dit Cottard qui avait pris en affection cette expression usitée dans certains milieux médicaux. La Princesse doit être dans le train, elle ne nous aura pas vus et sera montée dans un autre compartiment. Allons à sa recherche. Pourvu que tout cela n'aille pas amener de grabuge ! » Et il nous emmena tous à la recherche de la Princesse Sherbatoff.

Il la trouva dans le coin d'un wagon vide, en train de lire la *Revue des Deux Mondes*. Elle avait pris depuis de longues années, par peur des rebuffades, l'habitude de se tenir à sa place, de rester dans son coin, dans la vie comme dans le train, et d'attendre pour donner la main qu'on lui eût dit bonjour. Elle continua à lire quand les fidèles entrèrent dans son wagon. Je la reconnus aussitôt ; cette femme qui pouvait avoir perdu sa situation mais n'en était pas moins d'une grande naissance, qui en tous cas était la perle d'un salon comme celui des Verdurin, c'était la dame que dans le même train, j'avais cru, l'avant-veille, pouvoir être une tenancière de maison publique. Sa personnalité sociale si incertaine, me devint claire aussitôt quand je sus son nom, comme quand après avoir peiné sur une devinette, on apprend enfin le mot qui rend clair tout ce qui était resté obscur et qui pour les personnes est le nom. Apprendre le surlendemain quelle était la personne à côté de qui on a voyagé dans le train sans parvenir à trouver son rang social est une surprise beaucoup plus amusante que de lire dans la livraison nouvelle d'une revue le mot de l'énigme proposée dans la précédente livraison. Les grands restaurants, les casinos, les « tortillards » sont le musée des familles de ces énigmes sociales. « Princesse, nous vous aurons manquée à Maineville ! Vous permettez que nous prenions place dans votre compartiment ? » — « Mais comment donc », fit la Princesse qui, en entendant Cottard lui parler, leva seulement alors de sur sa revue des yeux qui, comme ceux de M. de Charlus, quoique plus doux, voyaient très bien les personnes de la présence de qui elle faisait semblant de ne pas s'apercevoir. Cottard réfléchissant à ce que le fait d'être invité avec les Cambremer était pour moi une recommandation suffisante prit, au bout d'un moment, la décision de me présenter à la Princesse, laquelle s'inclina avec une grande politesse, mais eut l'air d'entendre mon nom pour la première fois. « Cré nom, s'écria le docteur, ma femme a oublié de faire changer les boutons de mon gilet blanc. Ah ! les femmes, ça ne pense à rien. Ne vous mariez jamais, voyez-vous », me dit-il. Et comme c'était une des plaisanteries qu'il jugeait convenables quand on n'avait rien à dire, il regarda du coin de l'œil la Princesse et les autres fidèles, qui, parce qu'il était professeur et académicien, sourirent en admirant sa bonne humeur et son absence de morgue. La Princesse nous apprit que le jeune violoniste était retrouvé. Il avait gardé le lit la veille à cause d'une migraine, mais viendrait ce soir et amènerait un vieil ami de son père qu'il avait retrouvé à Doncières. Elle l'avait su par Mme Verdurin avec qui elle avait déjeuné le matin, nous dit-elle d'une voix rapide où le roulement des *r*, de l'accent russe, était doucement marmonné au fond de la gorge, comme si c'étaient non des *r* mais des *l*. « Ah ! vous avez déjeuné ce matin avec elle, dit Cottard à la Princesse ; mais en me regardant car ces paroles avaient pour but de me montrer combien la Princesse était intime avec la Patronne. Vous êtes une fidèle, vous ! » — « Oui, j'aime ce petit celcle intelligent, agléable, pas méchant, tout simple, pas snob et où on a de l'esplit jusqu'au bout des ongles. » — « Nom d'une pipe, j'ai dû perdre mon billet, je ne le retrouve pas », s'écria Cottard sans s'inquiéter d'ailleurs outre mesure. Il savait qu'à Douville, où deux landaus allaient nous attendre, l'employé le laisserait passer sans billet et ne s'en découvrirait que plus bas afin de donner par ce salut l'explication de son indulgence, à savoir qu'il avait bien reconnu en Cottard un habitué des Verdurin. « On ne me mettra pas à la salle de police pour cela », conclut le docteur. « Vous disiez, Monsieur, demandai-je à Brichot, qu'il y avait près d'ici des eaux renommées ; comment le sait-on ? » — « Le nom de la station suivante l'atteste entre bien d'autres témoignages. Elle s'appelle Fervaches. » — « Je ne complends pas ce qu'il veut dil », grommela la Princesse d'un ton dont elle m'aurait dit par gentillesse : « Il nous embête, n'est-ce pas ? » « Mais, Princesse, Fervaches veut dire eaux chaudes. *Fervidæ aquæ.* Mais à propos du jeune violoniste, continua Brichot, j'oubliais, Cottard, de vous parler de la grande nouvelle. Saviez-vous que notre pauvre ami Dechambre, l'ancien pianiste favori de Mme Verdurin vient de mourir ? C'est effrayant. » — « Il était encore jeune, répondit Cottard, mais il devait faire quelque chose du côté du foie, il devait avoir quelque saleté de ce côté, il avait une fichue tête depuis quelque temps. » — « Mais il n'était pas si jeune, dit Brichot ; du temps où Elstir et Swann allaient chez Mme Verdurin, Dechambre était déjà une notoriété parisienne, et, chose admirable, sans avoir reçu à l'étranger le baptême du succès. Ah ! il n'était pas un adepte de l'Evangile selon saint Barnum, celui-là. » — « Vous confondez, il ne pouvait aller chez Mme Verdurin, à ce moment-là, il était encore en nourrice. » — « Mais, à moins que ma vieille mémoire ne soit infidèle, il me semblait que Dechambre jouait la sonate de Vinteuil pour Swann quand ce cercleux, en rupture d'aristocratie, ne se doutait guère qu'il serait un jour le prince consort embourgeoisé de notre Odette nationale. » — « C'est impossible, la sonate de Vinteuil a été jouée chez Mme Verdurin longtemps après que Swann n'y allait plus », dit le docteur qui, comme les gens qui travaillent beaucoup et croient retenir beaucoup de choses qu'ils se figurent être utiles, en oublient beaucoup d'autres, ce qui leur permet de s'extasier devant la mémoire de gens qui n'ont rien à faire. « Vous faites tort à vos connaissances, vous n'êtes pourtant pas ramolli », dit en souriant le docteur. Brichot convint de son erreur. Le train s'arrêta. C'était la Sogne. Ce nom m'intriguait. « Comme j'aimerais savoir ce que veulent dire tous ces noms », dis-je à Cottard. « Mais demandez à M. Brichot, il le sait peut-être. » — « Mais la Sogne, c'est la Cicogne, *Siconia* », répondit Brichot que je brûlai d'interroger sur bien d'autres noms.

Oubliant qu'elle tenait à son « coin », Mme Sherbatoff m'offrit aimablement de changer de place avec moi pour que je pusse mieux causer avec Brichot à qui je voulais demander d'autres étymologies qui m'intéressaient, et elle assura qu'il lui était indifférent de voyager en avant, en arrière, debout, etc. Elle restait sur la défensive tant qu'elle ignorait les intentions des nouveaux venus, mais quand elle avait reconnu que celles-ci étaient aimables, elle cherchait de toutes manières à faire plaisir à chacun. Enfin le train s'arrêta à la station de Douville-Féterne, laquelle étant située à peu près à égale distance du village de Féterne et de celui de Douville, portait à cause de cette particularité leurs deux noms. « Saperlipopette, s'écria le docteur Cottard, quand nous fûmes devant la barrière où on prenait les billets et feignant seulement de s'en apercevoir, je ne peux pas retrouver mon ticket, j'ai dû le perdre. » Mais l'employé, ôtant sa casquette, assura que cela ne faisait rien et sourit respectueusement. La Princesse (donnant des explications au cocher, comme eût fait une espèce de dame d'honneur de Mme Verdurin, laquelle, à cause des Cambremer, n'avait pu venir à la gare, ce qu'elle faisait du reste rarement) me prit, ainsi que Brichot, avec elle dans une des voitures. Dans l'autre montèrent le docteur, Saniette et Ski.

Le cocher, bien que tout jeune, était le premier cocher des Verdurin, le seul qui fût vraiment cocher en titre ; il leur faisait faire, dans le jour, toutes leurs promenades car il connaissait tous les chemins et le soir allait chercher et reconduire ensuite les fidèles. Il était accompagné d'extras (qu'il choisissait) en cas de nécessité. C'était un excellent garçon, sobre et adroit, mais avec une de ces figures mélancoliques où le regard trop fixe, signifie qu'on se fait pour un rien de la bile, même des idées noires. Mais il était en ce moment fort heureux car il avait réussi à placer son frère, autre excellente pâte d'homme, chez les Verdurin. Nous traversâmes d'abord Douville. Des mamelons herbus y descendaient jusqu'à la mer en amples pâtis auxquels la saturation de l'humidité et du sel donnait une épaisseur, un moelleux, une vivacité de tons extrêmes. Les îlots et les découpures de Rivebelle, beaucoup plus rapprochés ici qu'à Balbec, donnaient à cette partie de la mer l'aspect nouveau pour moi d'un plan en relief. Nous passâmes devant de petits chalets loués presque tous par des peintres ; nous prîmes un sentier où des vaches en liberté, aussi effrayées que nos chevaux, nous barrèrent dix minutes le passage, et nous nous engageâmes dans la route de la corniche. « Mais par les dieux immortels, demanda tout à coup Brichot, revenons à ce pauvre Dechambre ; croyez-vous que Mme Verdurin *sache ?* Lui a-t-on *dit ?* » Mme Verdurin, comme presque tous les gens du monde, justement parce qu'elle avait besoin de la société des autres, ne pensait plus un seul jour à eux, après qu'étant morts ils ne pouvaient plus venir aux mercredis, ni aux samedis, ni dîner en robe de chambre. Et on ne pouvait pas dire du petit clan, image en cela de tous les salons, qu'il se composait de plus de morts que de vivants, vu que dès qu'on était mort c'était comme si on n'avait jamais existé. Mais pour éviter l'ennui d'avoir à parler des défunts, voire de suspendre les dîners, chose impossible à la Patronne, à cause d'un deuil, M. Verdurin feignait que la mort des fidèles affectât tellement sa femme que dans l'intérêt de sa santé, il ne fallait pas en parler. D'ailleurs, et peut-être justement parce que la mort des autres lui semblait un accident si définitif et si vulgaire, la pensée de la sienne propre lui faisait horreur et il fuyait toute réflexion pouvant s'y rapporter. Quant à Brichot, comme il était très brave homme et parfaitement dupe de ce que M. Verdurin disait de sa femme, il redoutait pour son amie les émotions d'un pareil chagrin. « Oui, elle *sait tout* depuis ce matin, dit la Princesse, on n'a *pas pu lui cacher.* » — « Ah ! mille tonnerres de Zeus, s'écria Brichot, ah ! ça a dû être un coup terrible, un ami de vingt-cinq ans. En voilà un qui était des nôtres. » — « Evidemment, évidemment, que voulez-vous, dit Cottard. Ce sont des circonstances toujours pénibles ; mais Mme Verdurin est une femme forte, c'est une cérébrale encore plus qu'une émotive. » — « Je ne suis pas tout à fait de l'avis du docteur, dit la Princesse, à qui décidément son parler rapide, son accent murmuré, donnait l'air à la fois boudeur et mutin. Mme Verdurin, sous une apparence froide, cache des trésors de sensibilité. M. Verdurin m'a dit qu'il avait eu beaucoup de peine à l'empêcher d'aller à Paris pour la cérémonie ; il a été obligé de lui faire croire que tout se ferait à la campagne. » — « Ah ! diable, elle voulait aller à Paris. Mais je sais bien que c'est une femme de cœur, peut-être de trop de cœur même. Pauvre Dechambre ! Comme le disait Mme Verdurin il n'y a pas deux mois : " A côté de lui Planté, Paderewski, Risler même, rien ne tient. " Ah ! il a pu dire plus justement que ce m'as-tu vu de Néron qui a trouvé le moyen de rouler la science allemande elle-même : *Qualis artifex pereo*[14] ! Mais lui du moins, Dechambre, a dû mourir dans l'accomplissement du sacerdoce, en odeur de dévotion beethovenienne ; et bravement, je n'en doute pas ; en bonne justice, cet officiant de la musique allemande aurait mérité de trépasser en célébrant la *Messe en ré*[15]. Mais il était au demeurant homme à accueillir la camarde avec un trille, car cet exécutant de génie retrouvait parfois dans son ascendance de Champenois parisianisé, des crâneries et des élégances de garde-française. »

De la hauteur où nous étions déjà, la mer n'apparaissait plus ainsi que de Balbec, pareille aux ondulations de montagnes soulevées, mais au contraire, comme apparaît d'un pic, ou d'une route qui contourne la montagne, un glacier bleuâtre, ou une plaine éblouissante, situés à une moindre altitude. Le déchiquetage des remous y semblait immobilisé et avoir dessiné pour toujours leurs cercles concentriques ; l'émail même de la mer qui changeait insensiblement de couleur, prenait vers le fond de la baie, où se creusait un estuaire, la blancheur bleue d'un lait où de petits bacs noirs qui n'avançaient pas semblaient empêtrés comme des mouches. Il ne me semblait pas qu'on pût découvrir de nulle part un tableau plus vaste. Mais à chaque tournant une partie nouvelle s'y ajoutait et quand nous arrivâmes à l'octroi de Douville, l'éperon de falaise qui nous avait caché jusque-là une moitié de la baie, rentra, et je vis tout à coup à ma gauche un golfe aussi profond que celui que j'avais eu jusque-là devant moi, mais dont il changeait les proportions et doublait la beauté.

L'air à ce point si élevé devenait d'une vivacité et d'une pureté qui m'enivraient. J'aimais les Verdurin ; qu'ils nous eussent envoyé une voiture me semblait d'une bonté attendrissante. J'aurais voulu embrasser la Princesse. Je lui dis que je n'avais jamais rien vu d'aussi beau. Elle fit profession d'aimer aussi ce pays plus que tout autre. Mais je sentais bien que pour elle comme pour les Verdurin la grande affaire était non de le contempler en touristes, mais d'y faire de bons repas, d'y recevoir une société qui leur plaisait, d'y écrire des lettres, d'y lire, bref d'y vivre, laissant passivement sa beauté les baigner plutôt qu'ils n'en faisaient l'objet de leur préoccupation.

De l'octroi, la voiture s'étant arrêtée pour un instant à une telle hauteur au-dessus de la mer que comme d'un sommet la vue du gouffre bleuâtre donnait presque le vertige ; j'ouvris le carreau ; le bruit distinctement perçu de chaque flot qui se brisait avait dans sa douceur et dans sa netteté quelque chose de sublime. N'était-il pas comme un indice de mensuration qui, renversant nos impressions habituelles, nous montre que les distances verticales peuvent être assimilées aux distances horizontales, au contraire de la représentation que notre esprit s'en fait d'habitude ; et que, rapprochant ainsi de nous le ciel, elles ne sont pas grandes ; qu'elles sont même moins grandes pour un bruit qui les franchit comme faisait celui de ces petits flots, car le milieu qu'il a à traverser est plus pur ? Et en effet si on reculait seulement de deux mètres en arrière de l'octroi, on ne distinguait plus ce bruit de vagues auquel deux cents mètres de falaise n'avaient pas enlevé sa délicate, minutieuse et douce précision. Je me disais que ma grand-mère aurait eu pour lui cette admiration que lui inspiraient toutes les manifestations de la nature ou de l'art, dans la simplicité desquelles on lit la grandeur. Mon exaltation était à son comble et soulevait tout ce qui m'entourait. J'étais attendri que les Verdurin nous eussent envoyé chercher à la gare. Je le dis à la Princesse qui parut trouver que j'exagérais beaucoup une si simple politesse. Je sais qu'elle avoua plus tard à Cottard qu'elle me trouvait bien enthousiaste ; il lui répondit que j'étais trop émotif et que j'aurais eu besoin de calmants et de faire du tricot. Je faisais remarquer à la Princesse chaque arbre, chaque petite maison croulant sous ses roses, je lui faisais tout admirer, j'aurais voulu la serrer elle-même contre mon cœur. Elle me dit qu'elle voyait que j'étais doué pour la peinture, que je devrais dessiner, qu'elle était surprise qu'on ne me l'eût pas encore dit. Et elle confessa qu'en effet ce pays était pittoresque. Nous traversâmes, perché sur la hauteur, le petit village d'Englesqueville (*Engleberti Villa*, nous dit Brichot). « Mais êtes-vous bien sûr que le dîner de ce soir a lieu malgré la mort de Dechambre, Princesse ? » ajouta-t-il sans réfléchir que la venue à la gare des voitures dans lesquelles nous étions était déjà une réponse. « Oui, dit la Princesse, M. Veldulin a tenu à ce qu'il ne soit pas remis justement pour empêcher sa femme de “ penser ”. Et puis après tant d'années qu'elle n'a jamais manqué de recevoir un mercredi, ce changement dans ses habitudes aurait pu l'impressionner. Elle est tlès nerveuse ces temps-ci. M. Verdurin était particulièrement heureux que vous veniez dîner ce soir parce qu'il savait que ce serait une grande distraction pour Mme Verdurin », dit la Princesse oubliant sa feinte de ne pas avoir entendu parler de moi. « Je crois que vous ferez bien de ne parler de *rien devant* Mme Verdurin » ajouta la Princesse. « Ah ! vous faites bien de me le dire, répondit naïvement Brichot. Je transmettrai la recommandation à Cottard. » La voiture s'arrêta un instant. Elle repartit, mais le bruit que faisaient les roues dans le village avait cessé. Nous étions entrés dans l'allée d'honneur de la Raspelière où M. Verdurin nous attendait au perron. « J'ai bien fait de mettre un smoking, dit-il, en constatant avec plaisir que les fidèles avaient le leur, puisque j'ai des hommes si chic. » Et comme je m'excusais de mon veston : « Mais voyons, c'est parfait. Ici ce sont des dîners de camarades. Je vous offrirais bien de vous prêter un de mes smokings mais il ne vous irait pas. » Le *shake-hand* plein d'émotion que, en pénétrant dans le vestibule de la Raspelière, et en manière de condoléances pour la mort du pianiste, Brichot donna au Patron, ne provoqua de la part de celui-ci aucun commentaire. Je lui dis mon admiration pour ce pays. « Ah ! tant mieux, et vous n'avez rien vu, nous vous le montrerons. Pourquoi ne viendriez-vous pas habiter quelques semaines ici ? l'air est excellent. » Brichot craignait que sa poignée de main n'eût pas été comprise. « Hé bien ! ce pauvre Dechambre ! » dit-il, mais à mi-voix, dans la crainte que Mme Verdurin ne fût pas loin. « C'est affreux », répondit allègrement M. Verdurin. « Si jeune », reprit Brichot. Agacé de s'attarder à ces inutilités, M. Verdurin répliqua d'un ton pressé et avec un gémissement suraigu, non de chagrin, mais d'impatience irritée : « Hé bien oui, mais qu'est-ce que vous voulez, nous n'y pouvons rien, ce ne sont pas nos paroles qui le ressusciterons n'est-ce pas ? » Et la douceur lui revenant avec la jovialité : « Allons, mon brave Brichot, posez vite vos affaires. Nous avons une bouillabaisse qui n'attend pas. Surtout, au nom du ciel, n'allez pas parler de Dechambre à Mme Verdurin ! Vous savez qu'elle cache beaucoup ce qu'elle ressent, mais elle a une véritable maladie de la sensibilité. Non, mais je vous jure, quand elle a appris que Dechambre était mort, elle a presque pleuré », dit M. Verdurin d'un ton profondément ironique. A l'entendre on aurait dit qu'il fallait une espèce de démence pour regretter un ami de trente ans, et d'autre part on devinait que l'union perpétuelle de M. Verdurin avec sa femme n'allait pas, de la part de celui-ci, sans qu'il la jugeât toujours et qu'elle l'agaçât souvent. « Si vous lui en parlez elle va encore se rendre malade. C'est déplorable, trois semaines après sa bronchite. Dans ces cas-là c'est moi qui suis le garde-malade. Vous comprenez que je sors d'en prendre. Affligez-vous sur le sort de Dechambre dans votre cœur tant que vous voudrez. Pensez-y, mais n'en parlez pas. J'aimais bien Dechambre, mais vous ne pouvez pas m'en vouloir d'aimer encore plus ma femme. Tenez, voilà Cottard, vous allez pouvoir lui demander. » Et en effet il savait qu'un médecin de la famille sait rendre bien des petits services comme de prescrire par exemple qu'il ne faut pas avoir de chagrin.

Cottard docile avait dit à la Patronne : « Bouleversez-vous comme ça et vous *me* ferez demain trente-neuf de fièvre », comme il aurait dit à la cuisinière : « Vous me ferez demain du ris de veau. » La médecine, faute de guérir, s'occupe à changer le sens des verbes et des pronoms.

M. Verdurin fut heureux de constater que Saniette, malgré les rebuffades que celui-ci avait essuyées l'avant-veille, n'avait pas déserté le petit noyau. En effet Mme Verdurin et son mari avaient contracté dans l'oisiveté des instincts cruels à qui les grandes circonstances, trop rares, ne suffisaient plus. On avait bien pu brouiller Odette avec Swann, Brichot avec sa maîtresse. On recommencerait avec d'autres, c'était entendu. Mais l'occasion ne s'en présentait pas tous les jours. Tandis que grâce à sa sensibilité frémissante, à sa timidité craintive et vite affolée, Saniette leur offrait un souffre-douleur quotidien. Aussi, de peur qu'il lâchât, avait-on soin de l'inviter avec des paroles aimables et persuasives comme en ont au lycée les vétérans, au régiment les anciens pour un bleu qu'on veut amadouer afin de pouvoir s'en saisir, à seules fins alors de le chatouiller et de lui faire des brimades quand il ne pourra plus s'échapper. « Surtout, rappela à Brichot Cottard qui n'avait pas entendu M. Verdurin, *motus* devant Mme Verdurin. » — « Soyez sans crainte, ô Cottard, vous avez affaire à un sage, comme dit Théocrite. D'ailleurs M. Verdurin a raison, à quoi servent nos plaintes », ajouta-t-il, car capable d'assimiler des formes verbales et les idées qu'elles amenaient en lui, mais n'ayant pas de finesse, il avait admiré dans les paroles de M. Verdurin le plus courageux stoïcisme. « N'importe, c'est un grand talent qui disparaît. » — « Comment, vous parlez encore de Dechambre ? dit M. Verdurin qui nous avait précédés et qui, voyant que nous ne le suivions pas, était revenu en arrière. Ecoutez, dit-il à Brichot, il ne faut d'exagération en rien. Ce n'est pas une raison parce qu'il est mort pour en faire un génie qu'il n'était pas. Il jouait bien, c'est entendu, il était surtout bien encadré ici ; transplanté, il n'existait plus. Ma femme s'en était engouée et avait fait sa réputation. Vous savez comme elle est. Je dirai plus, dans l'intérêt même de sa réputation il est mort au bon moment, à point, comme les demoiselles de Caen, grillées selon les recettes incomparables de Pampille[16] vont l'être j'espère (à moins que vous ne vous éternisiez par vos jérémiades dans cette casbah ouverte à tous les vents). Vous ne voulez tout de même pas nous faire crever tous parce que Dechambre est mort et quand depuis un an il était obligé de faire des gammes avant de donner un concert, pour retrouver momentanément, bien momentanément sa souplesse. Du reste vous allez entendre ce soir, ou du moins rencontrer, car ce mâtin là délaisse trop souvent après dîner l'art pour les cartes, quelqu'un qui est un autre artiste que Dechambre, un petit que ma femme a découvert (comme elle avait découvert Dechambre, et Paderewski et le reste) : Morel. Il n'est pas encore arrivé, ce bougre-là. Je vais être obligé d'envoyer une voiture au dernier train. Il vient avec un vieil ami de sa famille qu'il a retrouvé et qui l'embête à crever mais sans qui il aurait été obligé, pour ne pas avoir de plaintes de son père, de rester sans cela à Doncières à lui tenir compagnie : le Baron de Charlus. » Les fidèles entrèrent. M. Verdurin, resté en arrière avec moi pendant que j'ôtais mes affaires, me prit le bras en plaisantant, comme fait à un dîner un maître de maison qui n'a pas d'invitée à vous donner à conduire. « Vous avez fait bon voyage ? » — « Oui, M. Brichot m'a appris des choses qui m'ont beaucoup intéressé », dis-je en pensant aux étymologies et parce que j'avais entendu dire que les Verdurin admiraient beaucoup Brichot. « Cela m'aurait étonné qu'il ne vous eût rien appris, me dit M. Verdurin, c'est un homme si effacé, qui parle si peu des choses qu'il sait. » Ce compliment ne me parut pas très juste. « Il a l'air charmant », dis-je. « Exquis, délicieux, pas pion pour un sou, fantaisiste, léger, ma femme l'adore, moi aussi ! » répondit M. Verdurin sur un ton d'exagération et de réciter une leçon. Alors seulement je compris que ce qu'il m'avait dit de Brichot était ironique. Et je me demandai si M. Verdurin, depuis le temps lointain dont j'avais entendu parler, n'avait pas secoué la tutelle de sa femme.

Le sculpteur fut très étonné d'apprendre que les Verdurin consentaient à recevoir M. de Charlus. Alors que dans le Faubourg Saint-Germain où M. de Charlus était si connu, on ne parlait jamais de ses mœurs (ignorées du plus grand nombre, objet de doute pour d'autres qui croyaient plutôt à des amitiés exaltées, mais platoniques, à des imprudences, et enfin soigneusement dissimulées par les seuls renseignés qui haussaient les épaules quand quelque malveillante Gallardon risquait une insinuation), ces mœurs, connues à peine de quelques intimes, étaient au contraire journellement décriées loin du milieu où il vivait, comme certains coups de canon qu'on n'entend qu'après l'interférence d'une zone silencieuse. D'ailleurs dans ces milieux bourgeois et artistes où il passait pour l'incarnation même de l'inversion, sa grande situation mondaine, sa haute origine, étaient entièrement ignorées par un phénomène analogue à celui qui, dans le peuple roumain, fait que le nom de Ronsard est connu comme celui d'un grand seigneur, tandis que son œuvre poétique y est inconnue. Bien plus, la noblesse de Ronsard repose en Roumanie[17] sur une erreur. De même si dans le monde des peintres, des comédiens, M. de Charlus avait si mauvaise réputation, cela tenait à ce qu'on le confondait avec un comte Leblois de Charlus qui n'avait même pas la moindre parenté avec lui, ou extrêmement lointaine, et qui avait été arrêté, peut-être par erreur, dans une descente de police restée fameuse. En somme, toutes les histoires qu'on racontait sur M. de Charlus s'appliquaient au faux. Beaucoup de professionnels juraient avoir eu des relations avec M. de Charlus et étaient de bonne foi, croyant que le faux Charlus était le vrai, et le faux peut-être favorisant, moitié pas ostentation de noblesse, moitié par dissimulation de vice, une confusion qui, pour le vrai (le Baron que nous connaissons), fut longtemps préjudiciable et ensuite quand il eut glissé sur sa pente, devint commode, car à lui aussi elle permit de dire : « Ce n'est pas moi. » Actuellement en effet ce n'était pas de lui qu'on parlait. Enfin, ce qui ajoutait à la fausseté des commentaires d'un fait vrai (les goûts du Baron), il avait été l'ami intime et parfaitement pur d'un auteur qui, dans le monde des théâtres, avait on ne sait pourquoi cette réputation et ne la méritait nullement. Quand on les apercevait à une première ensemble, on disait : « Vous savez », de même qu'on croyait que la Duchesse de Guermantes avait des relations immorales avec la Princesse de Parme ; légende indestructible, car elle ne se serait évanouie qu'à une proximité de ces deux grandes dames où les gens qui la répétaient, n'atteindraient vraisemblablement jamais qu'en les lorgnant au théâtre et en les calomniant auprès du titulaire du fauteuil voisin. Des mœurs de M. de Charlus, le sculpteur concluait avec d'autant moins d'hésitation que la situation mondaine du Baron devait être aussi mauvaise, qu'il ne possédait sur la famille à laquelle appartenait M. de Charlus, sur son titre, sur son nom, aucune espèce de renseignement. De même que Cottard croyait que tout le monde sait que le titre de docteur en médecine n'est rien, celui d'interne des hôpitaux quelque chose, les gens du monde se trompent en se figurant que tout le monde possède sur l'importance sociale de leur nom les mêmes notions qu'eux-mêmes et les personnes de leur milieu.

Le Prince d'Agrigente passait pour un « rasta » aux yeux d'un chasseur de cercle à qui il devait vingt-cinq louis, et ne reprenait son importance que dans le Faubourg Saint-Germain où il avait trois sœurs duchesses, car ce ne sont pas sur les gens modestes aux yeux de qui il compte peu, mais sur les gens brillants, au courant de ce qu'il est, que fait quelque effet le grand seigneur. M. de Charlus allait du reste pouvoir se rendre compte dès le soir même que le Patron avait sur les plus illustres familles ducales des notions peu approfondies. Persuadé que les Verdurin allaient faire un pas de clerc en laissant s'introduire dans leur salon si « select » un individu taré, le sculpteur crut devoir prendre à part la Patronne. « Vous faites entièrement erreur, d'ailleurs je ne crois jamais ces choses-là, et puis quand ce serait vrai, je vous dirai que ce ne serait pas très compromettant pour moi ! » lui répondit Mme Verdurin, furieuse, car Morel étant le principal élément des mercredis, elle tenait avant tout à ne pas le mécontenter. Quant à Cottard il ne put donner d'avis car il avait demandé à monter un instant « faire une petite commission » dans le *buen retiro* et à écrire ensuite dans la chambre de M. Verdurin une lettre très pressée pour un malade.

Un grand éditeur de Paris venu en visite et qui avait pensé qu'on le retiendrait, s'en alla brutalement, avec rapidité, comprenant qu'il n'était pas assez élégant pour le petit clan. C'était un homme grand et fort, très brun, studieux avec quelque chose de tranchant. Il avait l'air d'un couteau à papier en ébène.

Mme Verdurin qui, pour nous recevoir dans son immense salon, où des trophées de graminées, de coquelicots, de fleurs des champs, cueillis le jour même alternaient avec le même motif peint en camaïeu, deux siècles auparavant, par un artiste d'un goût exquis, s'était levée un instant d'une partie qu'elle faisait avec un vieil ami, nous demanda la permission de la finir en deux minutes, et tout en causant avec nous. D'ailleurs ce que je lui dis de mes impressions ne lui fut qu'à demi agréable. D'abord j'étais scandalisé de voir qu'elle et son mari rentraient tous les jours longtemps avant l'heure de ces couchers de soleil qui passaient pour si beaux vus de cette falaise, plus encore de la terrasse de la Raspelière, et pour lesquels j'aurais fait des lieues. « Oui, c'est incomparable, dit légèrement Mme Verdurin en jetant un coup d'œil sur les immenses croisées qui faisaient porte vitrée. Nous avons beau voir cela tout le temps, nous ne nous en lassons pas », et elle ramena ses regards vers ses cartes. Or, mon enthousiasme même me rendait exigeant. Je me plaignais de ne pas voir du salon les rochers de Darnetal qu'Elstir m'avait dit adorables à ce moment où ils réfractaient tant de couleurs. « Ah ! vous ne pouvez pas les voir d'ici, il faudrait aller au bout du parc, à la « Vue de la baie ». Du banc qui est là-bas vous embrassez tout le panorama. Mais vous ne pouvez pas y aller tout seul, vous vous perdriez. Je vais vous y conduire, si vous voulez », ajouta-t-elle mollement. « Mais non, voyons, tu n'as pas assez des douleurs que tu as prises l'autre jour, tu veux en prendre de nouvelles. Il reviendra, il verra la vue de la baie une autre fois. » Je n'insistai pas, et je compris qu'il suffisait aux Verdurin de savoir que ce soleil couchant était jusque dans leur salon ou dans leur salle à manger, comme une magnifique peinture, comme un précieux émail japonais, justifiant le prix élevé auquel ils louaient la Raspelière toute meublée, mais vers lequel ils levaient rarement les yeux ; leur grande affaire ici était de vivre agréablement, de se promener, de bien manger, de causer, de recevoir d'agréables amis à qui ils faisaient faire d'amusantes parties de billard, de bons repas, de joyeux goûters. Je vis cependant plus tard avec quelle intelligence ils avaient appris à connaître ce pays, faisant faire à leurs hôtes des promenades aussi « inédites » que la musique qu'ils leur faisaient écouter. Le rôle que les fleurs de la Raspelière, les chemins le long de la mer, les vieilles maisons, les églises inconnues, jouaient dans la vie de M. Verdurin était si grand que ceux qui ne le voyaient qu'à Paris et qui, eux, remplaçaient la vie au bord de la mer et à la campagne par des luxes citadins pouvaient à peine comprendre l'idée que lui-même se faisait de sa propre vie, et l'importance que ses joies lui donnaient à ses propres yeux. Cette importance était encore accrue du fait que les Verdurin étaient persuadés que la Raspelière, qu'ils comptaient acheter, était une propriété unique au monde. Cette supériorité que leur amour-propre leur faisait attribuer à la Raspelière justifia à leurs yeux mon enthousiasme qui, sans cela, les eût agacés un peu, à cause des déceptions qu'il comportait (comme celles que l'audition de la Berma m'avait jadis causées) et dont je leur faisais l'aveu sincère.

« J'entends la voiture qui revient », murmura tout à coup la Patronne. Disons en un mot que Mme Verdurin, en dehors même des changements inévitables de l'âge, ne ressemblait plus à ce qu'elle était au temps où Swann et Odette écoutaient chez elle la petite phrase. Même quand on la jouait, elle n'était plus obligée à l'air exténué d'admiration qu'elle prenait autrefois, car celui-ci était devenu sa figure. Sous l'action des innombrables névralgies que la musique de Bach, de Wagner, de Vinteuil, de Debussy lui avait occasionnées, le front de Mme Verdurin avait pris des proportions énormes, comme les membres qu'un rhumatisme finit par déformer. Ses tempes, pareilles à deux belles sphères brûlantes, endolories et laiteuses, où roule immortellement l'Harmonie, rejetaient de chaque côté des mèches argentées, et proclamaient, pour le compte de la Patronne, sans que celle-ci eût besoin de parler : « Je sais ce qui m'attend ce soir. » Ses traits ne prenaient plus la peine de formuler successivement des impressions esthétiques trop fortes, car ils étaient eux-mêmes comme leur expression permanente dans un visage ravagé et superbe. Cette attitude de résignation aux souffrances toujours prochaines infligées par le Beau, et du courage qu'il y avait eu à mettre une robe quand on relevait à peine de la dernière sonate, faisait que Mme Verdurin, même pour écouter la plus cruelle musique, gardait un visage dédaigneusement impassible et se cachait même pour avaler les deux cuillerées d'aspirine.

« Ah ! oui, les voici », s'écria M. Verdurin avec soulagement en voyant la porte s'ouvrir sur Morel suivi de M. de Charlus. Celui-ci pour qui dîner chez les Verdurin n'était nullement aller dans le monde, mais dans un mauvais lieu, était intimidé comme un collégien qui entre pour la première fois dans une maison publique et a mille respects pour la patronne. Aussi le désir habituel qu'avait M. de Charlus de paraître viril et froid fut-il dominé (quand il apparut dans la porte ouverte) par ces idées de politesse traditionnelles qui se réveillent dès que la timidité détruit une attitude factice et fait appel aux ressources de l'inconscient. Quand c'est dans un Charlus, qu'il soit d'ailleurs noble ou bourgeois, qu'agit un tel sentiment de politesse instinctive et atavique envers des inconnus, c'est toujours l'âme d'une parente du sexe féminin auxiliatrice comme une déesse ou incarnée comme un double qui se charge de l'introduire dans un salon nouveau et de modeler son attitude jusqu'à ce qu'il soit arrivé devant la maîtresse de maison. Tel jeune peintre, élevé par une sainte cousine protestante, entrera la tête oblique et chevrotante, les yeux au ciel, les mains cramponnées à un manchon invisible dont la forme évoquée et la présence réelle et tutélaire aideront l'artiste intimidé à franchir sans agoraphobie l'espace creusé d'abîmes qui va de l'antichambre au petit salon. Ainsi la pieuse parente dont le souvenir le guide aujourd'hui, entrait il y a bien des années et d'un air si gémissant qu'on se demandait quel malheur elle venait annoncer, quand à ses premières paroles on comprenait, comme maintenant pour le peintre, qu'elle venait faire une visite de digestion. En vertu de cette même loi, qui veut que la vie dans l'intérêt de l'acte encore inaccompli, fasse servir, utilise, dénature, dans une perpétuelle prostitution les legs les plus respectables, parfois les plus saints, quelquefois seulement les plus innocents du passé, et bien qu'elle engendrât alors un aspect différent, celui des neveux de Mme Cottard qui affligeait sa famille par ses manières efféminées et ses fréquentations, faisait toujours une entrée joyeuse comme s'il venait vous faire une surprise ou vous annoncer un héritage, illuminé d'un bonheur dont il eût été vain de lui demander la cause qui tenait à son hérédité inconsciente et à son sexe déplacé. Il marchait sur les pointes, était sans doute lui-même étonné de ne pas tenir à la main un carnet de cartes de visite, tendait la main en ouvrant la bouche en cœur comme il avait vu sa tante le faire et son seul regard inquiet était pour la glace où il semblait vouloir vérifier, bien qu'il fût nu-tête, si son chapeau, comme avait un jour demandé Mme Cottard à Swann, n'était pas de travers. Quant à M. de Charlus, à qui la société où il avait vécu fournissait, à cette minute critique, des exemples différents, d'autres arabesques d'amabilité, et enfin la maxime qu'on doit savoir dans certains cas pour de simples petits bourgeois, mettre au jour et faire servir ses grâces les plus rares et habituellement gardées en réserve, c'est en se trémoussant, avec mièvrerie et la même ampleur dont un enjuponnement eût élargi et gêné ses dandinements, qu'il se dirigea vers Mme Verdurin avec un air si flatté et si honoré qu'on eût dit qu'être présenté chez elle était pour lui une suprême faveur. Son visage à demi incliné, où la satisfaction le disputait au comme il faut, se plissait de petites rides d'affabilité. On aurait cru voir s'avancer Mme de Marsantes, tant ressortait à ce moment la femme qu'une erreur de la nature avait mise dans le corps de M. de Charlus. Certes cette erreur, le Baron avait durement peiné pour la dissimuler et prendre une apparence masculine. Mais à peine y était-il parvenu que, ayant pendant le même temps gardé les mêmes gouts, cette habitude de sentir en femme lui donnait une nouvelle apparence féminine née celle-là non de l'hérédité, mais de la vie individuelle. Et comme il arrivait peu à peu à penser, même les choses sociales, au féminin, et cela sans s'en apercevoir, car ce n'est pas qu'à force de mentir aux autres, mais aussi de se mentir à soi-même qu'on cesse de s'apercevoir qu'on ment, bien qu'il eût demandé à son corps de rendre manifeste (au moment où il entrait chez les Verdurin) toute la courtoisie d'un grand seigneur, ce corps qui avait bien compris ce que M. de Charlus avait cessé d'entendre, déploya, au point que le Baron eût mérité l'épithète de *lady-like*, toutes les séductions d'une grande dame. Au reste peut-on séparer entièrement l'aspect de M. de Charlus du fait que les fils, n'ayant pas toujours la ressemblance paternelle, même sans être invertis et en recherchant des femmes, consomment dans leur visage la profanation de leur mère ? Mais laissons ici ce qui mériterait un chapitre à part : les mères profanées.

Bien que d'autres raisons présidassent à cette transformation de M. de Charlus et que des ferments purement physiques fissent « travailler chez lui » la matière, et passer peu à peu son corps dans la catégorie des corps de femme, pourtant le changement que nous marquons ici était d'origine spirituelle. A force de se croire malade, on le devient, on maigrit, on n'a plus la force de se lever, on a des entérites nerveuses. A force de penser tendrement aux hommes on devient femme, et une robe postiche entrave vos pas. L'idée fixe peut modifier (aussi bien que dans d'autres cas la santé) dans ceux-là le sexe. Morel, qui le suivait, vint me dire bonjour. Dès ce moment-là, à cause d'un double changement qui se produisit en lui, il me donna (hélas ! je ne sus pas assez tôt en tenir compte) une mauvaise impression. Voici pourquoi. J'ai dit que Morel, échappé de la servitude de son père, se complaisait en général à une familiarité fort dédaigneuse. Il m'avait parlé le jour où il m'avait apporté les photographies sans même me dire une seule fois Monsieur, me traitant de haut en bas. Quelle fut ma surprise chez Mme Verdurin de le voir s'incliner très bas devant moi, et devant moi seul, et d'entendre, avant même qu'il eût prononcé d'autre parole, les mots de respect, de très respectueux — ces mots que je croyais impossibles à amener sous sa plume ou sur ses lèvres — à moi adressés. J'eus aussitôt l'impression qu'il avait quelque chose à me demander. Me prenant à part au bout d'une minute : « Monsieur me rendrait bien grand service, me dit-il, allant cette fois jusqu'à me parler à la troisième personne, en cachant entièrement à Mme Verdurin et à ses invités, le genre de profession que mon père a exercé chez son oncle. Il vaudrait mieux dire qu'il était dans votre famille, l'intendant de domaines si vastes, que cela le faisait presque l'égal de vos parents. » La demande de Morel me contrariait infiniment non pas en ce qu'elle me forçait à grandir la situation de son père, ce qui m'était tout à fait égal, mais la fortune au moins apparente du mien, ce que je trouvais ridicule. Mais son air était si malheureux, si urgent, que je ne refusai pas. « Non, avant dîner, dit-il d'un ton suppliant, Monsieur a mille prétextes pour prendre à part Mme Verdurin. » C'est ce que je fis en effet en tâchant de rehausser de mon mieux l'éclat du père de Morel, sans trop exagérer le « train » ni les « biens au soleil » de mes parents. Cela passa comme une lettre à la poste, malgré l'étonnement de Mme Verdurin qui avait connu vaguement mon grand-père. Et comme elle n'avait pas de tact, haïssait les familles (ce dissolvant du petit noyau), après m'avoir dit qu'elle avait autrefois aperçu mon arrière-grand-père et en avoir parlé comme de quelqu'un d'à peu près idiot qui n'eût rien compris au petit groupe et qui selon son expression « n'en était pas », elle me dit : « C'est du reste si ennuyeux les familles, on n'aspire qu'à en sortir » ; et aussitôt elle me raconta sur le père de mon grand-père ce trait que j'ignorais, bien qu'à la maison j'eusse soupçonné (je ne l'avais pas connu, mais on parlait beaucoup de lui) sa rare avarice (opposée à la générosité un peu trop fastueuse de mon grand-oncle, l'ami de la dame en rose et le patron du père de Morel) : « Du moment que vos grands-parents avaient un intendant si chic, cela prouve qu'il y a des gens de toutes les couleurs dans les familles. Le père de votre grand-père était si avare que, presque gâteux à la fin de sa vie — entre nous il n'a jamais été bien fort, vous les rachetez tous — il ne se résignait pas à dépenser trois sous pour son omnibus. De sorte qu'on avait été obligé de le faire suivre, de payer séparément le conducteur, et de faire croire au vieux grigou que son ami, M. de Persigny, ministre d'Etat, avait obtenu qu'il circulât pour rien dans les omnibus. Du reste je suis très content que le père de *notre* Morel ait été si bien. J'avais compris qu'il était professeur de lycée, ça ne fait rien, j'avais mal compris. Mais c'est de peu d'importance car je vous dirai qu'ici nous n'apprécions que la valeur propre, la contribution personnelle, ce que j'appelle la participation. Pourvu qu'on soit d'art, pourvu en un mot qu'on soit de la confrérie, le reste importe peu. » La façon dont Morel en était — autant que j'ai pu l'apprendre — était qu'il aimait assez les femmes et les hommes pour faire plaisir à chaque sexe à l'aide de ce qu'il avait expérimenté sur l'autre — c'est ce qu'on verra plus tard. Mais ce qui est essentiel à dire ici, c'est que dès que je lui eus donné ma parole d'intervenir auprès de Mme Verdurin, dès que je l'eus fait surtout, et sans retour possible en arrière, le « respect » de Morel à mon égard s'envola comme par enchantement, les formules respectueuses disparurent, et même pendant quelque temps il m'évita, s'arrangeant pour avoir l'air de me dédaigner, de sorte que si Mme Verdurin voulait que je lui disse quelque chose, lui demandasse tel morceau de musique, il continuait à parler avec un fidèle, puis passait à un autre, changeait de place si j'allais à lui. On était obligé de lui dire jusqu'à trois ou quatre fois que je lui avais adressé la parole, après quoi il me répondait, l'air contraint, brièvement, à moins que nous ne fussions seuls. Dans ce cas-là il était expansif, amical, car il avait des parties de caractère charmantes. Je n'en conclus pas moins de cette première soirée que sa nature devait être vile, qu'il ne reculait quand il le fallait devant aucune platitude, ignorait la reconnaissance. En quoi il ressemblait au commun des hommes. Mais comme j'avais en moi un peu de ma grand-mère et me plaisais à la diversité des hommes sans rien attendre d'eux ou leur en vouloir, je négligeai sa bassesse, je me plus à sa gaieté quand cela se présenta, même à ce que je crois avoir été une sincère amitié de sa part quand ayant fait tout le tour de ses fausses connaissances de la nature humaine, il s'aperçut (par à-coups, car il avait d'étranges retours à sa sauvagerie primitive et aveugle) que ma douceur avec lui était désintéressée, que mon indulgence ne venait pas d'un manque de clairvoyance, mais de ce qu'il appela bonté, et surtout je m'enchantai à son art qui n'était guère qu'une virtuosité admirable mais me faisait (sans qu'il fût au sens intellectuel du mot un vrai musicien) réentendre ou connaître tant de belle musique. D'ailleurs un manager, M. de Charlus (chez qui j'ignorais ces talents, bien que Mme de Guermantes qui l'avait connu fort différent dans leur jeunesse, prétendît qu'il lui avait fait une sonate, peint un éventail, etc.), modeste en ce qui concernait ses vraies supériorités, talents, mais de premier ordre, sut mettre cette virtuosité au service d'un sens artistique multiple et qui la décupla. Qu'on imagine quelque artiste purement adroit des ballets russes, stylé, instruit, développé en tous sens par M. de Diaghilew.

Je venais de transmettre à Mme Verdurin le message dont m'avait chargé Morel, et je parlais de Saint-Loup avec M. de Charlus, quand Cottard entra au salon en annonçant comme s'il y avait le feu, que les Cambremer arrivaient. Mme Verdurin, pour ne pas avoir l'air vis-à-vis de nouveaux comme M. de Charlus (que Cottard n'avait pas vu) et comme moi, d'attacher tant d'importance à l'arrivée des Cambremer, ne bougea pas, ne répondit pas à l'annonce de cette nouvelle et se contenta de dire au docteur, en s'éventant avec grâce et du même ton factice qu'une marquise du Théâtre-Français : « Le Baron nous disait justement… » C'en était trop pour Cottard ! Moins vivement qu'il n'eût fait autrefois, car l'étude et les hautes situations avaient ralenti son débit, mais avec cette émotion tout de même qu'il retrouvait chez les Verdurin : « Un baron ! Où ça, un baron ? Où ça un baron ? » s'écria-t-il en le cherchant des yeux avec un étonnement qui frisait l'incrédulité. Mme Verdurin, avec l'indifférence affectée d'une maîtresse de maison à qui un domestique vient devant les invités de casser un verre de prix, et avec l'intonation artificielle et surélevée d'un premier prix du Conservatoire jouant du Dumas fils, répondit en désignant avec son éventail le protecteur de Morel : « Mais, le Baron de Charlus, à qui je vais vous nommer… M. le professeur Cottard. » Il ne déplaisait d'ailleurs pas à Mme Verdurin d'avoir l'occasion de jouer à la dame. M. de Charlus tendit deux doigts que le professeur serra avec le sourire bénévole d'un « prince de la science ». Mais il s'arrêta net en voyant entrer les Cambremer, tandis que M. de Charlus m'entraînait dans un coin pour me dire un mot, non sans palper mes muscles, ce qui est une manière allemande. M. de Cambremer ne ressemblait guère à la vieille Marquise. Il était, comme elle le disait avec tendresse, « tout à fait du côté de son papa ». Pour qui n'avait entendu que parler de lui, ou même de lettres de lui, vives et convenablement tournées, son physique étonnait. Sans doute devait-on s'y habituer. Mais son nez avait choisi pour venir se placer de travers au-dessus de sa bouche, peut-être la seule ligne oblique, entre tant d'autres, qu'on n'eût eu l'idée de tracer sur ce visage, et qui signifiait une bêtise vulgaire, aggravée encore par le voisinage d'un teint normand à la rougeur de pommes. Il est possible que les yeux de M. de Cambremer gardassent entre leurs paupières, un peu de ce ciel du Cotentin, si doux par les beaux jours ensoleillés où le promeneur s'amuse à voir arrêtées au bord de la route et à compter par centaines, les ombres des peupliers, mais ces paupières lourdes, chassieuses et mal rabattues, eussent empêché l'intelligence elle-même de passer. Aussi, décontenancé par la minceur de ce regard bleu, se reportait-on au grand nez de travers. Par une transposition de sens, M. de Cambremer vous regardait avec son nez. Ce nez de M. de Cambremer n'était pas laid, plutôt un peu trop beau, trop fort, trop fier de son importance. Busqué, astiqué, luisant, flambant neuf, il était tout disposé à compenser l'insuffisance spirituelle du regard ; malheureusement, si les yeux sont quelquefois l'organe où se révèle l'intelligence, le nez (quelle que soit d'ailleurs l'intime solidarité et la répercussion insoupçonnée des traits les uns sur les autres), le nez est généralement l'organe où s'étale le plus aisément la bêtise.

La convenance de vêtements sombres que portait toujours, même le matin, M. de Cambremer, avait beau rassurer ceux qu'éblouissait et exaspérait l'insolent éclat des costumes de plage des gens qu'ils ne connaissaient pas, on ne pouvait comprendre que la femme du premier président déclarât d'un air de flair et d'autorité, en personne qui a plus que vous l'expérience de la haute société d'Alençon, que devant M. de Cambremer on se sentait tout de suite, même avant de savoir qui il était, en présence d'un homme de haute distinction, d'un homme parfaitement bien élevé, qui changeait du genre de Balbec, un homme enfin auprès de qui on pouvait respirer. Il était pour elle, asphyxiée par tant de touristes de Balbec, qui ne connaissaient pas son monde, comme un flacon de sels. Il me sembla au contraire qu'il était des gens que ma grand-mère eût trouvés tout de suite « très mal » et comme elle ne comprenait pas le snobisme elle eût sans doute été stupéfaite qu'il eût réussi à être épousé par Mlle Legrandin qui devait être difficile en fait de distinction, elle dont le frère était « si bien ». Tout au plus pouvait-on dire de la laideur vulgaire de M. de Cambremer qu'elle était un peu du pays et avait quelque chose de très anciennement local; on pensait devant ses traits fautifs et qu'on eût voulu rectifier, à ces noms de petites villes normandes sur l'étymologie desquels mon curé se trompait parce que les paysans articulant mal, ou ayant compris de travers le mot normand ou latin qui les désigne, ont fini par fixer dans un barbarisme qu'on trouve déjà dans les cartulaires, comme eût dit Brichot, un contre-sens et un vice de prononciation. La vie dans ces vieilles petites villes peut d'ailleurs se passer agréablement et M. de Cambremer devait avoir des qualités, car s'il était d'une mère que la vieille Marquise préférât son fils à sa belle-fille, en revanche, elle qui avait plusieurs enfants dont deux au moins n'étaient pas sans mérites, déclarait souvent que le Marquis était à son avis le meilleur de la famille. Pendant le peu de temps qu'il avait passé dans l'armée, ses camarades, trouvant trop long de dire Cambremer, lui avaient donné le surnom de Cancan qu'il n'avait d'ailleurs mérité en rien. Il savait orner un dîner où on l'invitait en disant au moment du poisson (le poisson fût-il pourri) ou à l'entrée : « Mais dites donc, il me semble que voilà une belle bête. » Et sa femme, ayant adopté en entrant dans la famille tout ce qu'elle avait cru faire partie du genre de ce monde-là, se mettait à la hauteur des amis de son mari et peut-être cherchait à lui plaire comme une maîtresse, et comme si elle avait jadis été mêlée à sa vie de garçon, en disant d'un air dégagé quand elle parlait de lui à des officiers : « Vous allez voir Cancan. Cancan est allé à Balbec, mais il reviendra ce soir. » Elle était furieuse de se compromettre ce soir chez les Verdurin et ne le faisait qu'à la prière de sa belle-mère et de son mari, dans l'intérêt de la location. Mais, moins bien élevée qu'eux, elle ne se cachait pas du motif et depuis quinze jours faisait avec ses amies des gorges chaudes de ce dîner. « Vous savez que nous dînons chez nos locataires. Cela vaudra bien une augmentation. Au fond, je suis assez curieuse de savoir ce qu'ils ont pu faire de notre pauvre vieille Raspelière (comme si elle y fût née, et y retrouvât tous les souvenirs des siens). Notre vieux garde m'a encore dit hier qu'on ne reconnaissait plus rien. Je n'ose pas penser à tout ce qui doit se passer là-dedans. Je crois que nous ferons bien de faire désinfecter tout avant de nous réinstaller. » Elle arriva hautaine et morose, de l'air d'une grande dame dont le château, du fait d'une guerre, est occupé par les ennemis, mais qui se sent tout de même chez elle et tient à montrer aux vainqueurs qu'ils sont des intrus. Mme de Cambremer ne put me voir d'abord car j'étais dans une baie latérale avec M. de Charlus, lequel me disait avoir appris par Morel que son père avait été « intendant » dans ma famille, et qu'il comptait suffisamment, lui Charlus, sur mon intelligence et ma magnanimité (terme commun à lui et à Swann) pour me refuser l'ignoble et mesquin plaisir que de vulgaires petits imbéciles (j'étais prévenu) ne manqueraient pas à ma place de prendre en révélant à nos hôtes des détails que ceux-ci pourraient croire amoindrissants. « Le seul fait que je m'intéresse à lui et étende sur lui ma protection a quelque chose de suréminent et abolit le passé », conclut le Baron. Tout en l'écoutant et en lui promettant le silence que j'aurais gardé même sans l'espoir de passer en échange pour intelligent et magnanime, je regardais Mme de Cambremer. Et j'eus peine à reconnaître la chose fondante et savoureuse que j'avais eue l'autre jour auprès de moi à l'heure du goûter, sur la terrasse de Balbec, dans la galette normande que je voyais, dure comme un galet, où les fidèles eussent en vain essayé de mettre la dent. Irritée d'avance du côté bonasse que son mari tenait de sa mère et qui lui ferait prendre un air honoré quand on lui présenterait les fidèles, désireuse pourtant de remplir ses fonctions de femme du monde, quand on lui eut nommé Brichot elle voulut lui faire faire la connaissance de son mari parce qu'elle avait vu ses amies plus élégantes faire ainsi, mais la rage ou l'orgueil l'emportant sur l'ostentation du savoir-vivre elle dit, non comme elle aurait dû : « Permettez-moi de vous présenter mon mari », mais : « Je vous présente à mon mari », tenant haut ainsi le drapeau des Cambremer, en dépit d'eux-mêmes, car le Marquis s'inclina devant Brichot aussi bas qu'elle avait prévu. Mais toute cette humeur de Mme de Cambremer changea soudain quand elle aperçut M. de Charlus qu'elle connaissait de vue. Jamais elle n'avait réussi à se le faire présenter même au temps de la liaison qu'elle avait eue avec Swann. Car M. de Charlus prenant toujours le parti des femmes, de sa belle-sœur contre les maîtresses de M. de Guermantes, d'Odette, pas encore mariée alors, mais vieille liaison de Swann, contre les nouvelles, avait, sévère défenseur de la morale et protecteur fidèle des ménages, donné à Odette — et tenu — la promesse de ne pas se laisser nommer à Mme de Cambremer. Celle-ci ne s'était certes pas doutée que c'était chez les Verdurin qu'elle connaîtrait enfin cet homme inapprochable. M. de Cambremer savait que c'était une si grande joie pour elle qu'il en était lui-même attendri, et qu'il regarda sa femme d'un air qui signifiait : « Vous êtes contente de vous êtes décidée à venir, n'est-ce pas ? » Il parlait du reste fort peu, sachant qu'il avait épousé une femme supérieure. « Moi, indigne », disait-il à tout moment, et citait volontiers une fable de La Fontaine et une de Florian qui lui paraissaient s'appliquer à son ignorance, et d'autre part, lui permettre, sous les formes d'une dédaigneuse flatterie, de montrer aux hommes de science qui n'étaient pas du Jockey qu'on pouvait chasser et avoir lu des fables. Le malheur est qu'il n'en connaissait guère que deux[18]. Aussi revenaient-elles souvent. Mme de Cambremer n'était pas bête mais elle avait diverses habitudes fort agaçantes. Chez elle la déformation des noms n'avait absolument rien du dédain aristocratique. Ce n'est pas elle qui, comme la Duchesse de Guermantes (laquelle par sa naissance eût dû être plus que Mme de Cambremer à l'abri de ce ridicule) eût dit pour ne pas avoir l'air de savoir le nom peu élégant (alors qu'il est maintenant celui d'une des femmes les plus difficiles à approcher) de Julien de Monchâteau : « une petite Madame... Pic de la Mirandole[19] ». Non, quand Mme de Cambremer citait à faux un nom c'était par bienveillance, pour ne pas avoir l'air de savoir quelque chose, et quand par sincérité pourtant, elle l'avouait croyant le cacher en le démarquant. Si par exemple elle défendait une femme, elle cherchait à dissimuler, tout en voulant ne pas mentir à qui la suppliait de dire la vérité, que Madame une telle était actuellement la maîtresse de M. Sylvain Lévy, et elle disait : « Non... je ne sais absolument rien sur elle, je crois qu'on lui a reproché d'avoir inspiré une passion à un monsieur dont je ne sais pas le nom, quelque chose comme Cahn, Kohn, Kuhn, du reste, je crois que ce monsieur est mort depuis fort longtemps et qu'il n'y a jamais rien eu entre eux. » C'est le procédé semblable à celui des menteurs — et inverse du leur — qui en altérant ce qu'ils ont fait quand ils le racontent à une maîtresse ou simplement à un ami se figurent que l'une ou l'autre ne verra pas immédiatement que la phrase dite (de même que Cahn, Kohn, Kuhn) est interpolée, est d'une autre espèce que celles qui composent la conversation, est à double fond.

Mme Verdurin demanda à l'oreille de son mari : « Est-ce que je donne le bras au Baron de Charlus ?

Comme tu auras à ta droite Mme de Cambremer, on aurait pu croiser les politesses. » — « Non, dit M. Verdurin, puisque l'autre est plus élevé en grade (voulant dire que M. de Cambremer était marquis), M. de Charlus est en somme son inférieur. » — « Eh ! bien, je le mettrai à côté de la Princesse. » Et Mme Verdurin présenta à M. de Charlus Mme Sherbatoff ; ils s'inclinèrent en silence tous deux, de l'air d'en savoir long l'un sur l'autre et de se promettre un mutuel secret. M. Verdurin me présenta à M. de Cambremer. Avant même qu'il n'eût parlé de sa voix forte et légèrement bégayante, sa haute taille et sa figure colorée manifestaient dans leur oscillation l'hésitation martiale d'un chef qui cherche à vous rassurer et vous dit : « On m'a parlé, nous arrangerons cela ; je vous ferai lever votre punition ; nous ne sommes pas des buveurs de sang ; tout ira bien. » Puis me serrant la main : « Je crois que vous connaissez ma mère », me dit-il. Le verbe « croire » lui semblait d'ailleurs convenir à la discrétion d'une première présentation mais nullement exprimer un doute, car il ajouta : « J'ai du reste une lettre d'elle pour vous. » M. de Cambremer était naïvement heureux de revoir des lieux où il avait vécu si longtemps. « Je me retrouve, dit-il à Mme Verdurin tandis que son regard s'émerveillait de reconnaître les peintures de fleurs en trumeaux au-dessus des portes, et les bustes en marbre sur leurs hauts socles. Il pouvait pourtant se trouver dépaysé, car Mme Verdurin avait apporté quantité de vieilles belles choses qu'elle possédait. A ce point de vue, Mme Verdurin tout en passant aux yeux des Cambremer pour tout bouleverser était non pas révolutionnaire mais intelligemment conservatrice dans un sens qu'ils ne comprenaient pas. Ils l'accusaient aussi à tort de détester la vieille demeure et de la déshonorer par de simples toiles au lieu de leur riche peluche, comme un curé ignorant reprochant à un architecte diocésain de remettre en place de vieux bois sculptés laissés au rancart et auxquels l'ecclésiastique avait cru bon de substituer des ornements achetés place Saint-Sulpice. Enfin, un jardin de curé commençait à remplacer devant le château les plates-bandes qui faisaient l'orgueil non seulement des Cambremer mais de leur jardinier. Celui-ci qui considérait les Cambremer comme ses seuls maîtres et gémissait sous le joug des Verdurin comme si la terre eût été momentanément occupée par un envahisseur et une troupe de soudards, allait en secret porter ses doléances à la propriétaire dépossédée, s'indignait du mépris où étaient tenus ses araucarias, ses bégonias, ses joubardes, ses dahlias doubles, et qu'on osât dans une aussi riche demeure faire pousser des fleurs aussi communes que des anthémis et des cheveux de Vénus. Mme Verdurin sentait cette sourde opposition et était décidée, si elle faisait un long bail ou même achetait la Raspelière, à mettre comme condition le renvoi du jardinier auquel la vieille propriétaire au contraire tenait extrêmement. Il l'avait servie pour rien dans des temps difficiles, l'adorait ; mais par ce morcellement bizarre de l'opinion des gens du peuple où le mépris moral le plus profond s'enclave dans l'estime la plus passionnée, laquelle chevauche à son tour de vieilles rancunes inabolies, il disait souvent de Mme de Cambremer qui, en 70, dans un château qu'elle avait dans l'Est, surprise par l'invasion, avait dû souffrir pendant un mois le contact des Allemands : « Ce qu'on a beaucoup reproché à Madame la Marquise, c'est pendant la guerre d'avoir pris le parti des Prussiens et de les avoir même logés chez elle. A un autre moment, j'aurais compris ; mais en temps de guerre, elle n'aurait pas dû. C'est pas bien. » De sorte qu'il lui était fidèle jusqu'à la mort, la vénérait pour sa bonté et accréditait qu'elle se fût rendue coupable de trahison. Mme Verdurin fut piquée que M. de Cambremer prétendît reconnaître si bien la Raspelière. « Vous devez pourtant trouver quelques changements, répondit-elle. Il y a d'abord de grands diables de bronze de Barbedienne et de petits coquins de sièges en peluche que je me suis empressée d'expédier au grenier qui est encore trop bon pour eux. » Après cette acerbe riposte adressée à M. de Cambremer, elle lui offrit le bras pour aller à table. Il hésita un instant, se disant : « Je ne peux tout de même pas passer avant M. de Charlus. » Mais pensant que celui-ci était un vieil ami de la maison, du moment qu'il n'avait pas la place d'honneur, il se décida à prendre le bras qui lui était offert et dit à Mme Verdurin combien il était fier d'être admis dans le cénacle (c'est ainsi qu'il appela le petit noyau non sans rire un peu de la satisfaction de connaître ce terme). Cottard, qui était assis à côté de M. de Charlus, le regardait sous son lorgnon pour faire connaissance, et rompre la glace, avec des clignements beaucoup plus insistants qu'ils n'eussent été jadis, et non coupés de timidités. Et ses regards engageants, accrus par leur sourire, n'étaient plus contenus par le verre du lorgnon et le débordaient de tous côtés. Le Baron, qui voyait facilement partout des pareils à lui, ne douta pas que Cottard n'en fût un et ne lui fît de l'œil. Aussitôt il témoigna au professeur la dureté des invertis, aussi méprisants pour ceux à qui ils plaisent, qu'ardemment empressés auprès de ceux qui leur plaisent. Sans doute, bien que chacun parle mensongèrement de la douceur, toujours refusée par le destin, d'être aimé, c'est une loi générale et dont l'empire est bien loin de s'étendre sur les seuls Charlus, que l'être que nous n'aimons pas et qui nous aime nous paraisse insupportable. A cet être, à telle femme dont nous ne dirons pas qu'elle nous aime mais qu'elle nous cramponne, nous préférons la société de n'importe quelle autre qui n'aura ni son charme, ni son agrément, ni son esprit. Elle ne les recouvrera pour nous que quand elle aura cessé de nous aimer. En ce sens, on pourrait ne voir que la transposition, sous une forme cocasse, de cette règle universelle, dans l'irritation causée chez un inverti par un homme qui lui déplaît et le recherche. Mais elle est chez lui bien plus forte. Aussi tandis que le commun des hommes cherche à la dissimuler tout en l'éprouvant, l'inverti la fait implacablement sentir à celui qui la provoque, comme il ne la ferait certainement pas sentir à une femme, M. de Charlus par exemple, à la Princesse de Guermantes dont la passion l'ennuyait, mais le flattait. Mais quand ils voient un autre homme témoigner envers eux d'un goût particulier, alors, soit incompréhension que ce soit le même que le leur, soit fâcheux rappel que ce goût, embelli par eux tant que c'est eux-mêmes qui l'éprouvent, est considéré comme un vice, soit désir de se réhabiliter par un éclat dans une circonstance où cela ne leur coûte pas, soit par une crainte d'être devinés qu'ils retrouvent soudain quand le désir ne les mène plus, les yeux bandés, d'imprudence en imprudence, soit par la fureur de subir du fait de l'attitude équivoque d'un autre le dommage, que par la leur, si cet autre leur plaisait, ils ne craindraient pas de lui causer, ceux que cela n'embarrasse pas de suivre un jeune homme pendant des lieues, de ne pas le quitter des yeux au théâtre même s'il est avec des amis, risquant par cela de le brouiller avec eux, on peut les entendre, pour peu qu'un autre qui ne leur plaît pas les regarde, dire : « Monsieur, pour qui me prenez-vous ? (simplement parce qu'on les prend pour ce qu'ils sont) je ne vous comprends pas, inutile d'insister, vous faites erreur », aller au besoin jusqu'aux gifles, et devant quelqu'un qui connaît l'imprudent, s'indigner : « Comment, vous connaissez cette horreur ? Elle a une façon de vous regarder !... En voilà des manières ! » M. de Charlus n'alla pas aussi loin, mais il prit l'air offensé et glacial qu'ont, lorsqu'on a l'air de les croire légères, les femmes qui ne le sont pas, et encore plus celles qui le sont. D'ailleurs, l'inverti mis en présence d'un inverti, voit non pas seulement une image déplaisante de lui-même qui ne pourrait, purement inanimée, que faire souffrir son amour-propre, mais un autre lui-même, vivant, agissant dans le même sens, capable donc de le faire souffrir dans ses amours. Aussi est-ce dans un sens d'instinct de conservation qu'il dira du mal du concurrent possible, soit avec les gens qui peuvent nuire à celui-ci (et sans que l'inverti n° 1 s'inquiète de passer pour menteur quand il accable ainsi l'inverti n° 2 aux yeux de personnes qui peuvent être renseignées sur son propre cas), soit avec le jeune homme qu'il a

« levé », qui va peut-être lui être enlevé et auquel il s'agit de persuader que les mêmes choses qu'il a tout avantage à faire avec lui, causeraient le malheur de sa vie s'il se laissait aller à les faire avec l'autre. Pour M. de Charlus, qui pensait peut-être aux dangers (bien imaginaires) que la présence de ce Cottard dont il comprenait à faux le sourire, ferait courir à Morel, un inverti qui ne lui plaisait pas n'était pas seulement une caricature de lui-même, c'était aussi un rival désigné. Un commerçant, et tenant un commerce rare en débarquant dans la ville de province où il vient s'installer pour la vie, s'il voit que, sur la même place, juste en face, le même commerce est tenu par un concurrent, il n'est pas plus déconfit qu'un Charlus allant cacher ses amours dans une région tranquille et qui, le jour de l'arrivée, aperçoit le gentilhomme du lieu, ou le coiffeur, desquels l'aspect et les manières ne lui laissent aucun doute. Le commerçant prend souvent son concurrent en haine ; cette haine dégénère parfois en mélancolie, et pour peu qu'il y ait hérédité assez chargée, on a vu dans les petites villes le commerçant montrer des commencements de folie qu'on ne guérit qu'en le décidant à vendre son « fonds » et à s'expatrier. La rage de l'inverti est plus lancinante encore. Il a compris que dès la première seconde le gentilhomme et le coiffeur ont désiré son jeune compagnon. Il a beau répéter cent fois par jour à celui-ci que le coiffeur et le gentilhomme sont des bandits dont l'approche le déshonorerait, il est obligé, comme Harpagon, de veiller sur son trésor et se relève la nuit pour voir si on ne le lui prend pas. Et c'est ce qui fait sans doute plus encore que le désir, ou la commodité d'habitudes communes et presque autant que cette expérience de soi-même qui est la seule vraie, que l'inverti dépiste l'inverti avec une rapidité et une sûreté presque infaillibles. Il peut se tromper un moment mais une divination rapide le remet dans la vérité. Aussi l'erreur de M. de Charlus fut-elle courte. Le discernement divin lui montra au bout d'un instant que Cottard n'était pas de sa sorte et qu'il n'avait à craindre ses avances ni pour lui-même, ce qui n'eût fait que l'exaspérer, ni pour Morel, ce qui lui eût paru plus grave. Il reprit son calme et comme il était encore sous l'influence du passage de Vénus androgyne, par moments, il souriait faiblement aux Verdurin sans prendre la peine d'ouvrir la bouche, en déplissant seulement un coin de lèvres, et pour une seconde allumait câlinement ses yeux, lui si féru de virilité, exactement comme eût fait sa belle-sœur la Duchesse de Guermantes. « Vous chassez beaucoup, Monsieur ? » dit Mme Verdurin avec mépris à M. de Cambremer. « Est-ce que Ski vous a raconté qu'il nous en est arrivé une excellente ? » demanda Cottard à la Patronne. « Je chasse surtout dans la forêt de Chantepie », répondit M. de Cambremer. « Non, je n'ai rien raconté », dit Ski. « Mérite-t-elle son nom ? » demanda Brichot à M. de Cambremer, après m'avoir regardé du coin de l'œil car il m'avait promis de parler étymologies, tout en me demandant de dissimuler aux Cambremer le mépris que lui inspiraient celles du curé de Combray. « C'est sans doute que je ne suis pas capable de comprendre, mais je ne saisis pas votre question », dit M. de Cambremer. « Je veux dire : Est-ce qu'il y chante beaucoup de pies ? » répondit Brichot. Cottard cependant souffrait que Mme Verdurin ignorât qu'ils avaient failli manquer le train. « Allons, voyons, dit Mme Cottard à son mari, pour l'encourager, raconte ton odyssée. » — « En effet elle sort de l'ordinaire, dit le docteur qui recommença son récit. Quand j'ai vu que le train était en gare je suis resté médusé. Tout cela par la faute de Ski. Vous êtes plutôt bizarroïde dans vos renseignements, mon cher ! Et Brichot qui nous attendait à la gare ! » — « Je croyais, dit l'universitaire, en jetant autour de lui ce qui lui restait de regard et en souriant de ses lèvres minces, que si vous étiez attardé à Graincourt, c'est que vous aviez rencontré quelque péripatéticienne. » — « Voulez-vous vous taire, si ma femme vous entendait, dit le professeur. La femme à moâ, il est jalouse. » — « Ah ! ce Brichot, s'écria Ski en qui l'égrillarde plaisanterie de Brichot éveillait la gaieté de tradition, il est toujours le même », bien qu'il ne sût pas à vrai dire si l'universitaire avait jamais été polisson. Et pour ajouter à ces paroles consacrées le geste rituel, il fit mine de ne pouvoir résister au désir de lui pincer la jambe. « Il ne change pas ce gaillard-là », continua Ski, et sans penser à ce que la quasi-cécité de l'universitaire donnait de triste et de comique à ces mots, il ajouta : « Toujours un petit œil pour les femmes. » — « Voyez-vous, dit M. de Cambremer, ce que c'est que de rencontrer un savant. Voilà quinze ans que je chasse dans la forêt de Chantepie et jamais je n'avais réfléchi à ce que son nom voulait dire. » Mme de Cambremer jeta un regard sévère à son mari ; elle n'aurait pas voulu qu'il s'humiliât ainsi devant Brichot. Elle fut plus mécontente encore quand à chaque expression « toute faite » qu'employait Cancan, Cottard, qui en connaissait le fort et le faible parce qu'il les avait laborieusement apprises, démontrait au Marquis, lequel confessait sa bêtise, qu'elles ne voulaient rien dire : « Pourquoi : bête comme chou ? Croyez-vous que les choux soient plus bêtes qu'autre chose ? Vous dites : répéter trente-six fois la même chose. Pourquoi particulièrement trente-six ? Pourquoi : dormir comme un pieu ? Pourquoi : Tonnerre de Brest ? Pourquoi : faire les quatre cents coups ? » Mais alors la défense de M. de Cambremer était prise par Brichot qui expliquait l'origine de chaque locution. Mais Mme de Cambremer était surtout occupée à examiner les changements que les Verdurin avaient apportés à la Raspelière, afin de pouvoir en critiquer certains, en importer à Féterne d'autres, ou peut-être les mêmes. « Je me demande ce que c'est que ce lustre qui s'en va tout de traviole. J'ai peine à reconnaître ma vieille Raspelière », ajouta-t-elle d'un air familièrement aristocratique, comme elle eût parlé d'un serviteur dont elle eût prétendu moins désigner l'âge que dire qu'il l'avait vu naître. Et comme elle était un peu livresque dans son langage : « Tout de même, ajouta-t-elle à mi-voix, il me semble que si j'habitais chez les autres, j'aurais quelque vergogne à tout changer ainsi. » —

« C'est malheureux que vous ne soyez pas venus avec eux », dit Mme Verdurin à M. de Charlus et à Morel, espérant que M. de Charlus était de « revue » et se plierait à la règle d'arriver tous par le même train. « Vous êtes sûr que Chantepie veut dire la pie qui chante, Chochotte ? » ajouta-t-elle pour montrer qu'en grande maîtresse de maison elle prenait part à toutes les conversations à la fois. « Parlez-moi donc un peu de ce violoniste, me dit Mme de Cambremer, il m'intéresse ; j'adore la musique, et il me semble que j'ai entendu parler de lui, faites mon instruction. » Elle avait appris que Morel était venu avec M. de Charlus et voulait, en faisant venir le premier, tâcher de se lier avec le second. Elle ajouta pourtant, pour que je ne pusse deviner cette raison : « M. Brichot aussi m'intéresse. » Car si elle était fort cultivée, de même que certaines personnes prédisposées à l'obésité mangent à peine, et marchent toute la journée sans cesser d'engraisser à vue d'œil, de même Mme de Cambremer avait beau approfondir et surtout à Féterne une philosophie de plus en plus ésotérique, une musique de plus en plus savante, elle ne sortait de ces études que pour machiner des intrigues qui lui permissent de « couper » les amitiés bourgeoises de sa jeunesse et de nouer des relations qu'elle avait cru d'abord faire partie de la société de sa belle-famille et qu'elle s'était aperçue ensuite être situées beaucoup plus haut et beaucoup plus loin. Un philosophe qui n'était pas assez moderne pour elle, Liebniz, a dit que le trajet est long de l'intelligence au cœur. Ce trajet, Mme de Cambremer n'avait pas été plus que son frère, de force à le parcourir. Ne quittant la lecture de Stuart Mill que pour celle de Lachelier[20], au fur et à mesure qu'elle croyait moins à la réalité du monde extérieur, elle mettait plus d'acharnement à chercher à s'y faire, avant de mourir, une bonne position. Éprise d'art réaliste, aucun objet ne lui paraissait assez humble pour servir de modèle au peintre ou à l'écrivain. Un tableau ou un roman mondain lui eussent donné la nausée ; un moujik de Tolstoï, un paysan de Millet était l'extrême limite sociale qu'elle ne permettait pas à l'artiste de dépasser. Mais franchir celle qui bornait ses propres relations, s'élever jusqu'à la fréquentation de duchesses, était le but de tous ses efforts, tant le traitement spirituel auquel elle se soumettait par le moyen de l'étude des chefs-d'œuvre, restait inefficace contre le snobisme congénital et morbide qui se développait chez elle. Celui-ci avait même fini par guérir certains penchants à l'avarice et à l'adultère auxquels étant jeune elle était encline, pareil en cela à ces états pathologiques singuliers et permanents qui semblent immuniser ceux qui en sont atteints contre les autres maladies. Je ne pouvais du reste m'empêcher en l'entendant parler de rendre justice, sans y prendre aucun plaisir, au raffinement de ses expressions. C'étaient celles qu'ont, à une époque donnée, toutes les personnes d'une même envergure intellectuelle, de sorte que l'expression raffinée fournit aussitôt comme l'arc de cercle, le moyen de décrire et de limiter toute la circonférence. Aussi ces expressions font-elles que les personnes qui les emploient m'ennuient immédiatement comme déjà connues, mais aussi passent pour supérieures, et me furent souvent offertes comme voisines délicieuses et inappréciées. « Vous n'ignorez pas, Madame, que beaucoup de régions forestières tirent leur nom des animaux qui les peuplent. A côté de la forêt de Chantepie, vous avez le bois de Chantereine. » — « Je ne sais pas de quelle reine il s'agit, mais vous n'êtes pas galant pour elle », dit M. de Cambremer. « Attrapez, Chochotte, dit Mme Verdurin. Et à part cela, le voyage s'est bien passé ? » — « Nous n'avons rencontré que de vagues humanités qui remplissaient le train. Mais je réponds à la question de M. de Cambremer ; reine n'est pas ici la femme d'un roi, mais la grenouille. C'est le nom qu'elle a gardé longtemps dans ce pays comme en témoigne la station de Renneville qui devrait s'écrire Reineville. » — « Il me semble que vous avez là une belle bête », dit M. de Cambremer à Mme Verdurin, en montrant un poisson. C'était là un de ces compliments à l'aide desquels il croyait payer son écot à un dîner, et déjà rendre sa politesse. (« Les inviter est inutile, disait-il souvent en parlant de tels de leurs amis à sa femme. Ils ont été enchantés de nous avoir. C'étaient eux qui me remerciaient. ») « D'ailleurs je dois vous dire que je vais presque chaque jour à Renneville depuis bien des années, et je n'y ai vu pas plus de grenouilles qu'ailleurs. Mme de Cambremer avait fait venir ici le curé d'une paroisse où elle a de grands biens et qui a la même tournure d'esprit que vous, à ce qu'il semble. Il a écrit un ouvrage. » — « Je crois bien, je l'ai lu avec infiniment d'intérêt », répondit hypocritement Brichot. La satisfaction que son orgueil recevait indirectement de cette réponse fit rire longuement M. de Cambremer. « Ah ! eh bien, l'auteur, comment dirais-je, de cette géographie, de ce glossaire, épilogue longuement sur le nom d'une petite localité dont nous étions autrefois, si je puis dire, les seigneurs, et qui se nomme Pont-à-Couleuvre. Or je ne suis évidemment qu'un vulgaire ignorant à côté de ce puits de science, mais je suis bien allé mille fois à Pont-à-Couleuvre pour lui une, et du diable si j'y ai jamais vu un seul de ces vilains serpents, je dis vilains, malgré l'éloge qu'en fait le bon La Fontaine » (« *L'Homme et la Couleuvre* était une des deux fables). « Vous n'en avez pas vu, et c'est vous qui avez vu juste, répondit Brichot. Certes, l'écrivain dont vous parlez connaît à fond son sujet, il a écrit un livre remarquable. » — « Voire ! s'exclama Mme de Cambremer, ce livre, c'est bien le cas de le dire, est un véritable travail de bénédictin. » — « Sans doute il a consulté quelques pouillés (on entend par là les listes des bénéfices et des cures de chaque diocèse), ce qui a pu lui fournir le nom des patrons laïcs et des collateurs ecclésiastiques. Mais il est d'autres sources. Un de mes plus savants amis y a puisé. Il a trouvé que le même lieu était dénommé Pont-à-Quileuvre. Ce nom bizarre l'incita à remonter plus haut encore, à un texte latin où le pont que votre ami croit infesté de couleuvres est désigné : *Pons cui aperit*[21]. Pont fermé qui ne s'ouvrait que moyennant une honnête rétribution. » — « Vous parlez de grenouilles. Moi, en me trouvant au milieu de personnes si savantes, je me fais l'effet de la grenouille devant l'aréopage » (c'était la seconde fable[22]), dit Cancan qui faisait souvent en riant beaucoup, cette plaisanterie grâce à laquelle il croyait à la fois par humilité et avec à-propos, faire profession d'ignorance et étalage de savoir. Quant à Cottard, bloqué par le silence de M. de Charlus et essayant de se donner de l'air des autres côtés, il se tourna vers moi et me fit une de ces questions qui frappaient ses malades s'il était tombé juste et montraient ainsi qu'il était pour ainsi dire dans leur corps ; si au contraire il tombait à faux, lui permettaient de rectifier certaines théories, d'élargir les points de vue anciens. « Quand vous arrivez à ces sites relativement élevés comme celui où nous nous trouvons en ce moment, remarquez-vous que cela augmente votre tendance aux étouffements ? » me demanda-t-il, certain ou de faire admirer, ou de compléter son instruction. M. de Cambremer entendit la question et sourit. « Je ne peux pas vous dire comme ça m'amuse d'apprendre que vous avez des étouffements », me jeta-t-il à travers la table. Il ne voulait pas dire par cela que cela l'égayait, bien que ce fût vrai aussi. Car cet homme excellent ne pouvait cependant pas entendre parler du malheur d'autrui sans un sentiment de bien-être et un spasme d'hilarité qui faisaient vite place à la pitié d'un bon cœur. Mais sa phrase avait un autre sens que précisa celle qui la suivit : « Ça m'amuse, me dit-il, parce que justement ma sœur en a aussi. » En somme cela l'amusait comme s'il m'avait entendu citer comme un de mes amis quelqu'un qui eût fréquenté beaucoup chez eux. « Comme le monde est petit », fut la réflexion qu'il formula mentalement et que je vis écrite sur son visage souriant quand Cottard me parla de mes étouffements. Et ceux-ci devinrent à dater de ce dîner comme une sorte de relation commune et dont M. de Cambremer ne manquait jamais de me demander des nouvelles, ne fût-ce que pour en donner à sa sœur. Tout en répondant aux questions que sa femme me posait sur

Morel, je pensais à une conversation que j'avais eue avec ma mère dans l'après-midi. Comme tout en ne me déconseillant pas d'aller chez les Verdurin si cela pouvait me distraire, elle me rappelait que c'était un milieu qui n'aurait pas plu à mon grand-père et lui eût fait crier : « A la garde », ma mère avait ajouté : « Écoute, le président Toureuil et sa femme m'ont dit qu'ils avaient déjeuné avec Mme Bontemps. On ne m'a rien demandé. Mais j'ai cru comprendre qu'un mariage entre Albertine et toi serait le rêve de sa tante. Je crois que la vraie raison est que tu leur es à tous très sympathique. Tout de même, le luxe qu'ils croient que tu pourrais lui donner, les relations qu'on sait plus ou moins que nous avons, je crois que tout cela n'y est pas étranger, quoique secondaire. Je ne t'en aurais pas parlé, parce que je n'y tiens pas, mais comme je me figure qu'on t'en parlera, j'ai mieux aimé prendre les devants. » — « Mais toi, comment la trouves-tu ? » avais-je demandé à ma mère. « Mais moi, ce n'est pas moi qui l'épouserai. Tu peux certainement faire mille fois mieux comme mariage. Mais je crois que ta grand-mère n'aurait pas aimé qu'on t'influence. Actuellement je ne peux pas te dire comment je trouve Albertine, je ne la trouve pas. Je te dirai comme Mme de Sévigné : " Elle a de bonnes qualités, du moins je le crois. Mais dans ce commencement, je ne sais la louer que par des négatives. Elle n'est point ceci, elle n'a point l'accent de Rennes. Avec le temps, je dirai peut-être : elle est cela[23]. " Et je la trouverai toujours bien si elle doit te rendre heureux. » Mais par ces mots mêmes qui remettaient entre mes mains de décider de mon bonheur, ma mère m'avait mis dans cet état de doute où j'avais déjà été quand mon père, m'ayant permis d'aller à *Phèdre* et surtout d'être homme de lettres, je m'étais senti tout à coup une responsabilité trop grande, la peur de le peiner, et cette mélancolie qu'il y a quand on cesse d'obéir à des ordres qui, au jour le jour, vous cachent l'avenir, de se rendre compte qu'on a enfin commencé de vivre pour de bon, comme une grande personne, la vie, la seule vie qui soit à la disposition de chacun de nous.

Peut-être le mieux serait-il d'attendre un peu, de commencer par voir Albertine comme par le passé pour tâcher d'apprendre si je l'aimais vraiment. Je pourrais l'amener chez les Verdurin pour la distraire, et ceci me rappela que je n'y étais venu moi-même ce soir que pour savoir si Mme Putbus y habitait ou allait y venir. En tous cas, elle ne dînait pas. « A propos de votre ami Saint-Loup, me dit Mme de Cambremer, usant ainsi d'une expression qui marquait plus de suite dans les idées que ses phrases ne l'eussent laissé croire, car si elle me parlait de musique elle pensait aux Guermantes, vous savez que tout le monde parle de son mariage avec la nièce de la Princesse de Guermantes. Je vous dirai que pour ma part, de tous ces potins mondains, je me préoccupe *mie*. » Je fus pris de la crainte d'avoir parlé sans sympathie devant Robert de cette jeune fille faussement originale, et dont l'esprit était aussi médiocre que le caractère était violent. Il n'y a presque pas une nouvelle que nous apprenions qui ne nous fasse regretter un de nos propos. Je répondis à Mme de Cambremer, ce qui du reste était vrai, que je n'en savais rien, et que d'ailleurs la fiancée me paraissait encore bien jeune. « C'est peut-être pour cela que ce n'est pas encore officiel, en tous cas on le dit beaucoup. » — « J'aime mieux vous prévenir », dit sèchement Mme Verdurin à Mme de Cambremer, ayant entendu que celle-ci m'avait parlé de Morel, et quand elle avait baissé la voix pour me parler des fiançailles de Saint-Loup ayant cru qu'elle m'en parlait encore. « Ce n'est pas de la musiquette qu'on fait ici. En art vous savez, les fidèles de mes mercredis, mes enfants comme je les appelle, c'est effrayant ce qu'ils sont avancés, ajouta-t-elle avec un air d'orgueilleuse terreur. Je leur dis quelquefois : " Mes petites bonnes gens, vous marchez plus vite que votre patronne à qui les audaces ne passent pas pourtant pour avoir jamais fait peur. " Tous les ans ça va un peu plus loin ; je vois bientôt le jour où ils ne marcheront plus pour Wagner et pour d'Indy. » — « Mais c'est très bien d'être avancé, on ne l'est jamais assez », dit Mme de Cambremer, tout en inspectant chaque coin de la salle à manger, en cherchant à reconnaître les choses qu'avait laissées sa belle-mère, celles qu'avait apportées Mme Verdurin, et à prendre celle-ci en flagrant délit de faute de goût. Cependant, elle cherchait à me parler du sujet qui l'intéressait le plus, M. de Charlus. Elle trouvait touchant qu'il protégeât un violoniste. « Il a l'air intelligent. » — « Même d'une verve extrême pour un homme déjà un peu âgé », dis-je. « Agé ? Mais il n'a pas l'air âgé, regardez, le cheveu est resté jeune. » (Car depuis trois ou quatre ans le mot « cheveu » avait été employé au singulier par un de ces inconnus qui sont les lanceurs des modes littéraires, et toutes les personnes ayant la longueur de rayon de Mme de Cambremer disaient « le cheveu », non sans un sourire affecté. A l'heure actuelle on dit encore « le cheveu », mais de l'excès du singulier renaîtra le pluriel.) « Ce qui m'intéresse surtout chez M. de Charlus, ajouta-t-elle, c'est qu'on sent chez lui le don. Je vous dirai que je fais bon marché du savoir. Ce qui s'apprend ne m'intéresse pas. » Ces paroles ne sont pas en contradiction avec la valeur particulière de Mme de Cambremer qui était précisément imitée et acquise. Mais justement une des choses qu'on devait savoir à ce moment-là, c'est que le savoir n'est rien et ne pèse pas un fétu à côté de l'originalité. Mme de Cambremer avait appris comme le reste qu'il ne faut rien apprendre. « C'est pour cela, me dit-elle, que Brichot qui a son côté curieux, car je ne fais pas fi d'une certaine érudition savoureuse, m'intéresse pourtant beaucoup moins. » Mais Brichot, à ce moment-là, n'était occupé que d'une chose : entendant qu'on parlait musique, il tremblait que le sujet ne rappelât à Mme Verdurin la mort de Dechambre. Il voulait dire quelque chose pour écarter ce souvenir funeste. M. de Cambremer lui en fournit l'occasion par cette question : « Alors, les lieux boisés portent toujours des noms d'animaux ? » — « Que non pas », répondit Brichot, heureux de déployer son savoir devant tant de nouveaux parmi lesquels je lui avais dit qu'il était sûr d'en intéresser au moins un. « Il suffit de voir combien, dans les noms de personnes elles-mêmes, un arbre est conservé, comme une fougère dans de la houille. Un de nos pères conscrits s'appelle M. de Saulces de Freycinet, ce qui signifie, sauf erreur, lieu planté de saules et de frênes, *salix et fraxinetum ;* son neveu M. de Selves réunit plus d'arbres encore, puisqu'il se nomme de Selves, *sylva.* » Saniette voyait avec joie la conversation prendre un tour si animé. Il pouvait, puisque Brichot parlait tout le temps, garder un silence qui lui éviterait d'être l'objet des brocards de M. et Mme Verdurin. Et devenu plus sensible encore dans sa joie d'être délivré, il avait été attendri d'entendre M. Verdurin, malgré la solennité d'un tel dîner, dire au maître d'hôtel de mettre une carafe d'eau près de M. Saniette qui ne buvait pas autre chose. (Les généraux qui font tuer le plus de soldats tiennent à ce qu'ils soient bien nourris.) Enfin Mme Verdurin avait une fois souri à Saniette. Décidément, c'étaient de bonnes gens. Il ne serait plus torturé. A ce moment le repas fut interrompu par un convive que j'ai oublié de citer, un illustre philosophe norvégien qui parlait le français très bien mais très lentement, pour la double raison d'abord que l'ayant appris depuis peu et ne voulant pas faire de fautes (il en faisait pourtant quelques-unes), il se reportait pour chaque mot à une sorte de dictionnaire intérieur, ensuite parce qu'en tant que métaphysicien, il pensait toujours ce qu'il voulait dire, pendant qu'il le disait, ce qui, même chez un Français, est une cause de lenteur. C'était du reste un être délicieux, quoique pareil en apparence à beaucoup d'autres, sauf sur un point. Cet homme au parler si lent (il y avait un silence entre chaque mot) devenait d'une rapidité vertigineuse pour s'échapper dès qu'il avait dit adieu. Sa précipitation faisait croire la première fois qu'il avait la colique ou encore un besoin plus pressant.

« Mon cher — collègue, dit-il à Brichot, après avoir délibéré dans son esprit si " collègue " était le terme qui convenait, j'ai une sorte de — désir pour savoir s'il y a d'autres arbres dans la — nomenclature de votre belle langue — française — latine — normande. Madame (il voulait dire Mme Verdurin quoiqu'il n'osât la regarder) m'a dit que vous saviez toutes choses. N'est-ce pas précisément le moment ? » — « Non, c'est le moment de manger », interrompit Mme Verdurin qui voyait que le dîner n'en finissait pas. « Ah ! bien, répondit le Scandinave baissant la tête dans son assiette, avec un sourire triste et résigné. Mais je dois faire observer à Madame que si je me suis permis ce questionnaire — pardon, ce questation, — c'est que je dois retourner demain à Paris pour dîner chez la Tour d'Argent ou chez l'Hôtel Meurice. Mon confrère — français — M. Boutroux, doit nous y parler des séances de spiritisme — pardon, des évocations spiritueuses — qu'il a contrôlées. » — « Ce n'est pas si bon qu'on dit la Tour d'Argent, dit Mme Verdurin agacée. J'y ai même fait des dîners détestables. » — « Mais est-ce que je me trompe, est-ce que la nourriture qu'on mange chez Madame n'est pas de la plus fine cuisine française ? » — « Mon Dieu ce n'est pas positivement mauvais, répondit Mme Verdurin radoucie. Et si vous venez mercredi prochain ce sera meilleur. » — « Mais je pars lundi pour Alger, et de là je vais à Cap. Et quand je serai à Cap de Bonne-Espérance, je ne pourrai plus rencontrer mon illustre collègue — pardon, je ne pourrai plus rencontrer mon confrère. » Et il se mit par obéissance, après avoir fourni ces excuses rétrospectives, à manger avec une rapidité vertigineuse. Mais Brichot était trop heureux de pouvoir donner d'autres étymologies végétales et il répondit, intéressant tellement le Norvégien que celui-ci cessa de nouveau de manger, mais en faisant signe qu'on pouvait ôter son assiette pleine et passer au plat suivant : « Un des Quarante, dit Brichot, a nom Houssaye, ou lieu planté de houx ; dans celui d'un fin diplomate, d'Ormesson, vous retrouvez l'orme, l'*ulmus* cher à Virgile et qui a donné son nom à la ville d'Ulm ; dans celui de ses collègues, M. de la Boulaye, le bouleau ; M. d'Aunay, l'aune ; M. de Bussière, le buis ; M. Albaret, l'aubier (je me promis de le dire à Céleste) ; M. de Cholet, le chou ; et le pommier dans le nom de M. de la Pommeraye que nous entendîmes conférencier, Saniette vous en souvient-il, du temps que le bon Porel[24] avait été envoyé aux confins du monde, comme proconsul en Odéonie ? » Au nom de Saniette prononcé par Brichot, M. Verdurin lança à sa femme et à Cottard un regard ironique qui démonta le timide. « Vous disiez que Cholet vient de chou, dis-je à Brichot. Est-ce qu'une station où j'ai passé avant d'arriver à Doncières, Saint-Frichoux, vient aussi de chou ? » — « Non, Saint-Frichoux, c'est *Sanctus Fructuosus,* comme *Sanctus Ferreolus* donna Saint-Fargeau, mais ce n'est pas normand du tout. » — « Il sait tlop de choses, il nous ennuie », gloussa doucement la Princesse. « Il y a tant d'autres noms qui m'intéressent, mais je ne peux pas tout vous demander en une fois. » Et me tournant vers Cottard : « Est-ce que Mme Putbus est ici ? » lui demandai-je. « Non, Dieu merci, répondit Mme Verdurin qui avait entendu ma question. J'ai tâché de dériver ses villégiatures vers Venise, nous en sommes débarrassés pour cette année. » — « Je vais avoir moi-même droit à deux arbres, dit M. de Charlus, car j'ai à peu près retenu une petite maison entre Saint-Martin-du-Chêne et Saint-Pierre-des-Ifs. » — « Mais c'est très près d'ici, j'espère que vous viendrez souvent en compagnie de Charlie Morel. Vous n'aurez qu'à vous entendre avec notre petit groupe pour les trains, vous êtes à deux pas de Doncières », dit Mme Verdurin qui détestait qu'on ne vînt pas par le même train et aux heures où elle envoyait des voitures. Elle savait combien la montée à la Raspelière, même en faisant le tour par des lacis, derrière Féterne, ce qui retardait d'une demi-heure, était dure, elle craignait que ceux qui feraient bande à part ne trouvassent pas de voitures pour les conduire ou même étant en réalité restés chez eux pussent prendre le prétexte de n'en avoir pas trouvé à Douville-Féterne, et de ne pas s'être senti la force de faire une telle ascension à pied. A cette invitation M. de Charlus se contenta de répondre par une muette inclinaison. « Il ne doit pas être commode tous les jours, il a un air pincé », chuchota à Ski le docteur qui étant resté très simple malgré une couche superficielle d'orgueil, ne cherchait pas à cacher que Charlus le snobait. « Il ignore sans doute que dans toutes les villes d'eaux et même à Paris dans les cliniques, les médecins, pour qui je suis naturellement le " grand chef ", tiennent à honneur de me présenter à tous les nobles qui sont là et qui n'en mènent pas large. Cela rend même assez agréable pour moi le séjour des stations balnéaires, ajouta-t-il d'un air léger. Même à Doncières le major du régiment, qui est le médecin traitant du colonel, m'a invité à déjeuner avec lui en me disant que j'étais en situation de dîner avec le général. Et ce général est un monsieur *de* quelque chose. Je ne sais pas si ses parchemins sont plus ou moins anciens que ceux de ce Baron. » — « Ne vous montez pas le bourrichon, c'est une bien pauvre couronne », répondit Ski à mi-voix, et il ajouta quelque chose de confus avec un verbe où je distinguai seulement les dernières syllabes « arder », occupé que j'étais d'écouter ce que Brichot disait à M. de Charlus. « Non probablement j'ai le regret de vous le dire, vous n'avez qu'un seul arbre, car si Saint-Martin-du-Chêne est évidemment *Sanctus Martinus juxte quercum*, en revanche le mot *if* peut être simplement la racine, *ave*, *eve*, qui veut dire humide comme dans Aveyron, Lodève, Yvette, et que vous voyez subsister dans nos éviers de cuisine. C'est l' « eau » qui en breton se dit Ster, Stermaria, Sterlaer, Sterbouest, Ster-en-Dreuchen. » Je n'entendis pas la fin, car quelque plaisir que j'eusse eu à réentendre le nom de Stermaria, malgré moi j'entendais Cottard près duquel j'étais qui disait tout bas à Ski : « Ah ! mais je ne savais pas. Alors c'est un monsieur qui sait se retourner dans la vie. Comment ! il est de la confrérie ! Pourtant il n'a pas les yeux bordés de jambon. Il faudra que je fasse attention à mes pieds sous la table, il n'aurait qu'à en pincer pour moi. Du reste, cela ne m'étonne qu'à moitié. Je vois plusieurs nobles à la douche, dans le costume d'Adam, ce sont plus ou moins des dégénérés. Je ne leur parle pas parce qu'en somme je suis fonctionnaire et que cela pourrait me faire du tort. Mais ils savent parfaitement qui je suis. » Saniette, que l'interpellation de Brichot avait effrayé, commençait à respirer comme quelqu'un qui a peur de l'orage et qui voit que l'éclair n'a été suivi d'aucun bruit de tonnerre, quand il entendit M. Verdurin le questionner tout en attachant sur lui un regard qui ne lâchait pas le malheureux tant qu'il parlait, de façon à le décontenancer tout de suite et à ne pas lui permettre de reprendre ses esprits. « Mais vous nous aviez toujours caché que vous fréquentiez les matinées de l'Odéon, Saniette ? » Tremblant comme une recrue devant un sergent tourmenteur, Saniette répondit, en donnant à sa phrase les plus petites dimensions qu'il put afin qu'elle eût plus de chance d'échapper aux coups : « Une fois, à *la Chercheuse*[25]. » — « Qu'est-ce qu'il dit », hurla M. Verdurin, d'un air à la fois écœuré et furieux, en fronçant les sourcils comme s'il n'avait pas assez de toute son attention pour comprendre quelque chose d'inintelligible. « D'abord on ne comprend pas ce que vous dites, qu'est-ce que vous avez dans la bouche ? » demanda M. Verdurin de plus en plus violent, et faisant allusion au défaut de prononciation de Saniette. « Pauvre Saniette, je ne veux pas que vous le rendiez malheureux », dit Mme Verdurin sur un ton de fausse pitié et pour ne laisser un doute à personne sur l'intention insolente de son mari. « J'étais à la Ch..., Che... » — « Che, che, tâchez de parler clairement, dit M. Verdurin, je ne vous entends même pas. » Presque aucun des fidèles ne se retenait de s'esclaffer et ils avaient l'air d'une bande d'anthropophages chez qui une blessure faite à un blanc a réveillé le goût du sang. Car l'instinct d'imitation et l'absence de courage gouvernent les sociétés comme les foules. Et tout le monde rit de quelqu'un dont on voit se moquer, quitte à le vénérer dix ans plus tard dans un cercle où il est admiré. C'est de la même façon que le peuple chasse ou acclame les rois. « Voyons, ce n'est pas sa faute », dit Mme Verdurin. « Ce n'est pas la mienne non plus, on ne dîne pas en ville quand on ne peut plus articuler. » — « J'étais à *la Chercheuse d'esprit* de Favart. » — « Quoi ? c'est *la Chercheuse d'esprit* que vous appelez *la Chercheuse ?* Ah ! c'est magnifique, j'aurais pu chercher cent ans sans trouver », s'écria M. Verdurin qui pourtant aurait jugé du premier coup que quelqu'un n'était pas lettré, artiste, « n'en était pas », s'il l'avait entendu dire le titre complet de certaines œuvres. Par exemple il fallait dire *le Malade, le Bourgeois ;* et ceux qui auraient ajouté « imaginaire » ou « gentilhomme » eussent témoigné qu'ils n'étaient pas de la « boutique », de même que dans un salon, quelqu'un prouve qu'il n'est pas du monde en disant : M. de Montesquiou-Fezensac pour M. de Montesquiou. « Mais ce n'est pas si extraordinaire », dit Saniette essoufflé par l'émotion mais souriant, quoiqu'il n'en eût pas envie. Mme Verdurin éclata : « Oh ! si, s'écria-t-elle en ricanant. Soyez convaincu que personne au monde n'aurait pu deviner qu'il s'agissait de *la Chercheuse d'esprit.* » M. Verdurin reprit d'une voix douce et s'adressant à la fois à Saniette et à Brichot : « C'est une jolie pièce d'ailleurs *la Chercheuse d'esprit.* » Prononcée sur un ton sérieux cette simple phrase, où on ne pouvait trouver trace de méchanceté, fit à Saniette autant de bien, et excita chez lui autant de gratitude qu'une amabilité. Il ne put proférer une seule parole et garda un silence heureux. Brichot fut plus loquace. « Il est vrai, répondit-il à M. Verdurin, et si on la faisait passer pour l'œuvre de quelque auteur sarmate ou scandinave, on pourrait poser la candidature de *la Chercheuse d'esprit* à la situation vacante de chef-d'œuvre. Mais soit dit sans manquer de respect aux mânes du gentil Favart, il n'était pas de tempérament ibsénien. (Aussitôt il rougit jusqu'aux oreilles en pensant au philosophe norvégien, lequel avait un air malheureux parce qu'il cherchait en vain d'identifier quel végétal pouvait être le buis que Brichot avait cité tout à l'heure à propos de Bussière.) D'ailleurs, la satrapie de Porel étant maintenant occupée par un fonctionnaire qui est un tolstoïsant de rigoureuse observance, il se pourrait que nous vissions *Anna Karénine* ou *Résurrection*[26] sous l'architrave odéonienne. » — « Je sais le portrait de Favart dont vous voulez parler[27], dit M. de Charlus. J'en ai vu une très belle épreuve chez la Comtesse Molé. » Le nom de la Comtesse Molé produisit une forte impression sur Mme Verdurin. « Ah ! vous allez chez Mme de Molé », s'écria-t-elle. Elle pensait qu'on disait la « Comtesse Molé », « Madame Molé », simplement par abréviation, comme elle entendait dire les Rohan, ou par dédain, comme elle-même disait : Madame La Trémoïlle. Elle n'avait aucun doute que la Comtesse Molé connaissant la Reine de Grèce et la Princesse de Caprarola eût autant que personne droit à la particule, et pour une fois elle était décidée à la donner à une personne si brillante et qui s'était montrée fort aimable pour elle. Aussi, pour bien montrer qu'elle avait parlé ainsi à dessein et ne marchandait pas ce « de » à la Comtesse, elle reprit : « Mais je ne savais pas du tout que vous connaissiez Madame de Molé ! » comme si ç'avait été doublement extraordinaire et que M. de Charlus connût cette dame, et que Mme Verdurin ne sût pas qu'il la connaissait. Or le monde, ou du moins ce que M. de Charlus appelait ainsi, forme un tout relativement homogène et clos. Autant il est compréhensible que dans l'immensité disparate de la bourgeoisie un avocat dise à quelqu'un qui connaît un de ses camarades de collège : « Mais comment diable connaissez-vous un tel ? » en revanche s'étonner qu'un Français connût le sens du mot « temple » ou « forêt » ne serait guère plus extraordinaire que d'admirer les hasards qui avaient pu conjoindre M. de Charlus et la Comtesse Molé. De plus, même si une telle connaissance n'eût pas tout naturellement découlé des lois mondaines, si elle eût été fortuite, comment eût-il été bizarre que Mme Verdurin l'ignorât puisqu'elle voyait M. de Charlus pour la première fois, et que ses relations avec Mme Molé étaient loin d'être la seule chose qu'elle ne sût pas relativement à lui, de qui, à vrai dire, elle ne savait rien. « Qu'est-ce qui jouait cette *Chercheuse d'esprit*, mon petit Saniette ? » demanda M. Verdurin. Bien que sentant l'orage passé, l'ancien archiviste hésitait à répondre : « Mais aussi, dit Mme Verdurin, tu l'intimides, tu te moques de tout ce qu'il dit, et puis tu veux qu'il réponde. Voyons, dites, qui jouait ça ? on vous donnera de la galantine à emporter », dit Mme Verdurin, faisant une méchante allusion à la ruine où Saniette s'était précipité lui-même en voulant en tirer un ménage de ses amis. « Je me rappelle seulement que c'était Mme Samary qui faisait la Zerbine[28] », dit Saniette. « La Zerbine ? Qu'est-ce que c'est que ça ? » cria M. Verdurin comme s'il y avait le feu. « C'est un emploi de vieux répertoire, voir *le Capitaine Fracasse*, comme qui dirait le Tranche-Montagne, le Pédant[29]. » — « Ah ! le pédant, c'est vous. La Zerbine ! Non, mais il est toqué », s'écria M. Verdurin. Mme Verdurin regarda ses convives en riant comme pour excuser Saniette. « La Zerbine, il s'imagine que tout le monde sait aussitôt ce que cela veut dire. Vous êtes comme M. de Longepierre, l'homme le plus bête que je connaisse, qui nous disait familièrement l'autre jour " le Banat ". Personne n'a su de quoi il voulait parler. Finalement on a appris que c'était une province de Serbie. » Pour mettre fin au supplice de Saniette, qui me faisait plus de mal qu'à lui, je demandai à Brichot s'il savait ce que signifiait Balbec. « Balbec est probablement une corruption de Dalbec, me dit-il. Il faudrait pouvoir consulter les chartes des rois d'Angleterre, suzerains de la Normandie, car Balbec dépendait de la baronnie de Douvres, à cause de quoi on disait souvent Balbec d'Outre-Mer, Balbec-en-Terre. Mais la baronnie de Douvres elle-même relevait de l'évêché de Bayeux et malgré des droits qu'eurent momentanément les templiers sur l'abbaye à partir de Louis d'Harcourt, patriarche de Jérusalem et évêque de Bayeux, ce furent les évêques de ce diocèse qui furent collateurs aux biens de Balbec. C'est ce que m'a expliqué le doyen de Doville, homme chauve, éloquent, chimérique et gourmet qui vit dans l'obédience de Brillat-Savarin, et m'a exposé avec des termes un tantinet sibyllins d'incertaines pédagogies tout en me faisant manger d'admirables pommes de terre frites. » Tandis que Brichot souriait pour montrer ce qu'il y avait de spirituel à unir des choses aussi disparates et à employer pour des choses communes un langage ironiquement élevé, Saniette cherchait à placer quelque trait d'esprit qui pût le relever de son effondrement de tout à l'heure. Le trait d'esprit était ce qu'on appelait un « à peu près » mais qui avait changé de forme car il y a une évolution pour les calembours comme pour les genres littéraires, les épidémies qui disparaissent remplacées par d'autres, etc. Jadis la forme de l' « à peu près » était le « comble ». Mais elle était surannée, personne ne l'employait plus, il n'y avait plus que Cottard pour dire encore parfois au milieu d'une partie de « piquet » : « Savez-vous quel est le comble de la distraction ? c'est de prendre l'édit de Nantes pour une Anglaise. » Les combles avaient été remplacés par les surnoms. Au fond, c'était toujours le vieil « à peu près », mais comme le surnom était à la mode on ne s'en apercevait pas. Malheureusement pour Saniette, quand ces « à peu près » n'étaient pas de lui et d'habitude inconnus au petit noyau, il les débitait si timidement que malgré le rire dont il les faisait suivre pour signaler leur caractère humoristique, personne ne les comprenait. Et si au contraire le mot était de lui, comme il l'avait généralement trouvé en causant avec un des fidèles, celui-ci l'avait répété en se l'appropriant, le mot était alors connu, mais non comme étant de Saniette. Aussi quand il glissait un de ceux-là on le reconnaissait, mais, parce qu'il en était l'auteur, on l'accusait de plagiat. « Or donc, continua Brichot, *bec* en normand est ruisseau ; il y a l'abbaye du Bec, Mobec le ruisseau du marais (*mor* ou *mer* voulait dire marais, comme dans Morville, ou dans Bricquemar, Alvimare, Cambremer) ; Bricquebec le ruisseau de la hauteur venant de *briga*, lieu fortifié, comme dans Bricqueville, Bricquebosc, le Bric, Briand, ou bien *brice*, pont[30] qui est le même que *bruck* en allemand

(Innsbruck) et qu'en anglais *bridge* qui termine tant de noms de lieux (Cambridge, etc.). Vous avez encore en Normandie bien d'autres *bec* : Caudebec, Bolbec, le Robec, le Bec-Hellouin, Becquerel. C'est la forme normande du germain *bach*, Offenbach, Anspach ; Varaguebec, du vieux mot *varaigne*, équivalent de garenne, bois, étangs réservés. Quant à *dal*, reprit Brichot, c'est une forme de *thal*, vallée : Darnetal, Rosendal et même jusque près de Louviers, Becdal. La rivière qui a donné son nom à Dalbec est d'ailleurs charmante. Vue d'une falaise (*fels* en allemand, vous avez même non loin d'ici, sur une hauteur la jolie ville de Falaise), elle voisine les flèches de l'église, située en réalité à une grande distance, et a l'air de les refléter. » — « Je crois bien, dis-je, c'est un effet qu'Elstir aime beaucoup. J'en ai vu plusieurs esquisses chez lui. » — « Elstir ! Vous connaissez Tiche ? s'écria Mme Verdurin. Mais vous savez que je l'ai connu dans la dernière intimité. Grâce au ciel je ne le vois plus. Non, mais demandez à Cottard, à Brichot, il avait son couvert mis chez moi, il venait tous les jours. Et voilà un dont on peut dire que ça ne lui a pas réussi de quitter notre petit noyau. Je vous montrerai tout à l'heure des fleurs qu'il a peintes pour moi ; vous verrez quelle différence avec ce qu'il fait aujourd'hui et que je n'aime pas du tout, mais pas du tout ! Mais comment ! je lui avais fait faire un portrait de Cottard, sans compter tout ce qu'il a fait d'après moi. » — « Et il avait fait au professeur des cheveux mauves, dit Mme Cottard, oubliant qu'alors son mari n'était même pas agrégé. Je ne sais, Monsieur, si vous trouvez que mon mari a des cheveux mauves. » — « Ça ne fait rien, dit Mme Verdurin en levant le menton d'un air de dédain pour Mme Cottard et d'admiration pour celui dont elle parlait, c'était d'un fier coloriste, d'un beau peintre. Tandis que, ajouta-t-elle en s'adressant de nouveau à moi, je ne sais pas si vous appelez cela de la peinture, toutes ces grandes diablesses de composition, ces grandes machines qu'il expose depuis qu'il ne vient plus chez moi. Moi, j'appelle cela du barbouillé, c'est d'un poncif, et puis ça manque de relief, de personnalité. Il y a de tout le monde là-dedans. » — « Il restitue la grâce du XVIIIe, mais moderne », dit précipitamment Saniette, tonifié et remis en selle par mon amabilité. « Mais j'aime mieux Helleu. » — « Il n'y a aucun rapport avec Helleu », dit Mme Verdurin. « Si, c'est du XVIIIe siècle fébrile. C'est un Watteau à vapeur[31] », et il se mit à rire. « Oh ! connu, archiconnu, il y a des années qu'on me le ressert », dit M. Verdurin à qui en effet Ski l'avait raconté autrefois, mais comme fait par lui-même. « Ce n'est pas de chance que pour une fois que vous prononcez intelligiblement quelque chose d'assez drôle, ce ne soit pas de vous. » — « Ça me fait de la peine, reprit Mme Verdurin, parce que c'était quelqu'un de doué, il a gâché un joli tempérament de peintre. Ah ! s'il était resté ici. Mais il serait devenu le premier paysagiste de notre temps. Et c'est une femme qui l'a conduit si bas ! Ça ne m'étonne pas d'ailleurs, car l'homme était agréable, mais vulgaire. Au fond c'était un médiocre. Je vous dirai que je l'ai senti tout de suite. Dans le fond, il ne m'a jamais intéressée. Je l'aimais bien, c'était tout. D'abord, il était d'un sale. Vous aimez beaucoup ça, vous, les gens qui ne se lavent jamais ? » — « Qu'est-ce que c'est que cette chose si jolie de ton que nous mangeons ? » demanda Ski. « Cela s'appelle de la mousse à la fraise », dit Mme Verdurin. « Mais c'est ra-vis-sant. Il faudrait faire déboucher des bouteilles de château-margaux, de château-lafite, de porto. » — « Je ne peux pas vous dire comme il m'amuse, il ne boit que de l'eau », dit Mme Verdurin pour dissimuler sous l'agrément qu'elle trouvait à cette fantaisie l'effroi que lui causait cette prodigalité. « Mais ce n'est pas pour boire, reprit Ski, vous en remplirez tous nos verres, on apportera de merveilleuses pêches, d'énormes brugnons, là, en face du soleil couché ; ça sera luxuriant comme un beau Véronèse. » — « Ça coûtera presque aussi cher », murmura M. Verdurin. « Mais enlevez ces fromages si vilains de ton », dit-il en essayant de retirer l'assiette du Patron qui défendit son gruyère de toutes ses forces. « Vous comprenez que je ne regrette pas Elstir, me dit Mme Verdurin, celui-ci est autrement doué. Elstir, c'est le travail, l'homme qui ne sait pas lâcher sa peinture quand il en a envie. C'est le bon élève, la bête à concours. Ski, lui, ne connaît que sa fantaisie. Vous le verrez allumer sa cigarette au milieu du dîner. » — « Au fait, je ne sais pas pourquoi vous n'avez pas voulu recevoir sa femme, dit Cottard, il serait ici comme autrefois. » — « Dites donc, voulez-vous être poli, vous ? Je ne reçois pas de gourgandines, Monsieur le Professeur », dit Mme Verdurin qui avait au contraire fait tout ce qu'elle avait pu pour faire revenir Elstir, même avec sa femme. Mais avant qu'ils fussent mariés elle avait cherché à les brouiller, elle avait dit à Elstir que la femme qu'il aimait était bête, sale, légère, avait volé. Pour une fois elle n'avait pas réussi la rupture. C'est avec le salon Verdurin qu'Elstir avait rompu ; et il s'en félicitait comme les convertis bénissent la maladie ou le revers qui les a jetés dans la retraite et leur a fait connaître la voie du salut. « Il est magnifique, le Professeur, dit-elle. Déclarez plutôt que mon salon est une maison de rendez-vous. Mais on dirait que vous ne savez pas ce que c'est que Mme Elstir. J'aimerais mieux recevoir la dernière des filles ! Ah ! non, je ne mange pas de ce pain-là. D'ailleurs je vous dirai que j'aurais été d'autant plus bête de passer sur la femme que le mari ne m'intéresse plus, c'est démodé, ce n'est même plus dessiné. » — « C'est extraordinaire pour un homme d'une pareille intelligence », dit Cottard. « Oh ! non, répondit Mme Verdurin, même à l'époque où il avait du talent, car il en a eu, le gredin, et à revendre, ce qui agaçait chez lui c'est qu'il n'était aucunement intelligent. » Mme Verdurin, pour porter ce jugement sur Elstir, n'avait pas attendu leur brouille et qu'elle n'aimât plus sa peinture. C'est que, même au temps où il faisait partie du petit groupe, il arrivait qu'Elstir passait des journées entières avec telle femme qu'à tort ou à raison Mme Verdurin trouvait « bécasse », ce qui à son avis, n'était pas le fait d'un homme intelligent. « Non, dit-elle d'un air d'équité, je crois que sa femme et lui sont très bien faits pour aller ensemble. Dieu sait que je ne connais pas de créature plus ennuyeuse sur la terre et que je deviendrais enragée s'il me fallait passer deux heures avec elle. Mais on dit qu'il la trouve très intelligente. C'est qu'il faut bien l'avouer, notre *Tiche* était surtout *excessivement bête !* Je l'ai vu épaté par des personnes que vous n'imaginez pas, par de braves idiotes dont on n'aurait jamais voulu dans notre petit clan. Hé bien ! il leur écrivait, il discutait avec elles, lui, Elstir ! Ça n'empêche pas des côtés charmants, ah ! charmants, charmants et délicieusement absurdes naturellement. » Car Mme Verdurin était persuadée que les hommes vraiment remarquables font mille folies. Idée fausse où il y a pourtant quelque vérité. Certes les « folies » des gens sont insupportables. Mais un déséquilibre qu'on ne découvre qu'à la longue est la conséquence de l'entrée dans un cerveau humain de délicatesses pour lesquelles il n'est pas habituellement fait. En sorte que les étrangetés des gens charmants exaspèrent, mais qu'il n'y a guère de gens charmants qui ne soient, par ailleurs, étranges. « Tenez, je vais pouvoir vous montrer tout de suite ses fleurs », me dit-elle en voyant que son mari lui faisait signe qu'on pouvait se lever de table. Et elle reprit le bras de M. de Cambremer. M. Verdurin voulut s'en excuser auprès de M. de Charlus, dès qu'il eut quitté Mme de Cambremer, et lui donner ses raisons, surtout pour le plaisir de causer de ces nuances mondaines avec un homme titré momentanément l'inférieur de ceux qui lui assignaient la place à laquelle ils jugeaient qu'il avait droit. Mais d'abord il tint à montrer à M. de Charlus qu'intellectuellement il l'estimait trop pour penser qu'il pût faire attention à ces bagatelles : « Excusez-moi de vous parler de ces riens, commença-t-il, car je suppose bien le peu de cas que vous en faites. Les esprits bourgeois y font attention, mais les autres, les artistes, les gens qui en sont vraiment, s'en fichent. Or dès les premiers mots que nous avons échangés, j'ai compris que vous en étiez ! » M. de Charlus qui donnait à cette locution un sens fort différent, eut un haut-le-corps. Après les œillades du docteur, l'injurieuse franchise du Patron le suffoquait. « Ne protestez pas, cher Monsieur, vous en êtes, c'est clair comme le jour, reprit M. Verdurin. Remarquez que je ne sais pas si vous exercez un art quelconque, mais ce n'est pas nécessaire. Ce n'est pas toujours suffisant. Dechambre qui vient de mourir jouait parfaitement avec le plus robuste mécanisme, mais n'en était pas, on sentait tout de suite qu'il n'en était pas. Brichot n'en est pas. Morel en est, ma femme en est, je sens que vous en êtes... » — « Qu'alliez-vous me dire ? » interrompit M. de Charlus qui commençait à être rassuré sur ce que voulait signifier M. Verdurin, mais qui préférait qu'il criât moins haut ces paroles à double sens. « Nous vous avons mis seulement à gauche », répondit M. Verdurin. M. de Charlus, avec un sourire compréhensif, bonhomme et insolent, répondit : « Mais voyons ! Cela n'a aucune importance, *ici !* » Et il eut un petit rire qui lui était spécial — un rire qui lui venait probablement de quelque grand-mère bavaroise ou lorraine, qui le tenait elle-même, tout identique, d'une aïeule, de sorte qu'il sonnait ainsi, inchangé, depuis pas mal de siècles dans de vieilles petites cours de l'Europe, et qu'on goûtait sa qualité précieuse comme celle de certains instruments anciens devenus rarissimes. Il y a des moments où pour peindre complètement quelqu'un il faudrait que l'imitation phonétique se joignît à la description, et celle du personnage que faisait M. de Charlus risque d'être incomplète par le manque de ce petit rire si fin, si léger, comme certaines œuvres de Bach ne sont jamais rendues exactement parce que les orchestres manquent de ces « petites trompettes » au son si particulier, pour lesquelles l'auteur a écrit telle ou telle partie. « Mais, expliqua M. Verdurin blessé, c'est à dessein. Je n'attache aucune importance aux titres de noblesse », ajouta-t-il, avec ce sourire dédaigneux que j'ai vu tant de personnes que j'ai connues, à l'encontre de ma grand-mère et de ma mère, avoir pour toutes les choses qu'ils ne possèdent pas, devant ceux, qui ainsi, pensent-ils, ne pourront pas se faire à l'aide d'elles une supériorité sur eux. « Mais enfin puisqu'il y avait justement M. de Cambremer et qu'il est Marquis, comme vous n'êtes que Baron... » — « Permettez, répondit M. de Charlus avec un air de hauteur à M. Verdurin étonné, je suis aussi Duc de Brabant, Damoiseau de Montargis, Prince d'Oléron, de Carency, de Viareggio et des Dunes. D'ailleurs cela ne fait absolument rien. Ne vous tourmentez pas, ajouta-t-il en reprenant son fin sourire qui s'épanouit sur ces derniers mots : J'ai tout de suite vu que vous n'aviez pas l'habitude. »

Mme Verdurin vint à moi pour me montrer les fleurs d'Elstir. Si cet acte devenu depuis longtemps si indifférent pour moi, aller dîner en ville, m'avait au contraire, sous la forme qui le renouvelait entièrement d'un voyage le long de la côte, suivi d'une montée en voiture jusqu'à deux cents mètres au-dessus de la mer, procuré une sorte d'ivresse, celle-ci ne s'était pas dissipée à la Raspelière. « Tenez, regardez-moi ça, me dit la Patronne, en me montrant de grosses et magnifiques roses d'Elstir, mais dont l'onctueux écarlate et la blancheur fouettée s'enlevaient avec un relief un peu trop crémeux sur la jardinière où elles étaient posées. Croyez-vous qu'il aurait encore assez de patte pour attraper ça ? Est-ce assez fort ! Et puis, c'est beau comme matière, ça serait amusant à tripoter. Je ne peux pas vous dire comme c'était amusant de les lui voir peindre. On sentait que ça l'intéressait de chercher cet effet-là. » Et le regard de la Patronne s'arrêta rêveusement sur ce présent de l'artiste où se trouvaient résumés, non seulement son grand talent, mais leur longue amitié qui ne survivait plus qu'en ces souvenirs qu'il lui en avait laissés ; derrière les fleurs autrefois cueillies par lui pour elle-même, elle croyait revoir la belle main qui les avait peintes, en une matinée, dans leur fraîcheur, si bien que, les unes sur la table, l'autre adossé à un fauteuil de la salle à manger, avaient pu figurer en tête à tête pour le déjeuner de la Patronne, les roses encore vivantes et leur portrait à demi ressemblant. A demi seulement, Elstir ne pouvant regarder une fleur qu'en la transplantant d'abord dans ce jardin intérieur où nous sommes forcés de rester toujours. Il avait montré dans cette aquarelle l'apparition des roses qu'il avait vues et que sans lui on n'eût connues jamais ; de sorte qu'on peut dire que c'était une variété nouvelle dont ce peintre, comme un ingénieux horticulteur, avait enrichi la famille des Roses. « Du jour où il a quitté le petit noyau, ça a été un homme fini. Il paraît que mes dîners lui faisaient perdre du temps, que je nuisais au développement de son *génie*, dit-elle sur un ton d'ironie. Comme si la fréquentation d'une femme comme moi pouvait ne pas être salutaire à un artiste », s'écria-t-elle dans un mouvement d'orgueil. Tout près de nous, M. de Cambremer qui était déjà assis esquissa, en voyant M. de Charlus debout, le mouvement de se lever et de lui donner sa chaise. Cette offre ne correspondait peut-être dans la pensée du Marquis qu'à une intention de vague politesse. M. de Charlus préféra y attacher la signification d'un devoir que le simple gentilhomme savait qu'il avait à rendre à un prince, et ne crut pas pouvoir mieux établir son droit à cette préséance qu'en la déclinant. Aussi s'écria-t-il : « Mais comment donc ! Je vous en prie ! Par exemple ! » Le ton astucieusement véhément de cette protestation avait déjà quelque chose de fort « Guermantes » qui s'accusa davantage dans le geste impératif, inutile et familier avec lequel M. de Charlus pesa de ses deux mains et comme pour le forcer à se rasseoir, sur les épaules de M. de Cambremer qui ne s'était pas levé : « Ah ! voyons, mon cher, insista le Baron, il ne manquerait plus que ça ! Il n'y a pas de raison ! de notre temps on réserve ça aux princes du sang. » Je ne touchai pas plus les Cambremer que Mme Verdurin par mon enthousiasme pour leur maison. Car j'étais froid devant des beautés qu'ils me signalaient et m'exaltais de réminiscences confuses ; quelquefois même je leur avouais ma déception ne trouvant pas quelque chose conforme à ce que son nom m'avait fait imaginer. J'indignai Mme de

Cambremer en lui disant que j'avais cru que c'était plus campagne. En revanche je m'arrêtai avec extase à renifler l'odeur d'un vent coulis qui passait par la porte. « Je vois que vous aimez les courants d'air », me dirent-ils. Mon éloge du morceau de lustrine verte bouchant un carreau cassé n'eut pas plus de succès : « Mais quelle horreur ! » s'écria la Marquise. Le comble fut quand je dis : « Ma plus grande joie a été quand je suis arrivé. Quand j'ai entendu résonner mes pas dans la galerie, je ne sais pas dans quel bureau de mairie de village, où il y a la carte du canton, je me crus entré. » Cette fois Mme de Cambremer me tourna résolument le dos. « Vous n'avez pas trouvé tout cela trop mal arrangé ? lui demanda son mari avec la même sollicitude apitoyée que s'il se fût informé comment sa femme avait supporté une triste cérémonie. Il y a de belles choses. » Mais comme la malveillance, quand les règles fixes d'un goût sûr ne lui imposent pas de bornes inévitables trouve tout à critiquer, de leur personne ou de leur maison, chez les gens qui vous ont supplantés : « Oui, mais elles ne sont pas à leur place. Et voire, sont-elles si belles que ça ? » — « Vous avez remarqué, dit M. de Cambremer avec une tristesse que contenait quelque fermeté, il y a des toiles de Jouy qui montrent la corde, des choses tout usées dans ce salon ! » — « Et cette pièce d'étoffe avec ses grosses roses comme un couvre-pied de paysanne », dit Mme de Cambremer, dont la culture toute postiche s'appliquait exclusivement à la philosophie idéaliste, à la peinture impressionniste et à la musique de Debussy. Et pour ne pas requérir uniquement au nom du luxe mais aussi du goût : « Et ils ont mis des brise-bise ! Quelle faute de style ! Que voulez-vous ces gens, ils ne savent pas, où auraient-ils appris ? Ça doit être de gros commerçants retirés. C'est déjà pas mal pour eux. » — « Les chandeliers m'ont paru beaux », dit le Marquis, sans qu'on sût pourquoi il exceptait les chandeliers, de même qu'inévitablement, chaque fois qu'on parlait d'une église, que ce fût la cathédrale de Chartres, de Reims, d'Amiens, ou l'église de Balbec, ce qu'il s'empressait toujours de citer comme admirables c'était : « le buffet d'orgue, la chaire et les œuvres de miséricorde. » « Quant au jardin, n'en parlons pas, dit Mme de Cambremer. C'est un massacre. Ces allées qui s'en vont tout de guingois. » Je profitai de ce que Mme Verdurin servait le café pour aller jeter un coup d'œil sur la lettre que M. de Cambremer m'avait remise, et où sa mère m'invitait à dîner. Avec ce rien d'encre, l'écriture traduisait une individualité désormais pour moi reconnaissable entre toutes, sans qu'il y eût plus besoin de recourir à l'hypothèse de plumes spéciales, que des couleurs rares et mystérieusement fabriquées ne sont nécessaires au peintre pour exprimer sa vision originale. Même un paralysé atteint d'agraphie après une attaque et réduit à regarder les caractères comme un dessin sans savoir les lire, aurait compris que Mme de Cambremer appartenait à une vieille famille où la culture enthousiaste des lettres et des arts avait donné un peu d'air aux traditions aristocratiques. Il aurait deviné aussi vers quelles années la Marquise avait appris simultanément à écrire et à jouer Chopin. C'était l'époque où les gens bien élevés observaient la règle d'être aimables et celle dite des trois adjectifs. Mme de Cambremer les combinait toutes les deux. Un adjectif louangeur ne lui suffisait pas, elle le faisait suivre (après un petit tiret) d'un second, puis (après un deuxième tiret) d'un troisième. Mais ce qui lui était particulier, c'est que contrairement au but social et littéraire qu'elle se proposait, la succession des trois épithètes revêtait dans les billets de Mme de Cambremer l'aspect non d'une progression, mais d'un diminuendo. Mme de Cambremer me dit dans cette première lettre qu'elle avait vu Saint-Loup et avait encore plus apprécié que jamais ses qualités « uniques, rares, réelles », et qu'il devait revenir avec un de ses amis (précisément celui qui aimait la belle-fille), et que si je voulais venir avec ou sans eux dîner à Féterne elle en serait « ravie — heureuse — contente ». Peut-être était-ce parce que le désir d'amabilité n'était pas égalé chez elle par la fertilité de l'imagination et la richesse du vocabulaire que cette dame, tenant à pousser trois exclamations, n'avait la force de donner dans la deuxième et la troisième qu'un écho affaibli de la première. Qu'il y eût eu seulement un quatrième adjectif et de l'amabilité initiale, il ne serait rien resté. Enfin par une certaine simplicité raffinée qui n'avait pas dû être sans produire une impression considérable dans la famille et même le cercle des relations, Mme de Cambremer avait pris l'habitude de substituer au mot qui pouvait finir par avoir l'air mensonger, de « sincère », celui de « vrai ». Et pour bien montrer qu'il s'agissait en effet de quelque chose de sincère, elle rompait l'alliance conventionnelle qui eût mis « vrai » avant le substantif, et le plantait bravement après. Ses lettres finissaient par : « Croyez à mon amitié vraie. » « Croyez à ma sympathie vraie. » Malheureusement c'était tellement devenu une formule que cette affectation de franchise donnait plus l'impression de la politesse menteuse que les antiques formules au sens desquelles on ne songe plus. J'étais d'ailleurs gêné pour lire par le bruit confus des conversations que dominait la voix plus haute de M. de Charlus n'ayant pas lâché son sujet et disant à M. de Cambremer : « Vous me faisiez penser en voulant que je prisse votre place, à un Monsieur qui m'a envoyé ce matin une lettre en mettant comme adresse : " A son Altesse, le Baron de Charlus ", et qui la commençait par : " Monseigneur ". — « En effet, votre correspondant exagérait un peu », répondit M. de Cambremer en se livrant à une discrète hilarité. M. de Charlus l'avait provoquée ; il ne la partagea pas. « Mais dans le fond, mon cher, dit-il, remarquez que héraldiquement parlant, c'est lui qui est dans le vrai, je n'en fais pas une question de personne vous pensez bien. J'en parle comme s'il s'agissait d'un autre. Mais que voulez-vous, l'histoire est l'histoire, nous n'y pouvons rien et il ne dépend pas de nous de la refaire. Je ne vous citerai pas l'Empereur Guillaume qui à Kiel n'a jamais cessé de me donner du Monseigneur. J'ai ouï dire qu'il appelait ainsi tous les ducs français, ce qui est abusif, et ce qui est peut-être simplement une délicate attention qui, par-dessus notre tête, vise la France. » — « Délicate et plus ou moins sincère », dit M. de Cambremer. « Ah ! je ne suis pas de votre avis. Remarquez que personnellement un seigneur de dernier ordre comme ce Hohenzollern, de plus protestant, et qui a dépossédé mon cousin le Roi de Hanovre n'est pas pour me plaire, ajouta M. de Charlus auquel le Hanovre semblait tenir plus à cœur que l'Alsace-Lorraine. Mais je crois le penchant qui porte l'Empereur vers nous profondément sincère. Les imbéciles vous diront que c'est un Empereur de théâtre. Il est au contraire merveilleusement intelligent, il ne s'y connaît pas en peinture, et il a forcé M. Tschudi[32] de retirer les Elstir des musées nationaux. Mais Louis XIV n'aimait pas les maîtres hollandais, avait aussi le goût de l'apparat, et a été somme toute un grand souverain. Encore Guillaume II a-t-il armé son pays au point de vue militaire et naval, comme Louis XIV n'avait pas fait et j'espère que son règne ne connaîtra jamais les revers qui ont assombri sur la fin le règne de celui qu'on appelle banalement le Roi-Soleil. La République a commis une grande faute à mon avis en repoussant les amabilités du Hohenzollern ou en ne les lui rendant qu'au compte-gouttes. Il s'en rend lui-même très bien compte et dit, avec ce don d'expression qu'il a : " Ce que je veux c'est une poignée de main, ce n'est pas un coup de chapeau[33]. " Comme homme, il est vil ; il a abandonné, livré, renié ses meilleurs amis dans des circonstances où son silence a été aussi misérable que le leur a été grand, continua M. de Charlus, qui emporté toujours sur sa pente glissait vers l'Affaire Eulenbourg[34], et se rappelait le mot que lui avait dit l'un des inculpés les plus haut placés : " Faut-il que l'Empereur ait confiance en notre délicatesse pour avoir osé permettre un pareil procès. Mais d'ailleurs il ne s'est pas trompé en ayant eu foi dans notre discrétion. Jusque sur l'échafaud nous aurions fermé la bouche. " Du reste tout cela n'a rien à voir avec ce que je voulais dire, à savoir qu'en Allemagne, princes médiatisés nous sommes Durchlaucht[35], et qu'en France notre rang d'Altesse était publiquement reconnu. Saint-Simon prétend que nous l'avions pris par abus, ce en quoi il se trompe parfaitement. La raison qu'il en donne, à savoir que Louis XIV nous fit faire défense de l'appeler le Roi très Chrétien, et nous ordonna de l'appeler le Roi tout court, prouve simplement que nous relevions de lui et nullement que nous n'avions pas la qualité de prince. Sans quoi, il aurait fallu la dénier au Duc de Lorraine et à combien d'autres. D'ailleurs plusieurs de nos titres viennent de la Maison de Lorraine par Thérèse d'Espinoy, ma bisaïeule qui était la fille du Damoiseau de Commercy. » S'étant aperçu que Morel l'écoutait, M. de Charlus développa plus amplement les raisons de sa prétention. « J'ai fait observer à mon frère que ce n'est pas dans la troisième partie du Gotha, mais dans la deuxième, pour ne pas dire dans la première, que la notice sur notre famille devrait se trouver, dit-il sans se rendre compte que Morel ne savait pas ce qu'était le Gotha[36]. Mais c'est lui que ça regarde, il est mon chef d'armes et du moment qu'il le trouve bon ainsi et qu'il laisse passer la chose, je n'ai qu'à fermer les yeux. » — « M. Brichot m'a beaucoup intéressé », dis-je à Mme Verdurin qui venait à moi, et tout en mettant la lettre de Mme de Cambremer dans ma poche. « C'est un esprit cultivé et un brave homme, me répondit-elle froidement. Il manque évidemment d'originalité et de goût, il a une terrible mémoire. On disait des « aïeux » des gens que nous avons ce soir, les émigrés, qu'ils n'avaient rien oublié. Mais ils avaient du moins l'excuse, dit-elle en prenant à son compte un mot de Swann, qu'ils n'avaient rien appris. Tandis que Brichot sait tout, et nous jette à la tête pendant le dîner des piles de dictionnaires. Je crois que vous n'ignorez plus rien de ce que veut dire le nom de telle ville, de tel village. » Pendant que Mme Verdurin parlait, je pensais que je m'étais promis de lui demander quelque chose, mais je ne pouvais me rappeler ce que c'était. « Je suis sûr que vous parlez de Brichot, dit Ski. Hein, Chantepie, et Freycinet, il ne vous a fait grâce de rien. Je vous ai regardée ma petite Patronne. » — « Je vous ai bien vu, j'ai failli éclater. » Je ne saurais dire aujourd'hui comment Mme Verdurin était habillée ce soir-là. Peut-être au moment ne le savais-je pas davantage, car je n'ai pas l'esprit d'observation. Mais sentant que sa toilette n'était pas sans prétention je lui dis quelque chose d'aimable et même d'admiratif. Elle était comme presque toutes les femmes, lesquelles s'imaginent qu'un compliment qu'on leur fait est la stricte expression de la vérité et que c'est un jugement qu'on porte impartialement, irrésistiblement, comme s'il s'agissait d'un objet d'art ne se rattachant pas à une personne. Aussi fut-ce avec un sérieux qui me fit rougir de mon hypocrisie qu'elle me posa cette orgueilleuse et naïve question, habituelle en pareilles circonstances : « Cela vous plaît ? » — « Vous parlez de Chantepie, je suis sûr », dit M. Verdurin s'approchant de nous. J'avais été seul, pensant à ma lustrine verte et à une odeur de bois, à ne pas remarquer qu'en énumérant ces étymologies, Brichot avait fait rire de lui. Et comme les impressions qui donnaient pour moi leur valeur aux choses étaient de celles que les autres personnes ou n'éprouvent pas, ou refoulent sans y penser comme insignifiantes, et que par conséquent si j'avais pu les communiquer elles fussent restées incomprises ou auraient été dédaignées, elles étaient entièrement inutilisables pour moi et avaient de plus l'inconvénient de me faire passer pour stupide aux yeux de Mme Verdurin qui voyait que j'avais « gobé » Brichot, comme je l'avais déjà paru à Mme de Guermantes parce que je me plaisais chez Mme d'Arpajon. Pour Brichot pourtant il y avait une autre raison. Je n'étais pas du petit clan. Et dans tout clan, qu'il soit mondain, politique, littéraire, on contracte une facilité perverse à découvrir dans une conversation, dans un discours officiel, dans une nouvelle, dans un sonnet, tout ce que l'honnête lecteur n'aurait jamais songé à y voir. Que de fois il m'est arrivé, lisant avec une certaine émotion un conte habilement filé par un académicien disert et un peu vieillot d'être sur le point de dire à Bloch ou à Mme de

Guermantes : « Comme c'est joli ! » quand avant que j'eusse ouvert la bouche ils s'écriaient chacun dans un langage différent : « Si vous voulez passer un bon moment, lisez un conte de un tel. La stupidité humaine n'a jamais été aussi loin. » Le mépris de Bloch provenait surtout de ce que certains effets de style, agréables du reste, étaient un peu fanés ; celui de Mme de Guermantes de ce que le conte semblait prouver justement le contraire de ce que voulait dire l'auteur pour des raisons de fait qu'elle avait l'ingéniosité de déduire mais auxquelles je n'eusse jamais pensé. Je fus aussi surpris de voir l'ironie que cachait l'amabilité apparente des Verdurin pour Brichot que d'entendre quelques jours plus tard à Féterne les Cambremer me dire, devant l'éloge enthousiaste que je faisais de la Raspelière : « Ce n'est pas possible que vous soyez sincère, après ce qu'ils en ont fait. » Il est vrai qu'ils avouèrent que la vaisselle était belle. Pas plus que les choquants brise-bise, je ne l'avais vue. « Enfin, maintenant, quand vous retournerez à Balbec, vous saurez ce que Balbec signifie », dit ironiquement M. Verdurin. C'était justement les choses que m'apprenait Brichot qui m'intéressaient. Quant à ce qu'on appelait son esprit, il était exactement le même qui avait été si goûté autrefois dans le petit clan. Il parlait avec la même irritante facilité, mais ses paroles ne portaient plus, avaient à vaincre un silence hostile ou de désagréables échos ; ce qui avait changé était, non ce qu'il débitait, mais l'acoustique du salon et les dispositions du public. « Gare », dit à mi-voix Mme Verdurin en montrant Brichot. Celui-ci ayant gardé l'ouïe plus perçante que la vue, jeta sur la Patronne un regard vite détourné de myope et de philosophe. Si ses yeux étaient moins bons, ceux de son esprit jetaient en revanche sur les choses un plus large regard. Il voyait le peu qu'on pouvait attendre des affections humaines, il s'y était résigné. Certes il en souffrait. Il arrive que, même celui qui un seul soir, dans un milieu où il a l'habitude de plaire, devine qu'on l'a trouvé ou trop frivole, ou trop pédant, ou trop gauche, ou trop cavalier, etc., rentre chez lui malheureux. Souvent c'est à cause d'une question d'opinions, de système, qu'il a paru à d'autres absurde ou vieux jeu. Souvent il sait à merveille que ces autres ne le valent pas. Il pourrait aisément disséquer les sophismes à l'aide desquels on l'a condamné tacitement, il veut aller faire une visite, écrire une lettre : plus sage il ne fait rien, attend l'invitation de la semaine suivante. Parfois aussi ces disgrâces au lieu de finir en une soirée, durent des mois. Dues à l'instabilité des jugements mondains, elles l'augmentent encore. Car celui qui sait que Mme X le méprise, sentant qu'on l'estime chez Mme Y, la déclare bien supérieure et émigre dans son salon. Au reste ce n'est pas le lieu de peindre ici ces hommes, supérieurs à la vie mondaine mais n'ayant pas su se réaliser en dehors d'elle, heureux d'être reçus, aigris d'être méconnus, découvrant chaque année les tares de la maîtresse de maison qu'ils encensaient, et le génie de celle qu'ils n'avaient pas appréciée à sa valeur, quitte à revenir à leurs premières amours quand ils auront souffert des inconvénients qu'avaient aussi les secondes et que ceux des premières seront un peu oubliés. On peut juger par ces courtes disgrâces du chagrin que causait à Brichot celle qu'il savait définitive. Il n'ignorait pas que Mme Verdurin riait parfois publiquement de lui, même de ses infirmités, et sachant le peu qu'il faut attendre des affections humaines, s'y étant soumis, il ne considérait pas moins la Patronne comme sa meilleure amie. Mais à la rougeur qui couvrit le visage de l'universitaire, Mme Verdurin comprit qu'il l'avait entendue et se promit d'être aimable pour lui pendant la soirée. Je ne pus m'empêcher de lui dire qu'elle l'était bien peu pour Saniette. « Comment, pas gentille ! Mais il nous adore, vous ne savez pas ce que nous sommes pour lui. Mon mari est quelquefois un peu agacé de sa stupidité et il faut avouer qu'il y a de quoi, mais dans ces moments-là, pourquoi ne se rebiffe-t-il pas davantage, au lieu de prendre ces airs de chien couchant ? Ce n'est pas franc. Je n'aime pas cela. Ça n'empêche pas que je tâche toujours de calmer mon mari parce que s'il allait trop loin, Saniette n'aurait qu'à ne pas revenir ; et cela je ne le voudrais pas parce que je vous dirai qu'il n'a plus un sou, il a besoin de ses dîners. Et puis, après tout, s'il se froisse, qu'il ne revienne pas, moi ce n'est pas mon affaire, quand on a besoin des autres on tâche de ne pas être aussi idiot. » — « Le Duché d'Aumale a été longtemps dans notre famille avant d'entrer dans la Maison de France, expliquait M. de Charlus à M. de Cambremer, devant Morel ébahi et auquel à vrai dire toute cette dissertation était sinon adressée du moins destinée. Nous avions le pas sur tous les princes étrangers ; je pourrais vous en donner cent exemples. La Princesse de Croy ayant voulu à l'enterrement de Monsieur se mettre à genoux après ma trisaïeule, celle-ci lui fit vertement remarquer qu'elle n'avait pas droit au carreau, le fit retirer par l'officier de service et porta la chose au Roi, qui ordonna à Mme de Croy d'aller faire des excuses à Mme de Guermantes chez elle. Le Duc de Bourgogne étant venu chez nous avec les huissiers, la baguette levée, nous obtînmes du Roi de la faire abaisser. Je sais qu'il y a mauvaise grâce à parler des vertus des siens. Mais il est bien connu que les nôtres ont toujours été de l'avant à l'heure du danger. Notre cri d'armes quand nous avons quitté celui des Ducs de Brabant, a été “ Passavant ”. De sorte qu'il est en somme assez légitime que ce droit d'être partout les premiers que nous avions revendiqué pendant tant de siècles à la guerre, nous l'ayons obtenu ensuite à la Cour. Et dame, il nous y a toujours été reconnu. Je vous citerai encore comme preuve la Princesse de Baden. Comme elle s'était oubliée jusqu'à vouloir disputer son rang à cette même Duchesse de Guermantes de laquelle je vous parlais tout à l'heure, et avait voulu entrer la première chez le Roi en profitant d'un mouvement d'hésitation qu'avait peut-être eu ma parente (bien qu'il n'y en eût pas à avoir), le Roi cria vivement : “ Entre, entrez, ma cousine, Madame de Baden sait trop ce qu'elle vous doit. ” Et c'est comme Duchesse de Guermantes qu'elle avait ce rang, bien que par elle-même elle fût d'assez grande naissance puisqu'elle était par sa mère nièce de la Reine de Pologne, de la Reine d'Hongrie, de l'Électeur Palatin, du Prince de Savoie-Carignan et du Prince d'Hanovre, ensuite Roi d'Angleterre. » — « *Mæcenas atavis edite regibus*[37] *!* » dit Brichot en s'adressant à M. de Charlus qui répondit par une légère inclinaison de tête à cette politesse. « Qu'est-ce que vous dites ? » demanda Mme Verdurin à Brichot envers qui elle aurait voulu tâcher de réparer ses paroles de tout à l'heure. « Je parlais, Dieu m'en pardonne, d'un dandy qui était la fleur du gratin (Mme Verdurin fronça les sourcils), environ le siècle d'Auguste (Mme Verdurin rassurée par l'éloignement de ce gratin prit une expression plus sereine), d'un ami de Virgile et d'Horace qui poussaient la flagornerie jusqu'à lui envoyer en pleine figure ses ascendances plus qu'aristocratiques, royales, en un mot je parlais de Mécène, d'un rat de bibliothèque qui était ami d'Horace, de Virgile, d'Auguste. Je suis sûr que M. de Charlus sait très bien à tous égards qui était Mécène. » Regardant gracieusement Mme Verdurin du coin de l'œil parce qu'il l'avait entendue donner rendez-vous à Morel pour le surlendemain et qu'il craignait de ne pas être invité, « Je crois, dit M. de Charlus, que Mécène, c'était quelque chose comme le Verdurin de l'Antiquité. » Mme Verdurin ne put réprimer qu'à moitié un sourire de satisfaction. Elle alla vers Morel. « Il est agréable l'ami de vos parents, lui dit-elle. On voit que c'est un homme instruit, bien élevé. Il fera bien dans notre petit noyau. Où donc demeure-t-il à Paris ? » Morel garda un silence hautain et demanda seulement à faire une partie de cartes. Mme Verdurin exigea d'abord un peu de violon. A l'étonnement général, M. de Charlus, qui ne parlait jamais des grands dons qu'il avait, accompagna, avec le style le plus pur, le dernier morceau (inquiet, tourmenté, schumannesque, mais enfin antérieur à la sonate de Franck) de la sonate pour piano et violon de Fauré. Je sentis qu'il donnerait à Morel, merveilleusement doué pour le son et la virtuosité, précisément ce qui lui manquait, la culture et le style. Mais je songeai avec curiosité à ce qui unit chez un même homme une tare physique et un don spirituel. M. de Charlus n'était pas très différent de son frère, le Duc de Guermantes. Même, tout à l'heure (et cela était rare), il avait parlé un aussi mauvais français que lui. Me reprochant (sans doute pour que je parlasse en termes chaleureux de Morel à Mme Verdurin) de n'aller jamais le voir, et moi invoquant la discrétion, il m'avait répondu : « Mais puisque c'est moi qui vous le demande, il n'y a que moi qui *pourrais m'en formaliser.* » Cela aurait pu être dit par le Duc de Guermantes. M. de Charlus n'était en somme qu'un Guermantes. Mais il avait suffi que la nature déséquilibrât suffisamment en lui le système nerveux pour qu'au lieu d'une femme, comme eût fait son frère le Duc, il préférât un berger de Virgile ou un élève de Platon, et aussitôt des qualités inconnues au Duc de Guermantes et souvent liées à ce déséquilibre, avaient fait de M. de Charlus un pianiste délicieux, un peintre amateur qui n'était pas sans goût, un éloquent discoureur. Le style rapide, anxieux, charmant avec lequel M. de Charlus jouait le morceau schumannesque de la sonate de Fauré, qui aurait pu discerner que ce style avait son correspondant — on n'ose dire sa cause — dans des parties toutes physiques, dans les défectuosités nerveuses de M. de Charlus ? Nous expliquerons plus tard ce mot de défectuosités nerveuses et pour quelles raisons un Grec du temps de Socrate, un Romain du temps d'Auguste, pouvaient être ce qu'on sait tout en restant des hommes absolument normaux, et non des hommes-femmes comme on en voit aujourd'hui. De même que de réelles dispositions artistiques, non venues à terme, M. de Charlus avait, bien plus que le Duc leur mère, aimé sa femme, et même des années après, quand on lui en parlait il avait des larmes, mais superficielles, comme la transpiration d'un homme trop gros, dont le front pour un rien s'humecte de sueur. Avec la différence qu'à ceux-ci on dit : « Comme vous avez chaud », tandis qu'on fait semblant de ne pas voir les pleurs des autres. On, c'est-à-dire le monde ; car le peuple s'inquiète de voir pleurer comme si un sanglot était plus grave qu'une hémorragie. La tristesse qui suivit la mort de sa femme, grâce à l'habitude de mentir, n'excluait pas chez M. de Charlus une vie qui n'y était pas conforme. Plus tard même, il eut l'ignominie de laisser entendre que pendant la cérémonie funèbre, il avait trouvé le moyen de demander son nom et son adresse à l'enfant de chœur. Et c'était peut-être vrai.

Le morceau fini, je me permis de réclamer du Franck, ce qui eut l'air de faire tellement souffrir Mme de Cambremer que je n'insistai pas. « Vous ne pouvez pas aimer cela », me dit-elle. Elle demanda à la place *Fêtes* de Debussy, ce qui fit crier : « Ah ! c'est sublime ! » dès la première note. Mais Morel s'aperçut qu'il ne savait que les premières mesures et par gaminerie, sans aucune intention de mystifier, il commença une marche de Meyerbeer. Malheureusement comme il laissa peu de transitions et ne fit pas d'annonce, tout le monde crut que c'était encore du Debussy, et on continua à crier : « Sublime ! » Morel en révélant que l'auteur n'était pas celui de *Pelléas* mais de *Robert le Diable*[38], jeta un certain froid. Mme de Cambremer n'eut guère le temps de le ressentir pour elle-même, car elle venait de découvrir un cahier de Scarlatti et elle s'était jetée dessus avec une impulsion d'hystérique. « Oh ! jouez ça, tenez ça, c'est divin », criait-elle. Et pourtant de cet auteur longtemps dédaigné, promu depuis peu aux plus grands honneurs, ce qu'elle élisait dans son impatience fébrile, c'était un de ces morceaux maudits qui vous ont si souvent empêché de dormir et qu'une élève sans pitié recommence indéfiniment à l'étage contigu au vôtre. Mais Morel avait assez de musique, et comme il tenait à jouer aux cartes, M. de Charlus pour participer à la partie aurait voulu un whist. « Il a dit tout à l'heure au Patron qu'il était Prince, dit Ski à Mme Verdurin, mais ce n'est pas vrai, il est d'une simple bourgeoisie de petits architectes. » — « Je veux savoir ce que vous disiez de Mécène. Ça m'amuse, moi, na ! » redit

Mme Verdurin à Brichot, par une amabilité qui grisa celui-ci. Aussi pour briller aux yeux de la Patronne et peut-être aux miens : « Mais à vrai dire, Madame, Mécène m'intéresse surtout parce qu'il est le premier apôtre de marque de ce Dieu chinois qui compte aujourd'hui en France plus de sectateurs que Brahma, que le Christ lui-même, le très puissant Dieu Jemenfou. » Mme Verdurin ne se contentait plus dans ces cas-là de plonger sa tête dans sa main. Elle s'abattait avec la brusquerie des insectes appelés éphémères sur la Princesse Sherbatoff ; si celle-ci était à peu de distance la Patronne s'accrochait à l'aisselle de la Princesse, y enfonçait ses ongles, et cachait pendant quelques instants sa tête comme un enfant qui joue à cache-cache. Dissimulée par cet écran protecteur, elle était censée rire aux larmes et pouvait aussi bien ne penser à rien du tout que les gens, qui pendant qu'ils font une prière un peu longue ont la sage précaution d'ensevelir leur visage dans leurs mains. Mme Verdurin les imitait en écoutant les quatuors de Beethoven pour montrer à la fois qu'elle les considérait comme une prière et pour ne pas laisser voir qu'elle dormait. « Je parle fort sérieusement, Madame, dit Brichot. Je crois que trop grand est aujourd'hui le nombre des gens qui passent leur temps à considérer leur nombril comme s'il était le centre du monde. En bonne doctrine, je n'ai rien à objecter à je ne sais quel nirvâna qui tend à nous dissoudre dans le grand Tout (lequel comme Munich et Oxford est beaucoup plus près de Paris qu'Asnières ou Bois-Colombes) mais il n'est ni d'un bon Français, ni même d'un bon Européen, quand les Japonais sont peut-être aux portes de notre Byzance que des antimilitaristes socialisés discutent gravement sur les vertus cardinales du vers libre. » Mme Verdurin crut pouvoir lâcher l'épaule meurtrie de la Princesse et elle laissa réapparaître sa figure, non sans feindre de s'essuyer les yeux et sans reprendre deux ou trois fois haleine. Mais Brichot voulait que j'eusse ma part de festin et ayant retenu des soutenances de thèses qu'il présidait comme personne, qu'on ne flatte jamais tant la jeunesse qu'en la morigénant, en lui donnant de l'importance, en se faisant traiter par elle de réactionnaire : « Je ne voudrais pas blasphémer les Dieux de la Jeunesse, dit-il en jetant sur moi ce regard furtif qu'un orateur accorde à la dérobée à quelqu'un présent dans l'assistance et dont il cite le nom. Je ne voudrais pas être damné comme hérétique et relaps dans la chapelle mallarméenne où notre nouvel ami, comme tous ceux de son âge, a dû servir la messe ésotérique, au moins comme enfant de chœur et se montrer déliquescent ou Rose-Croix [39]. Mais vraiment nous en avons trop vu de ces intellectuels adorant l'art avec un grand A et qui, quand il ne leur suffit plus de s'alcooliser avec du Zola, se font des piqûres de Verlaine. Devenus éthéromanes par dévotion baudelairienne, ils ne seraient plus capables de l'effort viril que la patrie peut un jour ou l'autre leur demander, anesthésiés qu'ils sont par la grande névrose littéraire dans l'atmosphère chaude, énervante, lourde de relents malsains, d'un symbolisme de fumerie d'opium. » Incapable de feindre l'ombre d'admiration pour le couplet inepte et bigarré de Brichot, je me détournai vers Ski et lui assurai qu'il se trompait absolument sur la famille à laquelle appartenait M. de Charlus ; il me répondit qu'il était sûr de son fait et ajouta que je lui avais même dit que son vrai nom était Gandin, Le Gandin. « Je vous ai dit, lui répondis-je, que Mme de Cambremer était la sœur d'un ingénieur, M. Legrandin. Je ne vous ai jamais parlé de M. de Charlus. Il y a autant de rapport de naissance entre lui et Mme de Cambremer qu'entre le Grand Condé et Racine. » — « Ah ! je croyais » dit Ski légèrement sans plus s'excuser de son erreur que quelques heures avant de celle qui avait failli nous faire manquer le train. « Est-ce que vous comptez rester longtemps sur la côte ? » demanda Mme Verdurin à M. de Charlus en qui elle pressentait un fidèle et qu'elle tremblait de voir rentrer trop tôt à Paris. « Mon Dieu, on ne sait jamais, répondit d'un ton nasillard et traînant M. de Charlus. J'aimerais rester jusqu'à la fin de septembre. » — « Vous avez raison, dit Mme Verdurin ; c'est le moment des belles tempêtes. » — « A bien vrai dire ce n'est pas ce qui me déterminerait. J'ai trop négligé depuis quelque temps l'archange saint Michel, mon patron et je voudrais le dédommager en restant jusqu'à sa fête, le 29 septembre, à l'abbaye du Mont. » — « Ça vous intéresse beaucoup ces affaires-là ? » demanda Mme Verdurin qui eût peut-être réussi à faire taire son anticléricalisme blessé, si elle n'avait craint qu'une excursion aussi longue ne fît « lâcher » pendant quarante-huit heures le violoniste et le Baron. « Vous êtes peut-être affligée de surdité intermittente, répondit insolemment M. de Charlus. Je vous ai dit que saint Michel était un de mes glorieux patrons. » Puis, souriant avec une bienveillante extase, les yeux fixés au loin, la voix accrue par une exaltation qui me sembla plus qu'esthétique, mais religieuse : « C'est si beau à l'offertoire quand Michel se tient debout près de l'autel, en robe blanche, balançant un encensoir d'or et avec un tel amas de parfums que l'odeur en monte jusqu'à Dieu. » — « On pourrait y aller en bande », suggéra Mme Verdurin, malgré son horreur de la calotte. « A ce moment-là, dès l'offertoire, reprit M. de Charlus qui pour d'autres raisons mais de la même manière que les bons orateurs à la Chambre, ne répondait jamais à une interruption et feignait de ne pas l'avoir entendue, ce serait ravissant de voir notre jeune ami palestrinisant et exécutant même une Aria de Bach. Il serait fou de joie, le bon Abbé aussi, et c'est le plus grand hommage, du moins le plus grand hommage public, que je puisse rendre à mon saint Patron. Quelle édification pour les fidèles ! Nous en parlerons tout à l'heure au jeune Angelico musical, militaire comme saint Michel. »

Saniette appelé pour faire le mort déclara qu'il ne savait pas jouer au whist. Et Cottard voyant qu'il n'y avait plus grand temps avant l'heure du train, se mit tout de suite à faire une partie d'écarté avec Morel. M. Verdurin, furieux, marcha d'un air terrible sur Saniette : « Vous ne savez donc jouer à rien », cria-t-il, furieux d'avoir perdu l'occasion de faire un whist, et ravi d'en avoir trouvé une d'injurier l'ancien archiviste. Celui-ci terrorisé prit un air spirituel : « Si, je sais jouer du piano », dit-il. Cottard et Morel s'étaient assis face à face. « A vous l'honneur », dit Cottard. « Si nous nous approchions un peu de la table de jeu, dit à M. de Cambremer M. de Charlus, inquiet de voir le violoniste avec Cottard. C'est aussi intéressant que ces questions d'étiquette qui à notre époque ne signifient plus grand-chose. Les seuls rois qui nous restent, en France du moins, sont les rois des jeux de cartes et il me semble qu'ils viennent à foison dans la main du jeune virtuose », ajouta-t-il bientôt, par une admiration pour Morel qui s'étendait jusqu'à sa manière de jouer, pour le flatter aussi, et enfin pour expliquer le mouvement qu'il faisait de se pencher sur l'épaule du violoniste. « Ié coupe », dit en contrefaisant l'accent rastaquouère, Cottard, dont les enfants s'esclaffèrent comme faisaient ses élèves et le chef de clinique, quand le Maître, même au lit d'un malade gravement atteint, lançait avec un masque impassible d'épileptique une de ses coutumières facéties. « Je ne sais pas trop ce que je dois jouer », dit Morel en consultant M. de Cambremer. « Comme vous voudrez, vous serez battu de toutes façons, ceci ou ça, c'est égal. » — « Gallimarié ? dit le docteur en coulant vers M. de Cambremer un regard insinuant et bénévole. C'était ce que nous appelons la véritable diva, c'était le rêve, une Carmen comme on n'en reverra pas. C'était la femme du rôle. J'aimais aussi y entendre Engalli — marié[40]. » Le Marquis se leva avec cette vulgarité méprisante des gens bien nés qui ne comprennent pas qu'ils insultent le maître de maison en ayant l'air de ne pas être certain qu'on puisse fréquenter ses invités et qui s'excusent sur l'habitude anglaise pour employer une expression dédaigneuse : « Quel est ce monsieur qui joue aux cartes, qu'est-ce qu'il fait dans la vie, qu'est-ce qu'il *vend ?* J'aime assez à savoir avec qui je me trouve pour ne pas me lier avec n'importe qui. Or je n'ai pas entendu son nom quand vous m'avez fait l'honneur de me présenter à lui. » Si M. Verdurin s'autorisant de ces derniers mots, avait en effet présenté à ses convives M. de Cambremer, celui-ci l'eût trouvé fort mauvais. Mais sachant que c'était le contraire qui avait eu lieu, il trouvait gracieux d'avoir l'air bon enfant et modeste sans péril. La fierté qu'avait M. Verdurin de son intimité avec Cottard n'avait fait que grandir depuis que le docteur était devenu un professeur illustre. Mais elle ne s'exprimait plus sous la forme naïve d'autrefois. Alors, quand Cottard était à peine connu, si on parlait à M. Verdurin des névralgies faciales de sa femme : « Il n'y a rien à faire, disait-il, avec l'amour-propre naïf des gens qui croient que ce qu'ils connaissent est illustre et que tout le monde connaît le nom du professeur de chant de leur fille. Si elle avait un médecin de second ordre on pourrait chercher un autre traitement, mais quand ce médecin s'appelle Cottard (nom qu'il prononçait comme si c'eût été Bouchard ou Charcot[41]) il n'y a qu'à tirer l'échelle. » Usant d'un procédé inverse, sachant que M. de Cambremer avait certainement entendu parler du fameux professeur Cottard, M. Verdurin prit un air simplet. « C'est notre médecin de famille, un brave cœur que nous adorons et qui se ferait couper en quatre pour nous ; ce n'est pas un médecin, c'est un ami, je ne pense pas que vous le connaissiez ni que son nom vous dirait quelque chose, en tous cas pour nous, c'est le nom d'un bien bon homme, d'un bien cher ami, Cottard. » Ce nom, murmuré d'un air modeste, trompa M. de Cambremer qui crut qu'il s'agissait d'un autre. « Cottard ? vous ne parlez pas du professeur Cottard ? » On entendait précisément la voix dudit professeur qui embarrassé par un coup, disait en tenant ses cartes : « C'est ici que les Athéniens s'atteignirent. » — « Ah ! si, justement, il est professeur », dit M. Verdurin. « Quoi ! le professeur Cottard ! Vous ne vous trompez pas ! Vous êtes bien sûr que c'est le même ! celui qui demeure rue du Bac ! » — « Oui, il demeure rue du Bac, 43. Vous le connaissez ? » — « Mais tout le monde connaît le professeur Cottard. C'est une sommité ! C'est comme si vous me demandiez si je connais Bouffe de Saint-

Blaise ou Courtois-Suffit[42]. J'avais bien vu en l'écoutant parler que ce n'était pas un homme ordinaire, c'est pourquoi je me suis permis de vous demander. » — « Voyons, qu'est-ce qu'il faut jouer, atout ? » demandait Cottard. Puis brusquement, avec une vulgarité qui eût été agaçante même dans une circonstance héroïque, où un soldat veut prêter une expression familière au mépris de la mort, mais qui devenait doublement stupide dans le passe-temps sans danger des cartes, Cottard se décidant à jouer atout, prit un air sombre, « cerveau brûlé », et par allusion à ceux qui risquent leur peau, joua sa carte comme si c'eût été sa vie, en s'écriant : « Après tout, je m'en fiche ! » Ce n'était pas ce qu'il fallait jouer, mais il eut une consolation. Au milieu du salon, dans un large fauteuil, Mme Cottard, cédant à l'effet, irrésistible chez elle, de l'après-dîner, s'était soumise après de vains efforts, au sommeil vaste et léger qui s'emparait d'elle. Elle avait beau se redresser à des instants, pour sourire, soit par moquerie de soi-même, soit par peur de laisser sans réponse quelque parole aimable qu'on lui eût adressée, elle retombait malgré elle, en proie au mal implacable et délicieux. Plutôt que le bruit, ce qui l'éveillait ainsi pour une seconde seulement, c'était le regard (que par tendresse elle voyait même les yeux fermés, et prévoyait, car la même scène se produisait tous les soirs et hantait son sommeil comme l'heure où on aura à se lever), le regard par lequel le professeur signalait le sommeil de son épouse aux personnes présentes. Il se contentait pour commencer de la regarder et de sourire, car si comme médecin il blâmait ce sommeil d'après le dîner (du moins donnait-il cette raison scientifique pour se fâcher vers la fin, mais il n'est pas sûr qu'elle fût déterminante tant il avait là-dessus de vues variées) comme mari tout puissant et taquin, il était enchanté de se moquer de sa femme, de ne l'éveiller d'abord qu'à moitié, afin qu'elle se rendormît et qu'il eût le plaisir de la réveiller de nouveau.

Maintenant Mme Cottard dormait tout à fait. « Hé bien ! Léontine, tu pionces », lui cria le professeur.

« J'écoute ce que dit Mme Swann, mon ami », répondit faiblement Mme Cottard, qui retomba dans sa léthargie. « C'est insensé, s'écria Cottard, tout à l'heure elle nous affirmera qu'elle n'a pas dormi. C'est comme les patients qui se rendent à une consultation et qui prétendent qu'ils ne dorment jamais. » — « Ils se le figurent peut-être », dit en riant M. de Cambremer. Mais le docteur aimait autant à contredire qu'à taquiner et surtout n'admettait pas qu'un profane osât lui parler médecine. « On ne se figure pas qu'on ne dort pas », promulgua-t-il d'un ton dogmatique. « Ah ! » répondit en s'inclinant respectueusement le Marquis, comme eût fait Cottard jadis. « On voit bien, reprit Cottard, que vous n'avez pas comme moi administré jusqu'à deux grammes de trional sans arriver à provoquer la somnescence. » — « En effet, en effet, répondit le Marquis en riant d'un air avantageux, je n'ai jamais pris de trional, ni aucune de ces drogues qui bientôt ne font plus d'effet mais vous détraquent l'estomac. Quand on a chassé toute la nuit comme moi dans la forêt de Chantepie, je vous assure qu'on n'a pas besoin de trional pour dormir. » — « Ce sont les ignorants qui disent cela, répondit le professeur. Le trional relève parfois d'une façon remarquable le tonus nerveux. Vous parlez de trional, savez-vous seulement ce que c'est ? » — « Mais... j'ai entendu dire que c'était un médicament pour dormir. » — « Vous ne répondez pas à ma question, reprit doctoralement le professeur qui, trois fois par semaine, à la Faculté, était d' « examen ». Je ne vous demande pas si ça fait dormir ou non, mais ce que c'est. Pouvez-vous me dire ce qu'il contient de parties d'amyle et d'éthyle ? » — « Non, répondit M. de Cambremer embarrassé. Je préfère un bon verre de fine ou même de porto 345. » — « Qui sont dix fois plus toxiques », interrompit le professeur. « Pour le trional, hasarda M. de Cambremer, ma femme est abonnée à tout cela, vous feriez mieux d'en parler avec elle. » — « Qui doit en savoir à peu près autant que vous. En tous cas, si votre femme prend du trional pour dormir, vous voyez que ma femme n'en a pas besoin. Voyons Léontine, bouge-toi, tu t'ankyloses, est-ce que je dors après dîner moi ? qu'est-ce que tu feras à soixante ans si tu dors maintenant comme une vieille ? Tu vas prendre de l'embonpoint, tu t'arrêtes la circulation. Elle ne m'entend même plus. » — « C'est mauvais pour la santé ces petits sommes après dîner, n'est-ce pas, docteur ? dit M. de Cambremer pour se réhabiliter auprès de Cottard. Après avoir bien mangé il faudrait faire de l'exercice. » — « Des histoires ! répondit le docteur. On a prélevé une même quantité de nourriture dans l'estomac d'un chien qui était resté tranquille, et dans l'estomac d'un chien qui avait couru, et c'est chez le premier que la digestion était la plus avancée. » — « Alors c'est le sommeil qui coupe la digestion ? » — « Cela dépend s'il s'agit de la digestion œsophagique, stomacale, intestinale ; inutile de vous donner des explications que vous ne comprendriez pas puisque vous n'avez pas fait vos études de médecine. Allons, Léontine, en avant marche, il est temps de partir. » Ce n'était pas vrai car le docteur allait seulement continuer sa partie de cartes, mais il espérait contrarier ainsi de façon plus brusque le sommeil de la muette à laquelle il adressait sans plus recevoir de réponse les plus savantes exhortations. Soit qu'une volonté de résistance à dormir persistât chez Mme Cottard, même dans l'état de sommeil, soit que le fauteuil ne prêtât pas d'appui à sa tête, cette dernière fut rejetée mécaniquement de gauche à droite et de bas en haut, dans le vide, comme un objet inerte et Mme Cottard balancée quant au chef, avait tantôt l'air d'écouter de la musique, tantôt d'être entrée dans la dernière phase de l'agonie. Là où les admonestations de plus en plus véhémentes de son mari échouaient, le sentiment de sa propre sottise réussit : « Mon bain est bien comme chaleur, murmura-t-elle, mais les plumes du dictionnaire... s'écria-t-elle en se redressant. Oh ! mon Dieu que je suis sotte. Qu'est-ce que je dis, je pensais à mon chapeau, j'ai dû dire une bêtise, un peu plus j'allais m'assoupir, c'est ce maudit feu. » Tout le monde se mit à rire car il n'y avait pas de feu.

« Vous vous moquez de moi, dit en riant elle-même Mme Cottard, qui effaça de la main sur son front avec une légèreté de magnétiseur et une adresse de femme qui se recoiffe, les dernières traces du sommeil, je veux présenter mes humbles excuses à chère Madame Verdurin et savoir d'elle la vérité. » Mais son sourire devint vite triste, car le professeur qui savait que sa femme cherchait à lui plaire et tremblait de n'y pas réussir, venait de lui crier : « Regarde-toi dans la glace, tu es rouge comme si tu avais une éruption d'acné, tu as l'air d'une vieille paysanne. » — « Vous savez il est charmant, dit Mme Verdurin, il a un joli côté de bonhomie narquoise. Et puis il a ramené mon mari des portes du tombeau quand toute la Faculté l'avait condamné. Il a passé trois nuits près de lui, sans se coucher. Aussi Cottard pour moi, vous savez, ajouta-t-elle d'un ton grave et presque menaçant, en levant la main vers les deux sphères aux mèches blanches de ses tempes musicales et comme si nous avions voulu toucher au docteur, c'est sacré ! Il pourrait demander tout ce qu'il voudrait. Du reste, je ne l'appelle pas le Docteur Cottard, je l'appelle le Docteur Dieu ! Et encore en disant cela je le calomnie, car ce Dieu répare dans la mesure du possible une partie des malheurs dont l'autre est responsable. » — « Jouez atout », dit à Morel M. de Charlus d'un air heureux. « Atout, pour voir », dit le violoniste. « Il fallait annoncer d'abord votre roi, dit M. de Charlus, vous êtes distrait ; mais comme vous jouez bien ! » — « J'ai le roi », dit Morel. « C'est un bel homme », répondit le professeur. « Qu'est-ce que c'est que cette affaire-là avec ces piquets ? demanda Mme Verdurin en montrant à M. de Cambremer un superbe écusson sculpté au-dessus de la cheminée. Ce sont vos *armes ?* » ajouta-t-elle avec un dédain ironique. « Non, ce ne sont pas les nôtres, répondit M. de Cambremer. Nous portons d'or à trois fasces bretèchées et contre-bretèchées de gueules à cinq pièces chacune chargée d'un trèfle d'or. Non, celles-là ce sont celles des Arrachepel, qui n'étaient pas de notre estoc, mais de qui nous avons hérité la maison, et jamais ceux de notre lignage n'ont rien voulu y changer. Les Arrachepel (jadis Pelvilain, dit-on) portaient d'or à cinq pieux épointés de gueules. Quand ils s'allièrent aux Féterne leur écu changea mais resta cantonné de vingt croisettes recroisettées au pieu péri fiché d'or avec à droite un vol d'hermine. » — « Attrape », dit tout bas Mme de Cambremer. « Mon arrière-grand-mère était une d'Arrachepel ou de Rachepel, comme vous voudrez, car on trouve les deux noms dans les vieilles chartes, continua M. de Cambremer, qui rougit vivement, car il eut seulement alors l'idée dont sa femme lui avait fait honneur et il craignit que Mme Verdurin ne se fût appliqué des paroles qui ne la visaient nullement. L'histoire veut qu'au XIe siècle, le premier Arrachepel, Macé, dit Pelvilain, ait montré une habileté particulière dans les sièges pour arracher les pieux. D'où le surnom d'Arrachepel sous lequel il fut anobli, et les pieux que vous voyez à travers les siècles persister dans leurs armes. Il s'agit des pieux que, pour rendre plus inabordables les fortifications, on plantait, on fichait, passez-moi l'expression, en terre devant elles, et qu'on reliait entre eux. Ce sont eux que vous appeliez très bien des piquets et qui n'avaient rien des bâtons flottants du bon La Fontaine. Car ils passaient pour rendre une place inexpugnable. Evidemment, cela fait sourire avec l'artillerie moderne. Mais il faut se rappeler qu'il s'agit du XIe siècle. » — « Cela manque d'actualité, dit Mme Verdurin, mais le petit campanile a du caractère. » — « Vous avez, dit Cottard, une veine de... turlututu, mot qu'il répétait volontiers pour esquiver celui de Molière. Savez-vous pourquoi le roi de carreau est réformé ? » — « Je voudrais bien être à sa place », dit Morel que son service militaire ennuyait. « Ah ! le mauvais patriote », s'écria M. de Charlus, qui ne put se retenir de pincer l'oreille au violoniste. « Non, vous ne savez pas pourquoi le roi de carreau est réformé ? reprit Cottard, qui tenait à ses plaisanteries, c'est parce qu'il n'a qu'un œil. » — « Vous avez affaire à forte partie, docteur », dit M. de Cambremer pour montrer à Cottard qu'il savait qui il était. « Ce jeune homme est étonnant, interrompit naïvement M. de Charlus, en montrant Morel. Il joue comme un dieu. » Cette réflexion ne plut pas beaucoup au docteur qui répondit : « Qui vivra verra. A roublard, roublard et demi. » — « La dame, l'as », annonça triomphalement Morel, que le sort favorisait. Le docteur courba la tête comme ne pouvant nier cette fortune et avoua, fasciné : « C'est beau. » — « Nous avons été très contents de dîner avec M. de Charlus », dit Mme de Cambremer à Mme Verdurin. « Vous ne le connaissiez pas ? Il est assez agréable, il est particulier, il est *d'une époque* » (elle eût été bien embarrassée de dire laquelle) répondit Mme Verdurin avec le sourire satisfait d'une dilettante, d'un juge et d'une maîtresse de maison. Mme de Cambremer me demanda si je viendrais à Féterne avec Saint-Loup. Je ne pus retenir un cri d'admiration en voyant la lune suspendue comme un lampion orangé à la voûte de chênes qui partait du château. « Ce n'est encore rien, tout à l'heure quand la lune sera plus haute et que la vallée sera éclairée, ce sera mille fois plus beau. Voilà ce que vous n'avez pas à Féterne ! » dit-elle d'un ton dédaigneux à Mme de Cambremer, laquelle ne savait que répondre, ne voulant pas déprécier sa propriété, surtout devant les locataires. « Vous restez encore quelque temps dans la région, Madame ? » demanda M. de Cambremer à Mme Cottard, ce qui pouvait passer pour une vague intention de l'inviter et ce qui dispensait actuellement de rendez-vous plus précis. « Oh ! certainement, Monsieur, je tiens beaucoup pour les enfants à cet exode annuel. On a beau dire, il leur faut le grand air. La Faculté voulait m'envoyer à Vichy ; mais c'est trop étouffé et je m'occuperai de mon estomac quand ces grands garçons-là auront encore un peu poussé. Et puis le professeur, avec les examens qu'il fait passer a toujours un fort coup de collier à donner et les chaleurs le fatiguent beaucoup. Je trouve qu'on a besoin d'une franche détente quand on a été comme lui toute l'année sur la brèche. De toute façon nous resterons encore un bon mois. » —

« Ah ! alors nous sommes gens de revue. » — « D'ailleurs je suis d'autant plus obligée de rester que mon mari doit aller faire un tour en Savoie et ce n'est que dans une quinzaine qu'il sera ici en poste fixe. » — « J'aime encore mieux le côté de la vallée que celui de la mer », reprit Mme Verdurin. « Vous allez avoir un temps splendide pour revenir. » — « Il faudrait même voir si les voitures sont attelées, dans le cas où vous tiendriez absolument à rentrer ce soir à Balbec, me dit M. Verdurin, car moi je n'en vois pas la nécessité. On vous ferait ramener demain matin en voiture. Il fera sûrement beau. Les routes sont admirables. » Je dis que c'était impossible. « Mais en tout cas il n'est pas l'heure, objecta la Patronne. Laisse-les tranquilles, ils ont bien le temps. Ça les avancera bien d'arriver une heure d'avance à la gare. Ils sont mieux ici. Et vous, mon petit Mozart, dit-elle à Morel, n'osant pas s'adresser directement à M. de Charlus, vous ne voulez pas rester ? Nous avons de belles chambres sur la mer. » — « Mais il ne peut pas, répondit M. de Charlus pour le joueur attentif qui n'avait pas entendu. Il n'a que la permission de minuit. Il faut qu'il rentre se coucher comme un enfant bien obéissant, bien sage », ajouta-t-il d'une voix complaisante, maniérée, insistante, comme s'il trouvait quelque sadique volupté à employer cette chaste comparaison et aussi à appuyer au passage sa voix sur ce qui concernait Morel, à le toucher, à défaut de la main, avec des paroles qui semblaient le palper.

Du sermon que m'avait adressé Brichot, M. de Cambremer avait conclu que j'étais dreyfusard. Comme il était aussi antidreyfusard que possible, par courtoisie pour un ennemi, il se mit à me faire l'éloge d'un colonel juif qui avait toujours été très juste pour un cousin des Chevrigny et lui avait fait donner l'avancement qu'il méritait. « Et mon cousin était dans des idées absolument opposées », dit M. de Cambremer, glissant sur ce qu'étaient ces idées, mais que je sentis aussi anciennes et mal formées que son visage, des idées que quelques familles de certaines petites villes devaient avoir depuis bien longtemps. « Eh bien ! vous savez, je trouve ça très beau ! » conclut M. de Cambremer. Il est vrai qu'il n'employait guère le mot « beau » dans le sens esthétique où il eût désigné pour sa mère ou sa femme, des œuvres différentes, mais des œuvres d'art. M. de Cambremer se servait plutôt de ce qualificatif en félicitant par exemple une personne délicate qui avait un peu engraissé. « Comment, vous avez repris trois kilos en deux mois ? Savez-vous que c'est très beau ! » Des rafraîchissements étaient servis sur une table. Mme Verdurin invita les messieurs à aller eux-mêmes choisir la boisson qui leur convenait. M. de Charlus alla boire son verre et vite revint s'asseoir près de la table de jeu et ne bougea plus. Mme Verdurin lui demanda : « Avez-vous pris de mon orangeade ? » Alors M. de Charlus, avec un sourire gracieux, sur un ton cristallin qu'il avait rarement et avec mille moues de la bouche et déhanchements de la taille, répondit : « Non, j'ai préféré la voisine, c'est de la fraisette, je crois, c'est délicieux. » Il est singulier qu'un certain ordre d'actes secrets ait pour conséquence extérieure une manière de parler ou de gesticuler qui les révèle. Si un monsieur croit ou non à l'Immaculée Conception, ou à l'innocence de Dreyfus, ou à la pluralité des mondes et veuille s'en taire, on ne trouvera dans sa voix ni dans sa démarche, rien qui laisse apercevoir sa pensée. Mais en entendant M. de Charlus dire de cette voix aiguë et avec ce sourire et ces gestes de bras : « Non, j'ai préféré sa voisine, la fraisette » on pouvait dire : « Tiens il aime le sexe fort », avec la même certitude que celle qui permet de condamner pour un juge un criminel qui n'a pas avoué, pour un médecin un paralytique général qui ne sait peut-être pas lui-même son mal mais qui a fait telle faute de prononciation d'où on peut déduire qu'il sera mort dans trois ans. Peut-être les gens qui concluent de la manière de dire : « Non, j'ai préféré sa voisine, la fraisette » à un amour dit antiphysique, n'ont-ils pas besoin de tant de science. Mais c'est qu'ici il y a rapport plus direct entre le signe révélateur et le secret. Sans se le dire précisément on sent que c'est une douce et souriante dame qui vous répond et qui paraît maniérée, parce qu'elle se donne pour un homme et qu'on n'est pas habitué à voir les hommes faire tant de manières. Et il est peut-être plus gracieux de penser que depuis longtemps un certain nombre de femmes angéliques ont été comprises par erreur dans le sexe masculin où, exilées, tout en battant vainement des ailes vers les hommes à qui elles inspirent une répulsion physique, elles savent arranger un salon, composent des « intérieurs ». M. de Charlus ne s'inquiétait pas que Mme Verdurin fût debout et restait installé dans son fauteuil pour être plus près de Morel. « Croyez-vous, dit Mme Verdurin au Baron, que ce n'est pas un crime que cet être-là qui pourrait nous enchanter avec son violon, soit là à une table d'écarté. Quand on joue du violon comme lui ! » — « Il joue bien aux cartes, il fait tout bien, il est si intelligent », dit M. de Charlus, tout en regardant les jeux, afin de conseiller Morel. Ce n'était pas du reste sa seule raison de ne pas se soulever de son fauteuil devant Mme Verdurin. Avec le singulier amalgame qu'il avait fait de ses conceptions sociales à la fois de grand seigneur et d'amateur d'art, au lieu d'être poli de la même manière qu'un homme de son monde l'eût été, il se faisait d'après Saint-Simon des espèces de tableaux vivants ; et en ce moment, s'amusait à figurer, le maréchal d'Huxelles[43], lequel l'intéressait par d'autres côtés encore et dont il est dit qu'il était glorieux jusqu'à ne pas se lever de son siège, par un air de paresse, devant ce qu'il y avait de plus distingué à la Cour. « Dites donc Charlus, dit Mme Verdurin, qui commençait à se familiariser, vous n'auriez pas dans votre faubourg quelque vieux noble ruiné qui pourrait me servir de concierge ? » — « Mais si... mais si..., répondit M. de Charlus en souriant d'un air bonhomme, mais je ne vous le conseille pas. » — « Pourquoi ? » — « Je craindrais pour vous que les visiteurs élégants n'allassent pas plus loin que la loge. » Ce fut entre eux la première escarmouche. Mme Verdurin y prit à peine garde. Il devait malheureusement y en avoir d'autres à Paris. M. de Charlus continua à ne pas quitter sa chaise. Il ne pouvait d'ailleurs s'empêcher de sourire imperceptiblement en voyant combien confirmait ses maximes favorites sur le prestige de l'aristocratie et la lâcheté des bourgeois, la soumission si aisément obtenue de Mme Verdurin. La Patronne n'avait l'air nullement étonnée par la posture du Baron et si elle le quitta ce fut seulement parce qu'elle avait été inquiète de me voir relancé par M. de Cambremer. Mais avant cela elle voulait éclaircir la question des relations de M. de Charlus avec la Comtesse Molé. « Vous m'avez dit que vous connaissiez Mme de Molé. Est-ce que vous allez chez elle ? » demanda-t-elle en donnant aux mots : « aller chez elle » le sens d'être reçu chez elle, d'avoir reçu d'elle l'autorisation d'aller la voir. M. de Charlus répondit avec une inflexion de dédain, une affectation de précision et un ton de psalmodie : « Mais quelquefois. » Ce « quelquefois » donna des doutes à Mme Verdurin qui demanda : « Est-ce que vous y avez rencontré le Duc de Guermantes ? » — « Ah ! je ne me rappelle pas. » — « Ah ! dit Mme Verdurin, vous ne connaissez pas le Duc de Guermantes ? » — « Mais comment est-ce que je ne le connaîtrais pas ? » répondit M. de Charlus, dont un sourire fit onduler la bouche. Ce sourire était ironique ; mais comme le Baron craignait de laisser voir une dent en or, il le brisa sous un reflux de ses lèvres, de sorte que la sinuosité qui en résulta fut celle d'un sourire de bienveillance : « Pourquoi dites-vous : Comment est-ce que je ne le connaîtrais pas ? » — « Mais puisque c'est mon frère », dit négligemment M. de Charlus en laissant Mme Verdurin plongée dans la stupéfaction et l'incertitude de savoir si son invité se moquait d'elle, était un enfant naturel ou le fils d'un autre lit. L'idée que le frère du Duc de Guermantes s'appelât le Baron de Charlus ne lui vint pas à l'esprit. Elle se dirigea vers moi : « J'ai entendu tout à l'heure que M. de Cambremer vous invitait à dîner. Moi, vous comprenez, cela m'est égal. Mais dans votre intérêt j'espère bien que vous n'irez pas. D'abord c'est infesté d'ennuyeux. Ah !

si vous aimez à dîner avec des comtes et des marquis de province que personne ne connaît, vous serez servi à souhait. » — « Je crois que je serai obligé d'y aller une fois ou deux. Je ne suis du reste pas très libre car j'ai une jeune cousine que je ne peux pas laisser seule (je trouvais que cette prétendue parenté simplifiait les choses pour sortir avec Albertine). Mais pour les Cambremer, comme je la leur ai déjà présentée... » — « Vous ferez ce que vous voudrez. Ce que je peux vous dire : c'est excessivement malsain ; quand vous aurez pincé une fluxion de poitrine, ou les bons petits rhumatismes des familles, vous serez bien avancé ? » — « Mais est-ce que l'endroit n'est pas très joli ? » — « Mmmmoniii... Si on veut. Moi j'avoue franchement que j'aime cent fois mieux la vue d'ici sur cette vallée. D'abord, on nous aurait payés que je n'aurais pas pris l'autre maison parce que l'air de la mer est fatal à M. Verdurin. Pour peu que votre cousine soit nerveuse... Mais du reste vous êtes nerveux, je crois... vous avez des étouffements. Hé bien ! vous verrez. Allez-y une fois, vous ne dormirez pas de huit jours, mais ce n'est pas notre affaire. » Et sans penser à ce que sa nouvelle phrase allait avoir de contradictoire avec les précédentes : « Si cela vous amuse de voir la maison qui n'est pas mal, jolie est trop dire, mais enfin amusante avec le vieux fossé, le vieux pont-levis, comme il faudra que je m'exécute et que j'y dîne une fois, hé bien ! venez-y ce jour-là, je tâcherai d'amener tout mon petit cercle, alors ce sera gentil. Après-demain nous irons à Harambouville en voiture. La route est magnifique, il y a du cidre délicieux. Venez donc. Vous, Brichot, vous viendrez aussi. Et vous aussi Ski. Ça fera une partie que du reste mon mari a dû arranger d'avance. Je ne sais trop qui il a invité, Monsieur de Charlus, est-ce que vous en êtes ? » Le Baron qui n'entendit que cette phrase et ne savait pas qu'on parlait d'une excursion à Harambouville, sursauta : « Étrange question », murmura-t-il d'un ton narquois par lequel Mme Verdurin se sentit piquée. « D'ailleurs, me dit-elle, en attendant le dîner Cambrener, pourquoi ne l'amèneriez-vous pas ici, votre cousine ? Aime-t-elle la conversation, les gens intelligents ? Est-elle agréable ? Oui, eh ! bien alors, très bien. Venez avec elle. Il n'y a pas que les Cambremer au monde. Je comprends qu'ils soient heureux de l'inviter, ils ne peuvent arriver à avoir personne. Ici elle aura un bon air, toujours des hommes intelligents. En tous cas je compte que vous ne me lâchez pas pour mercredi prochain. J'ai entendu que vous aviez un goûter à Rivebelle avec votre cousine, M. de Charlus, je ne sais plus encore qui. Vous devriez arranger de transporter tout ça ici, ça serait gentil un petit arrivage en masse. Les communications sont on ne peut plus faciles, les chemins sont ravissants ; au besoin je vous ferai chercher. Je ne sais pas du reste ce qui peut vous attirer à Rivebelle, c'est infesté de moustiques. Vous croyez peut-être à la réputation de la galette. Mon cuisinier les fait autrement bien. Je vous en ferai manger, moi, de la galette normande, de la vraie, et des sablés, je ne vous dis que ça. Ah ! si vous tenez à la cochonnerie qu'on sert à Rivebelle, ça je ne veux pas, je n'assassine pas mes invités, Monsieur, et même si je voulais, mon cuisinier ne voudrait pas faire cette chose innommable et changerait de maison. Ces galettes de là-bas, on ne sait pas avec quoi c'est fait. Je connais une pauvre fille à qui cela a donné une péritonite qui l'a enlevée en trois jours. Elle n'avait que dix-sept ans. C'est triste pour sa pauvre mère, ajouta Mme Verdurin, d'un air mélancolique sous les sphères de ses tempes chargées d'expérience et de douleur. Mais enfin, allez goûter à Rivebelle si cela vous amuse d'être écorché et de jeter l'argent par les fenêtres. Seulement, je vous en prie, c'est une mission de confiance que je vous donne, sur le coup de six heures, amenez-moi tout votre monde ici, n'allez pas laisser les gens rentrer chacun chez soi, à la débandade. Vous pouvez amener qui vous voulez. Je ne dirais pas cela à tout le monde. Mais je suis sûre que vos amis sont gentils, je vois tout de suite que nous nous comprenons. En dehors du petit noyau, il vient justement des gens très agréables mercredi. Vous ne connaissez pas la petite Madame de Longpont. Elle est ravissante et pleine d'esprit, pas snob du tout, vous verrez qu'elle vous plaira beaucoup. Et elle aussi doit amener toute une bande d'amis, ajouta Mme Verdurin pour me montrer que c'était bon genre et m'encourager par l'exemple. On verra qu'est-ce qui aura le plus d'influence et qui amènera le plus de monde, de Barbe de Longpont ou de vous. Et puis je crois qu'on doit aussi amener Bergotte, ajouta-t-elle d'un air vague, ce concours d'une célébrité étant rendu trop improbable par une note parue le matin dans les journaux et qui annonçait que la santé du grand écrivain inspirait les plus vives inquiétudes. Enfin vous verrez que ce sera un de mes mercredis les plus réussis, je ne veux pas avoir de femmes embêtantes. Du reste, ne jugez pas par celui de ce soir, il était tout à fait raté. Ne protestez pas, vous n'avez pas pu vous ennuyer plus que moi, moi-même je trouvais que c'était assommant. Ce ne sera pas toujours comme ce soir vous savez ! Du reste je ne parle pas des Cambremer qui sont impossibles, mais j'ai connu des gens du monde qui passaient pour être agréables, hé bien ! à côté de mon petit noyau cela n'existait pas. Je vous ai entendu dire que vous trouviez Swann intelligent. D'abord, mon avis est que c'était très exagéré, mais sans même parler du caractère de l'homme que j'ai toujours trouvé foncièrement antipathique, sournois, en dessous, je l'ai eu souvent à dîner le mercredi. Hé bien ! vous pouvez demander aux autres, même à côté de Brichot qui est loin d'être un aigle, qui est un bon professeur de seconde que j'ai fait entrer à l'Institut, tout de même, Swann n'était plus rien. Il était d'un terne ! » Et comme j'émettais un avis contraire : « C'est ainsi. Je ne veux rien vous dire contre lui, puisque c'était votre ami, du reste il vous aimait beaucoup, il m'a parlé de vous d'une façon délicieuse, mais demandez à ceux-ci s'il a jamais dit quelque chose d'intéressant, à nos dîners. C'est tout de même la pierre de touche. Hé bien ! je ne sais pas pourquoi, mais Swann chez moi, ça ne donnait pas, ça ne rendait rien. Et encore le peu qu'il valait il l'a pris ici. » J'assurai qu'il était très intelligent. « Non, vous croyiez seulement cela parce que vous le connaissiez depuis moins longtemps que moi. Au fond on en avait très vite fait le tour. Moi, il m'assommait. (Traduction : il allait chez les La Trémoïlle et les Guermantes et savait que je n'y allais pas.) Et je peux tout supporter, excepté l'ennui. Ah ! ça, non ! » L'horreur de l'ennui était maintenant chez Mme Verdurin la raison qui était chargée d'expliquer la composition du petit milieu. Elle ne recevait pas encore de duchesses parce qu'elle était incapable de s'ennuyer comme, de faire une croisière à cause du mal de mer. Je me disais que ce que Mme Verdurin disait n'était pas absolument faux, et alors que les Guermantes eussent déclaré Brichot l'homme le plus bête qu'ils eussent jamais rencontré, je restais incertain s'il n'était pas au fond supérieur sinon à Swann même, au moins aux gens ayant l'esprit des Guermantes et qui eussent eu le bon goût d'éviter et la pudeur de rougir de ses pédantesques facéties, je me le demandais comme si la nature de l'intelligence pouvait être en quelque mesure éclaircie par la réponse que je me ferais et avec le sérieux d'un chrétien influencé par Port-Royal qui se pose le problème de la Grâce. « Vous verrez, continua Mme Verdurin, quand on a des gens du monde avec des gens vraiment intelligents, des gens de notre milieu, c'est là qu'il faut les voir, l'homme du monde le plus spirituel dans le royaume des aveugles n'est plus qu'un borgne ici. Et puis les autres ne se sentent plus en confiance. C'est au point que je me demande si au lieu d'essayer des fusions qui gâtent tout, je n'aurai pas des séries rien que pour les ennuyeux de façon à bien jouir de mon petit noyau. Concluons : vous viendrez avec votre cousine. C'est convenu. Bien. Au moins, ici, vous aurez tous les deux à manger. A Féterne c'est la faim et la soif. Ah ! par exemple, si vous aimez les rats, allez-y tout de suite, vous serez servi à souhait. Et on vous gardera tant que vous voudrez. Par exemple, vous mourrez de faim. Du reste, quand j'irai, je dînerai avant de partir. Et pour que ce soit plus gai, vous devriez venir me chercher. Nous goûterions ferme et nous souperions en rentrant. Aimez-vous les tartes aux pommes ? Oui, eh bien ! notre chef les fait comme personne. Vous voyez que j'avais raison de dire que vous étiez fait pour vivre ici. Venez donc y habiter. Vous savez qu'il y a beaucoup plus de place chez moi que ça n'en a l'air. Je ne le dis pas pour ne pas attirer d'ennuyeux. Vous pourriez amener à demeure votre cousine. Elle aurait un autre air qu'à Balbec. Avec l'air d'ici, je prétends que je guéris les incurables. Ma parole, j'en ai guéri, et pas d'aujourd'hui. Car j'ai habité autrefois tout près d'ici, quelque chose que j'avais déniché, que j'avais eu pour un morceau de pain et qui avait autrement de caractère que leur Raspelière. Je vous montrerai cela si nous nous promenons. Mais je reconnais que même ici, l'air est vraiment vivifiant. Encore je ne veux pas trop en parler, les Parisiens n'auraient qu'à se mettre à aimer mon petit coin. Ça a toujours été ma chance. Enfin, dites-le à votre cousine. On vous donnera deux jolies chambres sur la vallée, vous verrez ça le matin, le soleil dans la brume ! Et qu'est-ce que c'est que ce Robert de Saint-Loup dont vous parliez ? dit elle d'un air inquiet parce qu'elle avait entendu que je devais aller le voir à Doncières et qu'elle craignit qu'il ne me fît lâcher. Vous pourriez plutôt l'amener ici si ce n'est pas un ennuyeux. J'ai entendu parler de lui par Morel ; il me semble que c'est un de ses grands amis », dit Mme Verdurin mentant complètement, car Saint-Loup et Morel ne connaissaient même pas l'existence l'un de l'autre. Mais ayant entendu que Saint-Loup connaissait M. de Charlus, elle pensait que c'était par le violoniste et voulait avoir l'air au courant. « Il ne fait pas de médecine, par hasard, ou de littérature ? Vous savez que si vous avez besoin de recommandations pour des examens, Cottard peut tout, et je fais de lui ce que je veux. Quant à l'Académie pour plus tard, car je pense qu'il n'a pas l'âge, je dispose de plusieurs voix. Votre ami serait ici en pays de connaissance et ça l'amuserait peut-être de voir la maison. Ce n'est pas folichon Doncières. Enfin, vous ferez comme vous voudrez, comme cela vous arrangera le mieux », conclut-elle sans insister pour ne pas avoir l'air de chercher à connaître de la noblesse, et parce que sa prétention était que le régime sous lequel elle faisait vivre les fidèles, la tyrannie, fût appelé liberté. « Voyons, qu'est-ce que tu as », dit-elle, en voyant M. Verdurin qui, en faisant des gestes d'impatience, gagnait la terrasse en planches qui s'étendait d'un côté du salon au-dessus de la vallée, comme un homme qui étouffe de rage et a besoin de prendre l'air. C'est encore Saniette qui t'a agacé ? Mais puisque tu sais qu'il est idiot, prends-en ton parti, ne te mets pas dans des états comme cela... Je n'aime pas cela, me dit-elle, parce que c'est mauvais pour lui, cela le congestionne. Mais aussi je dois dire qu'il faut parfois une patience d'ange pour supporter Saniette et surtout se rappeler que c'est une charité de le recueillir. Pour ma part j'avoue que la splendeur de sa bêtise fait plutôt ma joie. Je pense que vous avez entendu après le dîner son mot : “ Je ne sais pas jouer au whist, mais je sais jouer du piano. ” Est-ce assez beau ! C'est grand comme le monde, et d'ailleurs un mensonge, car il ne sait pas plus l'un que l'autre. Mais mon mari, sous ses apparences rudes, est très sensible, très bon, et cette espèce d'égoïsme de Saniette, toujours préoccupé de l'effet qu'il va faire, le met hors de lui... Voyons, mon petit, calme-toi, tu sais bien que Cottard t'a dit que c'était mauvais pour ton foie. Et c'est sur moi que tout va retomber, dit Mme Verdurin. Demain Saniette va venir avoir sa petite crise de nerfs et de larmes. Pauvre homme ! il est très malade. Mais enfin ce n'est pas une raison pour qu'il tue les autres. Et puis, même dans les moments où il souffre trop, où on voudrait le plaindre, sa bêtise arrête net l'attendrissement. Il est par trop stupide. Tu n'as qu'à lui dire très gentiment que ces scènes vous rendent malades tous deux, qu'il ne revienne pas, comme c'est ce qu'il redoute le plus, cela aura un effet calmant sur ses nerfs », souffla Mme Verdurin à son mari.

On distinguait à peine la mer par les fenêtres de

droite. Mais celles de l'autre côté montraient la vallée sur qui était maintenant tombée la neige du clair de lune. On entendait de temps à autre la voix de Morel et celle de Cottard. « Vous avez de l'atout ? » — « *Yes.* » — « Ah ! vous en avez de bonnes, vous », dit à Morel, en réponse à sa question, M. de Cambremer, car il avait vu que le jeu du docteur était plein d'atout. « Voici la femme de carreau, dit le docteur. Ça est de l'atout, savez-vous ? Ié coupe, ié prends... Mais il n'y a plus de Sorbonne, dit le docteur à M. de Cambremer ; il n'y a plus que l'Université de Paris. » M. de Cambremer confessa qu'il ignorait pourquoi le docteur lui faisait cette observation. « Je croyais que vous parliez de la Sorbonne, reprit le docteur. J'avais entendu que vous disiez : tu nous la *sors bonne,* ajouta-t-il en clignant de l'œil, pour montrer que c'était un mot. Attendez, dit-il en montrant son adversaire, je lui prépare un coup de Trafalgar. » Et le coup devait être excellent pour le docteur, car dans sa joie il se mit en riant à remuer voluptueusement les deux épaules ce qui était dans la famille, dans le « genre » Cottard un trait presque zoologique de la satisfaction. Dans la génération précédente le mouvement de se frotter les mains comme si on se savonnait, accompagnait le mouvement. Cottard lui-même avait d'abord usé simultanément de la double mimique, mais un beau jour sans qu'on sût à quelle intervention, conjugale, magistrale peut-être, cela était dû, le frottement des mains avait disparu. Le docteur, même aux dominos, quand il forçait son partenaire à « piocher » et à prendre le double-six, ce qui était pour lui le plus vif des plaisirs, se contentait du mouvement des épaules. Et quand — le plus rarement possible — il allait dans son pays natal pour quelques jours, en retrouvant son cousin germain qui, lui, en était encore au frottement des mains, il disait au retour à Mme Cottard : « J'ai trouvé ce pauvre René bien commun. » « Avez-vous de la petite chaôse ? dit-il en se tournant vers Morel. Non ? Alors je joue ce vieux David. » — « Mais alors vous avez cinq, vous avez gagné ! » — « Si Signor. » —

« Voilà une belle victoire, docteur », dit le Marquis. « Une victoire à la Pyrrhus, dit Cottard en se tournant vers le Marquis et en regardant par-dessus son lorgnon pour juger de l'effet de son mot. Si nous avons encore le temps, dit-il à Morel, je vous donne votre revanche. C'est à moi de faire. Ah ! non, voici les voitures, ce sera pour vendredi, et je vous montrerai un tour qui n'est pas dans une musette. » M. et Mme Verdurin nous conduisirent dehors. La Patronne fut particulièrement câline avec Saniette afin d'être certaine qu'il reviendrait le lendemain. « Mais vous ne m'avez pas l'air couvert, mon petit, me dit M. Verdurin, chez qui son grand âge autorisait cette appellation paternelle. On dirait que le temps a changé. » Ces mots me remplirent de joie, comme si la vie profonde, le surgissement de combinaisons différentes qu'ils impliquaient dans la nature, devait annoncer d'autres changements, ceux-là se produisant dans ma vie, et y créer des possibilités nouvelles. Rien qu'en ouvrant la porte sur le parc avant de partir, on sentait qu'un autre « temps » occupait depuis un instant la scène ; des souffles frais, volupté estivale, s'élevaient dans la sapinière (où jadis Mme de Cambremer rêvait de Chopin) et presque imperceptiblement, en méandres caressants, en remous capricieux, commençaient leurs légers nocturnes. Je refusai la couverture que les soirs suivants je devais accepter quand Albertine serait là, plutôt pour le secret du plaisir que contre le danger du froid. On chercha en vain le philosophe norvégien. Une colique l'avait-elle saisi ? Avait-il eu peur de manquer le train ? Un aéroplane était-il venu le chercher ? Avait-il été emporté dans une assomption ? Toujours est-il qu'il avait disparu sans qu'on eût eu le temps de s'en apercevoir, comme un dieu. « Vous avez tort, me dit M. de Cambremer, il fait un froid de canard. » — « Pourquoi de canard ? », demanda le docteur. « Gare aux étouffements, reprit le Marquis. Ma sœur ne sort jamais le soir. Du reste elle est assez mal hypothéquée en ce moment. Ne restez pas en tous cas ainsi tête nue, mettez vite votre couvre-chef. » — « Ce ne sont pas des étouffements *a frigore* », dit sentencieusement Cottard. « Ah ! ah ! dit M. de Cambremer en s'inclinant, du moment que c'est votre avis... » — « Avis au lecteur ! » dit le docteur en glissant ses regards hors de son lorgnon pour sourire. M. de Cambremer rit, mais persuadé qu'il avait raison, il insista. « Cependant, dit-il, chaque fois que ma sœur sort le soir, elle a une crise. » — « Il est inutile d'ergoter, répondit le docteur, sans se rendre compte de son impolitesse. Du reste je ne fais pas de médecine au bord de la mer, sauf si je suis appelé en consultation. Je suis ici en vacances. » Il y était du reste plus encore peut-être qu'il n'eût voulu. M. de Cambremer lui ayant dit en montant avec lui en voiture : « Nous avons la chance d'avoir aussi près de nous (pas de votre côté de la baie, de l'autre, mais elle est si resserrée à cet endroit-là) une autre célébrité médicale, le docteur du Boulbon », Cottard, qui d'habitude par *déontologie* s'abstenait de critiquer ses confrères, ne put s'empêcher de s'écrier, comme il avait fait devant moi le jour funeste où nous étions allés dans le petit Casino : « Mais ce n'est pas un médecin. Il fait de la médecine littéraire, c'est de la thérapeutique fantaisiste, du charlatanisme. D'ailleurs nous sommes en bons termes. Je prendrais le bateau pour aller le voir une fois si je n'étais obligé de m'absenter. » Mais à l'air que prit Cottard pour parler de du Boulbon à M. de Cambremer, je sentis que le bateau avec lequel il fût allé volontiers le trouver eût beaucoup ressemblé à ce navire que pour aller ruiner les eaux découvertes par un autre médecin littéraire, Virgile (lequel leur enlevait aussi toute leur clientèle), avaient frété les docteurs de Salerne, mais qui sombra avec eux pendant la traversée. « Adieu, mon petit Saniette, ne manquez pas de venir demain, vous savez que mon mari vous aime beaucoup. Il aime votre esprit, votre intelligence ; mais si, vous le savez bien, il aime prendre des airs brusques, mais il ne peut pas se passer de vous voir. C'est toujours la première question qu'il me pose : " Est-ce que Saniette vient ? j'aime tant le voir. " » — « Je n'ai jamais dit ça », dit M. Verdurin à Saniette avec une franchise simulée qui semblait concilier parfaitement ce que disait la Patronne avec la façon dont il traitait Saniette. Puis regardant sa montre, sans doute pour ne pas prolonger les adieux dans l'humidité du soir, il recommanda aux cochers de ne pas traîner, mais d'être prudents à la descente, et assura que nous arriverions avant le train. Celui-ci devait déposer les fidèles l'un à une gare, l'autre à une autre, en finissant par moi, aucun autre n'allant aussi loin que Balbec, et en commençant par les Cambremer. Ceux-ci, pour ne pas faire monter leurs chevaux dans la nuit jusqu'à la Raspelière, prirent le train avec nous à Douville-Féterne. La station la plus rapprochée de chez eux n'était pas en effet celle-ci qui, déjà un peu distante du village, l'est encore plus du château, mais la Sogne. En arrivant à la gare de Douville-Féterne, M. de Cambremer tint à donner « la pièce », comme disait Françoise, au cocher des Verdurin (justement le gentil cocher sensible, à idées mélancoliques), car M. de Cambremer était généreux, et en cela était plutôt « du côté de sa maman ». Mais soit que « le côté de son papa » intervînt ici, tout en donnant, il éprouvait le scrupule d'une erreur commise — soit par lui qui, voyant mal, donnerait par exemple un sou pour un franc, soit par le destinataire qui ne s'apercevrait pas de l'importance du don qu'il lui faisait. Aussi fit-il remarquer celui-ci : « C'est bien un franc que je vous donne, n'est-ce pas ? » dit-il au cocher en faisant miroiter la pièce dans la lumière, et pour que les fidèles pussent le répéter à Mme Verdurin. « N'est-ce pas ? c'est bien vingt sous, comme ce n'est qu'une petite course. » Lui et Mme de Cambremer nous quittèrent à la Sogne. « Je dirai à ma sœur, me répéta-t-il, que vous avez des étouffements, je suis sûr de l'intéresser. » Je compris qu'il entendait : de lui faire plaisir. Quant à sa femme, elle employa en prenant congé de moi deux de ces abréviations qui, même écrites, me choquaient alors dans une lettre, bien qu'on s'y soit habitué depuis, mais qui parlées, me semblent encore même aujourd'hui avoir dans leur négligé voulu, dans leur familiarité apprise quelque chose d'insupportablement pédant : « Contente d'avoir passé la soirée avec vous, me dit-elle ; amitiés à Saint-Loup, si vous le voyez. » En me disant cette phrase, Mme de Cambremer prononça Saint-Loupe. Je n'ai jamais appris qui avait prononcé ainsi devant elle, ou ce qui lui avait donné à croire qu'il fallait prononcer ainsi. Toujours est-il que pendant quelques semaines, elle prononça Saint-Loupe et qu'un homme qui avait une grande admiration pour elle et ne faisait qu'un avec elle, fit de même. Si d'autres personnes disaient Saint-Lou, ils insistaient, disaient avec force Saint-Loupe, soit pour donner indirectement une leçon aux autres, soit pour se distinguer d'eux. Mais sans doute, des femmes plus brillantes que Mme de Cambremer lui dirent, ou lui firent indirectement comprendre qu'il ne fallait pas prononcer ainsi, et que ce qu'elle prenait pour de l'originalité était une erreur qui la ferait croire peu au courant des choses du monde, car peu de temps après Mme de Cambremer redisait Saint-Lou, et son admirateur cessait également toute résistance, soit qu'elle l'eût chapitré, soit qu'il eût remarqué qu'elle ne faisait plus sonner la finale, et se fût dit que pour qu'une femme de cette valeur, de cette énergie et de cette ambition, eût cédé, il fallait que ce fût à bon escient. Le pire de ses admirateurs était son mari. Mme de Cambremer aimait à faire aux autres des taquineries souvent fort impertinentes. Sitôt qu'elle s'attaquait de la sorte soit à moi, soit à un autre, M. de Cambremer se mettait à regarder la victime en riant. Comme le Marquis était louche — ce qui donne une intention d'esprit à la gaieté même des imbéciles — l'effet de ce rire était de ramener un peu de pupille sur le blanc sans cela complet de l'œil. Ainsi une éclaircie met un peu de bleu dans un ciel ouaté de nuages. Le monocle protégeait du reste comme un verre sur un tableau précieux, cette opération délicate. Quant à l'intention même du rire, on ne sait trop si elle était aimable. « Ah ! gredin ! vous pouvez dire que vous êtes à envier. Vous êtes dans les faveurs d'une femme d'un rude esprit », ou rosse : « Hé bien, Monsieur, j'espère qu'on vous arrange, vous en avalez des couleuvres », ou serviable : « Vous savez, je suis là, je prends la chose en riant parce que c'est pure plaisanterie, mais je ne vous laisserais pas malmener », ou cruellement complice : « Je n'ai pas à mettre mon petit grain de sel, mais vous voyez, je me tords de toutes les avanies qu'elle vous prodigue. Je rigole comme un bossu, donc j'approuve, moi le mari. Aussi, s'il vous prenait fantaisie de vous rebiffer, vous trouveriez à qui parler, mon petit Monsieur. Je vous administrerais d'abord une paire de claques, et soignées, puis nous irions croiser le fer dans la forêt de Chantepie. »

Quoiqu'il en fût de ces diverses interprétations de la gaieté du mari, les foucades de la femme prenaient vite fin. Alors M. de Cambremer cessait de rire, la prunelle momentanée disparaissait et comme on avait perdu depuis quelques minutes l'habitude de l'œil tout blanc, il donnait à ce rouge Normand quelque chose à la fois d'exsangue et d'extatique, comme si le Marquis venait d'être opéré ou s'il implorait du ciel, sous son monocle, les palmes du martyre.

CHAPITRE III

Tristesses de M. de Charlus. Son duel fictif. Les stations du « Transatlantique ». Fatigué d'Albertine, je veux rompre avec elle.

Je tombais de sommeil. Je fus monté en ascenseur jusqu'à mon étage non par le liftier, mais par le chasseur louche qui engagea la conversation pour me raconter que sa sœur était toujours avec le Monsieur si riche, et qu'une fois, comme elle avait envie de retourner chez elle au lieu de rester sérieuse, son Monsieur avait été trouver la mère du chasseur louche et des autres enfants plus fortunés, laquelle avait ramené au plus vite l'insensée chez son ami. « Vous savez, Monsieur, c'est une grande dame que ma sœur. Elle touche du piano, cause l'espagnol. Et vous ne le croiriez pas pour la sœur du simple employé qui vous fait monter l'ascenseur, elle ne se refuse rien ; Madame a sa femme de chambre à elle, je ne serais pas épaté qu'elle ait un jour sa voiture. Elle est très jolie, si vous la voyiez, un peu trop fière, mais dame ! ça se comprend. Elle a beaucoup d'esprit. Elle ne quitte jamais un hôtel sans se soulager dans une armoire, une commode, pour laisser un petit souvenir à la femme de chambre qui aura à nettoyer. Quelquefois même dans une voiture, elle fait ça, et après avoir payé sa course, se cache dans un coin, histoire de rire en voyant rouspéter le cocher qui a à relaver sa voiture. Mon père était bien tombé aussi en trouvant pour mon jeune frère ce prince indien qu'il avait connu autrefois. Naturellement c'est un autre genre. Mais la position est superbe. S'il n'y avait pas les voyages ce serait le rêve. Il n'y a que moi jusqu'ici qui suis resté sur le carreau. Mais on ne peut pas savoir. La chance est dans ma famille ; qui sait si je ne serai pas un jour président de la République ? Mais je vous fais babiller (je n'avais pas dit une seule parole et je commençais à m'endormir en écoutant les siennes). Bonsoir, Monsieur. Oh ! merci Monsieur. Si tout le monde avait aussi bon cœur que vous il n'y aurait plus de malheureux. Mais comme dit ma sœur, il faudra toujours qu'il y en ait pour que maintenant que je suis riche, je puisse un peu les emmerder. Passez-moi l'expression. Bonne nuit, Monsieur. »

Peut-être chaque soir acceptons-nous le risque de vivre, en dormant, des souffrances que nous considérons comme nulles et non avenues parce qu'elles seront ressenties au cours d'un sommeil que nous croyons sans conscience. En effet, ces soirs où je rentrais tard de la Raspelière, j'avais très sommeil. Mais dès que les froids vinrent je ne pouvais m'endormir tout de suite car le feu éclairait comme si on eût allumé une lampe. Seulement ce n'était qu'une flambée, et — comme une lampe aussi, comme le jour quand le soir tombe — sa trop vive lumière ne tardait pas à baisser ; et j'entrais dans le sommeil lequel est comme un second appartement que nous aurions, et où, délaissant le nôtre, nous serions allé dormir. Il a des sonneries à lui, et nous y sommes quelquefois violemment réveillés par un bruit de timbre, parfaitement entendu de nos oreilles, quand pourtant personne n'a sonné. Il a ses domestiques, ses visiteurs particuliers qui viennent nous chercher pour sortir, de sorte que nous sommes prêts à nous lever quand force nous est de constater, par notre presque immédiate transmigration dans l'autre appartement, celui de la veille, que la chambre est vide, que personne n'est venu. La race qui l'habite, comme celle des premiers humains est androgyne. Un homme y apparaît au bout d'un instant sous l'aspect d'une femme. Les choses y ont une aptitude à devenir des hommes, les hommes des amis et des ennemis. Le temps qui s'écoule pour le dormeur, durant ces sommeils-là, est absolument différent du temps dans lequel s'accomplit la vie de l'homme réveillé. Tantôt son cours est beaucoup plus rapide, un quart d'heure semble une journée, quelquefois beaucoup plus long, on croit n'avoir fait qu'un léger somme, on a dormi tout le jour. Alors, sur le char du sommeil, on descend dans des profondeurs où le souvenir ne peut plus le rejoindre, et en deçà desquelles l'esprit a été obligé de rebrousser chemin. L'attelage du sommeil, semblable à celui du soleil, va d'un pas si égal, dans une atmosphère où ne peut plus l'arrêter aucune résistance, qu'il faut quelque petit caillou aérolithique étranger à nous (dardé de l'azur par quel Inconnu ?) pour atteindre le sommeil régulier (qui sans cela n'aurait aucune raison de s'arrêter et durerait d'un mouvement pareil jusque dans les siècles des siècles) et le faire, d'une brusque courbe, revenir vers le réel, brûler les étapes, traverser les régions voisines de la vie — où bientôt le dormeur entendra, de celle-ci, les rumeurs presque vagues encore, mais déjà perceptibles, bien que déformées — et atterrir brusquement au réveil. Alors de ces sommeils profonds on s'éveille dans une aurore, ne sachant qui on est, n'étant personne, neuf, prêt à tout, le cerveau se trouvant vidé de ce passé qui était la vie jusque-là. Et peut-être est-ce plus beau encore, quand l'atterrissage du réveil se fait brutalement et que nos pensées du sommeil, dérobées par une chape d'oubli, n'ont pas le temps de revenir progressivement, avant que le sommeil ne cesse. Alors du noir orage qu'il nous semble avoir traversé (mais nous ne disons même pas *nous*) nous sortons gisants, sans pensées, un « nous » qui serait sans contenu. Quel coup de marteau l'être ou la chose qui est là a-t-elle reçu pour tout ignorer, stupéfaite jusqu'au moment où la mémoire accourue lui rend la conscience ou la personnalité ? Encore pour ces deux genres de réveil, faut-il ne pas s'endormir, même profondément, sous la loi de l'habitude. Car tout ce que l'habitude enserre dans ses filets, elle le surveille, il faut lui échapper, prendre le sommeil au moment où on croyait faire tout autre chose que dormir, prendre en un mot un sommeil qui ne demeure pas sous la tutelle de la prévoyance, avec la compagnie, même cachée, de la réflexion. Du moins dans ces réveils tels que je viens de les décrire, et qui étaient la plupart du temps les miens quand j'avais dîné la veille à la Raspelière, tout se passait comme s'il en était ainsi, et je peux en témoigner, moi l'étrange humain, qui en attendant que la mort le délivre, vit les volets clos, ne sait rien du monde, reste immobile comme un hibou et comme celui-ci, ne voit un peu clair que dans les ténèbres. Tout se passe comme s'il en était ainsi, mais peut-être seule une couche d'étoupe a-t-elle empêché le dormeur de percevoir le dialogue intérieur des souvenirs et le verbiage incessant du sommeil. Car (ce qui peut du reste s'expliquer aussi bien dans le premier système plus vaste, plus mystérieux, plus astral) au moment où le réveil se produit, le dormeur entend une voix intérieure qui lui dit : « Viendrez-vous à ce dîner ce soir, cher ami ? comme ce serait agréable ! » et pense : « Oui comme ce sera agréable, j'irai » ; puis le réveil s'accentuant, il se rappelle soudain : « Ma grand-mère n'a plus que quelques semaines à vivre, assure le docteur. » Il sonne, il pleure à l'idée que ce ne sera pas comme autrefois sa grand-mère, sa grand-mère mourante, mais un indifférent valet de chambre qui va venir lui répondre. Du reste, quand le sommeil l'emmenait si loin hors du monde habité par le souvenir et la pensée, à travers un éther où il était seul, plus que seul, n'ayant même pas ce compagnon où l'on s'aperçoit, soi-même, il était hors du temps et de ses mesures. Déjà le valet de chambre entre et il n'ose lui demander l'heure, car il ignore s'il a dormi, combien d'heures il a dormi (il se demande si ce n'est pas combien de jours tant il revient le corps rompu et l'esprit reposé, le cœur nostalgique, comme d'un voyage trop lointain pour n'avoir pas duré longtemps). Certes on peut prétendre qu'il n'y a qu'un temps, pour la futile raison que c'est en regardant la pendule qu'on a constaté n'être qu'un quart d'heure ce qu'on avait cru une journée. Mais au moment où on le constate on est justement un homme éveillé, plongé dans le temps des hommes éveillés, on a déserté l'autre temps. Peut-être même plus qu'un autre temps : une autre vie. Les plaisirs qu'on a dans le sommeil, on ne les fait pas figurer dans le compte des plaisirs éprouvés au cours de l'existence. Pour ne faire allusion qu'au plus vulgairement sensuel de tous, qui de nous, au réveil, n'a ressenti quelque agacement d'avoir éprouvé en dormant, un plaisir que si l'on ne veut pas trop se fatiguer on ne peut plus, une fois éveillé, renouveler indéfiniment ce jour-là ? C'est comme du bien perdu. On a eu du plaisir, dans une autre vie, qui n'est pas la nôtre. Souffrances et plaisirs du rêve (qui généralement s'évanouissant bien vite au réveil) si nous les faisons figurer dans un budget, ce n'est pas dans celui de la vie courante.

J'ai dit deux temps ; peut-être n'y en a-t-il qu'un seul, non que celui de l'homme éveillé soit valable pour le dormeur, mais peut-être parce que l'autre vie, celle où on dort n'est pas — dans sa partie profonde — soumise à la catégorie du temps. Je me le figurais quand aux lendemains des dîners à la Raspelière je m'endormais si complètement. Voici pourquoi. Je commençais à me désespérer au réveil en voyant qu'après que j'avais sonné dix fois, le valet de chambre n'était pas venu. A la onzième il entrait. Ce n'était que la première. Les dix autres n'étaient que des ébauches dans mon sommeil qui durait encore, du coup de sonnette que je voulais. Mes mains gourdes n'avaient seulement pas bougé. Or ces matins-là (et c'est ce qui me fait dire que le sommeil ignore peut-être la loi du temps) mon effort pour m'éveiller consistait surtout en un effort pour faire entrer le bloc obscur, non défini, du sommeil que je venais de vivre aux cadres du temps.

Ce n'est pas tâche facile ; le sommeil qui ne sait si nous avons dormi deux heures ou deux jours, ne peut nous fournir aucun point de repère. Et si nous n'en trouvons pas au-dehors, ne parvenant pas à rentrer dans le temps, nous nous rendormons, pour cinq minutes qui nous semblent trois heures.

J'ai toujours dit — et expérimenté — que le plus puissant des hypnotiques est le sommeil. Après avoir dormi profondément deux heures, s'être battu avec tant de géants, et avoir noué pour toujours tant d'amitiés, il est bien plus difficile de s'éveiller qu'après avoir pris plusieurs grammes de véronal. Aussi raisonnant de l'un à l'autre, je fus surpris d'apprendre par le philosophe norvégien qui le tenait de M. Boutroux, « son éminent collègue — pardon son confrère » — ce que M. Bergson pensait des altérations particulières de la mémoire dues aux hypnotiques. « Bien entendu aurait dit M. Bergson à M. Boutroux, à en croire le philosophe norvégien, les hypnotiques pris de temps en temps à doses modérées, n'ont pas d'influence sur cette solide mémoire de notre vie de tous les jours, si bien installée en nous. Mais il est d'autres mémoires, plus hautes, plus instables aussi. Un de mes collègues fait un cours d'histoire ancienne. Il m'a dit que si la veille, il avait pris un cachet pour dormir, il avait de la peine, pendant son cours, à retrouver les citations grecques dont il avait besoin. Le docteur qui lui avait recommandé ces cachets lui assura qu'ils étaient sans influence sur la mémoire. “ C'est peut-être que vous n'avez pas à faire de citations grecques ”, lui avait répondu l'historien non sans un orgueil moqueur. »

Je ne sais si cette conversation entre M. Bergson et M. Boutroux est exacte. Le philosophe norvégien, pourtant si profond et si clair, si passionnément attentif, a pu mal comprendre. Personnellement mon expérience m'a donné des résultats opposés. Les moments d'oubli qui suivent le lendemain l'ingestion de certains narcotiques ont une ressemblance partielle seulement, mais troublante, avec l'oubli qui règne au cours d'une nuit de sommeil naturel et profond. Or, ce que j'oublie dans l'un et l'autre cas, ce n'est pas tel vers de Baudelaire qui me fatigue plutôt, « ainsi qu'un tympanon[44] », ce n'est pas tel concept d'un des philosophes cités, c'est la réalité elle-même des choses vulgaires qui m'entourent — si je dors — et dont la non-perception fait de moi un fou ; c'est, si je suis éveillé et sors à la suite d'un sommeil artificiel, non pas le système de Porphyre ou de Plotin[45] dont je puis discuter aussi bien qu'un autre jour, mais la réponse que j'ai promis de donner à une invitation, au souvenir de laquelle s'est substitué un pur blanc. L'idée élevée est restée à sa place ; ce que l'hypnotique a mis hors d'usage c'est le pouvoir d'agir dans les petites choses, dans tout ce qui demande de l'activité pour ressaisir juste à temps, pour empoigner tel souvenir de la vie de tous les jours. Malgré tout ce qu'on peut dire de la survie après la destruction du cerveau, je remarque qu'à chaque altération du cerveau correspond un fragment de mort. Nous possédons tous nos souvenirs, sinon la faculté de nous les rappeler, dit d'après M. Bergson le grand philosophe norvégien dont je n'ai pas essayé, pour ne pas ralentir encore, d'imiter le langage. Sinon la faculté de se les rappeler. Mais qu'est-ce qu'un souvenir qu'on ne se rappelle pas ? Ou bien allons plus loin. Nous ne nous rappelons pas nos souvenirs des trente dernières années ; mais ils nous baignent tout entiers ; pourquoi alors s'arrêter à trente années, pourquoi ne pas prolonger jusqu'au delà de la naissance cette vie antérieure ? Du moment que je ne connais pas toute une partie des souvenirs qui sont derrière moi, du moment qu'ils me sont invisibles, que je n'ai pas la faculté de les appeler à moi, qui me dit que dans cette *masse* inconnue de moi, il n'y en a pas qui remontent à bien au-delà de ma vie humaine ? Si je puis avoir en moi et autour de moi tant de souvenirs dont je ne me souviens pas, cet oubli (du moins oubli de fait puisque je n'ai pas la faculté de rien voir) peut porter sur une vie que j'ai vécue dans le corps d'un autre homme, même sur une autre planète. Un même oubli efface tout. Mais alors que signifie cette immortalité de l'âme dont le philosophe norvégien affirmait la réalité ? L'être que je serai après la mort n'a pas plus de raisons de se souvenir de l'homme que je suis depuis ma naissance, que ce dernier ne se souvient de ce que j'ai été avant elle.

Le valet de chambre entrait. Je ne lui disais pas que j'avais sonné plusieurs fois, car je me rendais compte que je n'avais fait jusque-là que le rêve que je sonnais. J'étais effrayé pourtant de penser que ce rêve avait eu la netteté de la connaissance. La connaissance aurait-elle, réciproquement, l'irréalité du rêve ?

En revanche je lui demandais qui avait tant sonné cette nuit. Il me disait : personne, et pouvait l'affirmer, car le « tableau » des sonneries eût marqué. Pourtant j'entendais les coups répétés, presque furieux, qui vibraient encore dans mon oreille et devaient me rester perceptibles pendant plusieurs jours. Il est pourtant rare que le sommeil jette ainsi dans la vie éveillée des souvenirs qui ne meurent pas avec lui. On peut compter ces aérolithes. Si c'est une idée que le sommeil a forgée, elle se dissocie très vite en fragments ténus, irretrouvables. Mais là le sommeil avait fabriqué des sons. Plus matériels et plus simples, ils duraient davantage. J'étais étonné de l'heure relativement matinale que me disait le valet de chambre. Je n'en étais pas moins reposé. Ce sont les sommeils légers qui ont une longue durée, parce qu'intermédiaires entre la veille et le sommeil, gardant de la première une notion un peu effacée mais permanente, il leur faut infiniment plus de temps pour nous reposer qu'un sommeil profond, lequel peut être court. Je me sentais bien à mon aise pour une autre raison. S'il suffit de se rappeler qu'on s'est fatigué pour sentir péniblement sa fatigue, se dire : « Je me suis reposé » suffit à créer le repos. Or j'avais rêvé que M. de Charlus avait cent dix ans et venait de donner une paire de claques à sa propre mère ; de Mme Verdurin, qu'elle avait acheté cinq milliards un bouquet de violettes ; j'étais donc assuré d'avoir dormi profondément, rêvé à rebours de mes notions de la veille et de toutes les possibilités de la vie courante : cela suffisait pour que je me sentisse tout reposé[46].

J'aurais bien étonné ma mère qui ne pouvait comprendre l'assiduité de M. de Charlus chez les Verdurin, si je lui avais raconté (précisément le jour où avait été commandée la toque d'Albertine, sans rien lui en dire et pour qu'elle en eût la surprise) avec qui M. de Charlus était venu dîner dans un salon au Grand-Hôtel de Balbec. L'invité n'était autre que le valet de pied d'une cousine des Cambremer. Ce valet de pied était habillé avec une grande élégance, et quand il traversa le hall, avec le Baron, il « fit homme du monde » aux yeux des touristes, comme aurait dit Saint-Loup. Même les jeunes chasseurs, les « lévites » qui descendaient en foule les degrés du temple à ce moment parce que c'était celui de la relève, ne firent pas attention aux deux arrivants, dont l'un, M. de Charlus, tenait en baissant les yeux à montrer qu'il leur en accordait très peu. Il avait l'air de se frayer un passage au milieu d'eux. « Prospérez, cher espoir d'une nation sainte[47] » dit-il en se rappelant des vers de Racine, cités dans un tout autre sens. « Plaît-il ? » demanda le valet de pied peu au courant des classiques. M. de Charlus ne lui répondit pas, car il mettait un certain orgueil à ne pas tenir compte des questions et à marcher droit devant lui comme s'il n'y avait pas eu d'autres clients de l'hôtel et s'il n'existait au monde que lui, Baron de Charlus. Mais ayant continué les vers de Josabeth : « Venez, venez, mes filles[48] », il se sentit dégoûté et n'ajouta pas comme elle : « il faut les appeler », car ces jeunes enfants n'avaient pas encore atteint l'âge où le sexe est entièrement formé et qui plaisait à M. de Charlus. D'ailleurs, s'il avait écrit au valet de pied de Mme de Chevrigny, parce qu'il ne doutait pas de sa docilité, il l'avait espéré plus viril. Il le trouvait à le voir plus efféminé qu'il n'eût voulu. Il lui dit qu'il aurait cru avoir affaire à quelqu'un d'autre car il connaissait de vue un autre valet de pied de Mme de Chevrigny, qu'en effet il avait remarqué sur la voiture. C'était une espèce de paysan fort rustaud, tout l'opposé de celui-ci, qui estimant au contraire ses mièvreries autant de supériorités et ne doutant pas que ce fussent ces qualités d'homme du monde qui eussent séduit M. de Charlus, ne comprit même pas de qui le Baron voulait parler. « Mais je n'ai aucun camarade qu'un que vous ne pouvez pas avoir reluqué, il est affreux, il a l'air d'un gros paysan. » Et à l'idée que c'était peut-être ce rustre que le Baron avait vu, il éprouva une piqûre d'amour-propre. Le Baron la devina et élargissant son enquête : « Mais je n'ai pas fait un vœu spécial de ne connaître que des gens de Mme de Chevrigny, dit-il. Est-ce que, ici, ou à Paris, puisque vous partez bientôt, vous ne pourriez pas me présenter beaucoup de vos camarades d'une maison ou d'une autre ? » — « Oh ! non ! répondit le valet de pied, je ne fréquente personne de ma classe. Je ne leur parle que pour le service. Mais il y a quelqu'un de très bien que je pourrai vous faire connaître. » — « Qui ? » demanda le Baron. « Le Prince de Guermantes. » M. de Charlus fut dépité qu'on ne lui offrît qu'un homme de cet âge, et pour lequel du reste il n'avait pas besoin de la recommandation d'un valet de pied. Aussi déclina-t-il l'offre d'un ton sec et ne se laissant pas décourager par les prétentions mondaines du larbin, recommença à lui expliquer ce qu'il voudrait, le genre, le type, soit un jockey, etc. Craignant que le notaire qui passait à ce moment-là ne l'eût entendu, il crut fin de montrer qu'il parlait de tout autre chose que de ce qu'on aurait pu croire et dit avec insistance et à la cantonade, mais comme s'il ne faisait que continuer sa conversation : « Oui, malgré mon âge j'ai gardé le goût de bibeloter, le goût des jolis bibelots, je fais des folies pour un vieux bronze, pour un lustre ancien. J'adore le Beau. » Mais pour faire comprendre au valet de pied le changement de sujet qu'il avait exécuté si rapidement, M. de Charlus pesait tellement sur chaque mot, et de plus pour être entendu du notaire, il les criait tous si fort, que tout ce jeu de scène eût suffi à déceler ce qu'il cachait pour des oreilles plus averties que celles de l'officier ministériel. Celui-ci ne se douta de rien, non plus qu'aucun autre client de l'hôtel qui virent tous un élégant étranger dans le valet de pied si bien mis. En revanche, si les hommes du monde s'y trompèrent et le prirent pour un Américain très chic, à peine parut-il devant les domestiques qu'il ſut deviné par eux, comme un forçat reconnaît un forçat, même plus vite, flairé à distance comme un animal par certains animaux. Les chefs de rang levèrent l'œil. Aimé jeta un regard soupçonneux. Le sommelier, haussant les épaules, dit derrière sa main, parce qu'il crut cela de la politesse, une phrase désobligeante que tout le monde entendit. Et même notre vieille Françoise dont la vue baissait et qui passait à ce moment-là au pied de l'escalier pour aller dîner « aux courriers », leva la tête, reconnut un domestique là où des convives de l'hôtel ne le soupçonnaient pas — comme la vieille nourrice Euryclée reconnaît Ulysse bien avant les prétendants assis au festin — et voyant marcher familièrement avec lui M. de Charlus, eut une expression accablée, comme si tout d'un coup des méchancetés qu'elle avait entendu dire et n'avait pas crues eussent acquis à ses yeux une navrante vraisemblance. Elle ne me parla jamais, ni à personne, de cet incident, mais il dut ſaire faire à son cerveau un travail considérable, car plus tard, chaque fois qu'à Paris elle eut l'occasion de voir « Julien », qu'elle avait jusque-là tant aimé, elle eut toujours avec lui de la politesse, mais qui avait refroidi et était toujours additionnée d'une forte dose de réserve. Ce même incident amena au contraire quelqu'un d'autre à me faire une confidence ; ce fut Aimé. Quand j'avais croisé M. de Charlus, celui-ci qui n'avait pas cru me rencontrer, me cria en levant la main : « Bonsoir », avec l'indifférence, apparente du moins, d'un grand seigneur qui se croit tout permis et qui trouve plus habile d'avoir l'air de ne pas se cacher. Or Aimé, qui à ce moment l'observait d'un œil méfiant et qui vit que je saluais le compagnon de celui en qui il était certain de voir un domestique, me demanda le soir même qui c'était. Car depuis quelque temps Aimé aimait à causer ou plutôt comme il disait, sans doute pour marquer le caractère selon lui philosophique de ces causeries, à « discuter » avec moi. Et comme je lui disais souvent que j'étais gêné qu'il restât debout près de moi pendant que je dînais au lieu qu'il pût s'asseoir et partager mon repas, il déclarait qu'il n'avait jamais vu un client ayant « le raisonnement aussi juste ». Il causait en ce moment avec deux garçons. Ils m'avaient salué, je ne savais pas pourquoi leurs visages m'étaient inconnus, bien que dans leur conversation résonnât une rumeur, qui ne me semblait pas nouvelle. Aimé les morigénait tous deux à cause de leurs fiançailles qu'il désapprouvait. Il me prit à témoin, je dis que je ne pouvais avoir d'opinion ne les connaissant pas. Ils me rappelèrent leur nom, qu'ils m'avaient souvent servi à Rivebelle. Mais l'un avait laissé pousser sa moustache, l'autre l'avait rasée et s'était fait tondre ; et à cause de cela, bien que ce fût leur tête d'autrefois qui était posée sur leurs épaules (et non une autre comme dans les restaurations fautives de Notre-Dame[49]), elle m'était restée aussi invisible que ces objets qui échappent aux perquisitions les plus minutieuses, et qui traînent simplement aux yeux de tous, lesquels ne les remarquent pas, sur une cheminée. Dès que je sus leur nom, je reconnus exactement la musique incertaine de leur voix parce que je revis leur ancien visage qui la déterminait. « Ils veulent se marier et ils ne savent seulement pas l'anglais ! » me dit Aimé, qui ne songeait pas que j'étais peu au courant de la profession hôtelière et comprenais mal que si on ne sait pas les langues étrangères, on ne peut pas compter sur une situation. Moi qui croyais qu'il saurait aisément que le nouveau dîneur était M. de Charlus, et me figurais même qu'il devait se le rappeler, l'ayant servi dans la salle à manger quand le Baron était venu pendant mon premier séjour à Balbec voir Mme de Villeparisis, je lui dis son nom. Or non seulement Aimé ne se rappelait pas le Baron de Charlus, mais ce nom parut lui produire une impression profonde. Il me dit qu'il chercherait le lendemain dans ses affaires une lettre que je pourrais peut-être lui expliquer. Je fus d'autant plus étonné que M. de Charlus, quand il avait voulu me donner un livre de Bergotte, à Balbec, la première année, avait fait spécialement demander Aimé, qu'il avait dû retrouver ensuite dans ce restaurant de Paris où j'avais déjeuné avec Saint-Loup et sa maîtresse et où M. de Charlus était venu nous espionner. Il est vrai qu'Aimé n'avait pu accomplir en personne ces missions, étant une fois couché, et la seconde fois en train de servir. J'avais pourtant de grands doutes sur sa sincérité, quand il prétendait ne pas connaître M. de Charlus. D'une part, il avait dû convenir au Baron. Comme tous les chefs d'étage de l'hôtel de Balbec, comme plusieurs valets de chambre du Prince de Guermantes, Aimé appartenait à une race plus ancienne que celle du Prince, donc plus noble. Quand on demandait un salon, on se croyait d'abord seul. Mais bientôt dans l'office on apercevait un sculptural maître d'hôtel, de ce genre étrusque roux dont Aimé était le type, un peu vieilli par les excès de champagne et voyant venir l'heure nécessaire de l'eau de Contrexéville. Tous les clients ne leur demandaient pas que de les servir. Les commis qui étaient jeunes, scrupuleux, pressés, attendus par une maîtresse en ville, se dérobaient. Aussi Aimé leur reprochait-il de n'être pas sérieux. Il en avait le droit. Sérieux, lui l'était. Il avait une femme et des enfants, de l'ambition pour eux. Aussi les avances qu'une étrangère ou un étranger lui faisaient, il ne les repoussait pas, fallût-il rester toute la nuit. Car le travail doit passer avant tout. Il avait tellement le genre qui pouvait plaire à M. de Charlus que je le soupçonnai de mensonge quand il me dit ne pas le connaître. Je me trompais. C'est en toute vérité que le groom avait dit au Baron qu'Aimé (qui lui avait passé un savon le lendemain) était couché (ou sorti), et l'autre fois en train de servir. Mais l'imagination suppose au-delà de la réalité. Et l'embarras du groom avait probablement excité chez M. de Charlus, quant à la sincérité de ses excuses, des doutes qui avaient blessé chez lui des sentiments qu'Aimé ne soupçonnait pas. On a vu aussi que Saint-Loup avait empêché Aimé d'aller à la voiture où M. de Charlus qui, je ne sais comment, s'était procuré la nouvelle adresse du maître d'hôtel, avait éprouvé une nouvelle déception. Aimé qui ne l'avait pas remarqué éprouva un étonnement qu'on peut concevoir quand le soir même du jour où j'avais déjeuné avec Saint-Loup et sa maîtresse, il reçut une lettre fermée par un cachet aux armes de Guermantes et dont je citerai ici quelques passages comme exemple de folie unilatérale chez un homme intelligent s'adressant à un imbécile sensé. « Monsieur, je n'ai pu réussir, malgré des efforts qui étonneraient bien des gens, cherchant inutilement à être reçus et salués par moi, à obtenir que vous écoutiez les quelques explications que vous ne me demandiez pas, mais que je croyais de ma dignité et de la vôtre de vous offrir. Je vais donc écrire ici ce qu'il eût été plus aisé de vous dire de vive voix. Je ne vous cacherai pas que la première fois que je vous ai vu à Balbec votre figure m'a été franchement antipathique. » Suivaient alors des réflexions sur la ressemblance — remarquée le second jour seulement — avec un ami défunt pour qui M. de Charlus avait eu une grande affection. « J'avais eu alors un moment l'idée que vous pouviez, sans gêner en rien votre profession, venir, en faisant avec moi les parties de cartes avec lesquelles sa gaieté savait dissiper ma tristesse, me donner l'illusion qu'il n'était pas mort. Quelle que soit la nature des suppositions plus ou moins sottes que vous avez probablement faites et plus à la portée d'un serviteur (qui ne mérite même pas ce nom puisque il n'a pas voulu servir) que la compréhension d'un sentiment si élevé, vous avez probablement cru vous donner de l'importance, ignorant qui j'étais et ce que j'étais, en me faisant répondre, quand je vous faisais demander un livre, que vous étiez couché ; or c'est une erreur de croire qu'un mauvais procédé ajoute jamais à la grâce, dont vous êtes d'ailleurs entièrement dépourvu. J'aurais brisé là si par hasard le lendemain matin je ne vous avais pu parler. Votre ressemblance avec mon pauvre ami s'accentua tellement, faisant disparaître jusqu'à la forme insupportable de votre menton proéminent, que je compris que c'était le défunt qui à ce moment vous prêtait de son expression si bonne afin de vous permettre de me ressaisir, et de vous empêcher de manquer la chance unique qui s'offrait à vous. En effet quoique je ne veuille pas, puisque tout cela n'a plus d'objet et que je n'aurai plus l'occasion de vous rencontrer en cette vie, mêler à tout cela de brutales questions d'intérêt, j'aurais été trop heureux d'obéir à la prière du mort (car je crois à la communion des saints et à leur velléité d'intervention dans le destin des vivants) d'agir avec vous comme avec lui qui avait sa voiture, ses domestiques, et à qui il était bien naturel que je consacrasse la plus grande partie de mes revenus puisque je l'aimais comme un fils. Vous en avez décidé autrement. A ma demande que vous me rapportiez un livre, vous avez fait répondre que vous aviez à sortir. Et ce matin quand je vous ai fait demander de venir à ma voiture, vous m'avez, si je peux parler ainsi sans sacrilège, renié pour la troisième fois. Vous m'excuserez de ne pas mettre dans cette enveloppe les pourboires élevés que je comptais vous donner à Balbec et auxquels il me serait trop pénible de m'en tenir à l'égard de quelqu'un avec qui j'avais cru un moment tout partager. Tout au plus pourriez-vous m'éviter de faire auprès de vous dans votre restaurant, une quatrième tentative inutile et jusqu'à laquelle ma patience n'ira pas. (Et ici M. de Charlus donnait son adresse, l'indication des heures où on le trouverait, etc.) Adieu Monsieur. Comme je crois que, ressemblant tant à l'ami que j'ai perdu, vous ne pouvez être entièrement stupide, sans quoi la physiognomonie serait une science fausse, je suis persuadé qu'un jour si vous repensez à cet incident, ce ne sera pas sans éprouver quelque regret et quelque remords. Pour ma part croyez que bien sincèrement je n'en garde aucune amertume. J'aurais mieux aimé que nous nous quittions sur un moins mauvais souvenir que cette troisième démarche inutile. Elle sera vite oubliée.

Nous sommes comme ces vaisseaux que vous avez dû apercevoir parfois de Balbec, qui se sont croisés un moment ; il eût pu y avoir avantage pour chacun d'eux à stopper ; mais l'un a jugé différemment ; bientôt ils ne s'apercevront même plus à l'horizon et la rencontre est effacée ; mais avant cette séparation définitive, chacun salue l'autre, et c'est ce que fait ici, Monsieur, en vous souhaitant bonne chance, le Baron de Charlus. »

Aimé n'avait pas même lu cette lettre jusqu'au bout, n'y comprenant rien et se méfiant d'une mystification. Quand je lui eus expliqué qui était le Baron, il parut quelque peu rêveur et éprouva ce regret que M. de Charlus lui avait prédit. Je ne jurerais même pas qu'il n'eût alors écrit pour s'excuser à un homme qui donnait des voitures à ses amis. Mais dans l'intervalle M. de Charlus avait fait la connaissance de Morel. Tout au plus les relations avec celui-ci étant peut-être platoniques, M. de Charlus recherchait-il parfois pour un soir une compagnie comme celle dans laquelle je venais de le rencontrer dans le hall. Mais il ne pouvait plus détourner de Morel le sentiment violent qui, libre quelques années plus tôt, n'avait demandé qu'à se fixer sur Aimé et qui avait dicté la lettre dont j'étais gêné pour M. de Charlus et que m'avait montrée le maître d'hôtel. Elle était, à cause de l'amour antisocial qu'était celui de M. de Charlus, un exemple plus frappant de la force insensible et puissante qu'ont ces courants de la passion et par lesquels l'amoureux, comme un nageur entraîné sans s'en apercevoir, bien vite perd de vue la terre. Sans doute l'amour d'un homme normal peut aussi, quand l'amoureux par l'invention successive de ses désirs, de ses regrets, de ses déceptions, de ses projets, construit tout un roman sur une femme qu'il ne connaît pas, permettre de mesurer un assez notable écartement de deux branches de compas. Tout de même un tel écartement était singulièrement élargi par le caractère d'une passion qui n'est pas généralement partagée et par la différence des conditions de M. de Charlus et d'Aimé.

Tous les jours, je sortais avec Albertine. Elle s'était décidée à se remettre à la peinture et avait d'abord choisi, pour travailler, l'église de Saint-Jean-de-la-Haise qui n'est plus fréquentée par personne et est connue de très peu, difficile à se faire indiquer, impossible à découvrir sans être guidé, longue à atteindre dans son isolement, à plus d'une demi-heure de la station d'Épreville, les dernières maisons du village de Quetteholme depuis longtemps passées. Pour le nom d'Épreville je ne trouvai pas d'accord le livre du curé et les renseignements de Brichot. D'après l'un Épreville était l'ancienne *Sprevilla;* l'autre indiquait comme étymologie *Aprivilla*. La première fois nous prîmes un petit chemin de fer dans la direction opposée à Féterne, c'est-à-dire vers Grappevast. Mais c'était la canicule et ç'avait déjà été terrible de partir tout de suite après le déjeuner. J'eusse mieux aimé ne pas sortir si tôt ; l'air lumineux et brûlant éveillait des idées d'indolence et de rafraîchissement. Il remplissait nos chambres, à ma mère et à moi, selon leur exposition, à des températures inégales, comme des chambres de balnéation. Le cabinet de toilette de maman, festonné par le soleil, d'une blancheur éclatante et mauresque, avait l'air plongé au fond d'un puits, à cause des quatre murs en plâtras sur lesquels il donnait, tandis que tout en haut, dans le carré laissé vide, le ciel dont on voyait glisser, les uns par-dessus les autres, les flots moelleux et superposés, semblait (à cause du désir qu'on avait), soit située sur une terrasse (ou vue à l'envers dans quelque glace accrochée à la fenêtre), une piscine pleine d'une eau bleue, réservée aux ablutions. Malgré cette brûlante température, nous avions été prendre le train d'une heure. Mais Albertine avait eu très chaud dans le wagon, plus encore dans le long trajet à pied, et j'avais peur qu'elle ne prît froid en restant ensuite immobile dans ce creux humide que le soleil n'atteint pas. D'autre part, et dès nos premières visites à Elstir, m'étant rendu compte qu'elle eût apprécié non seulement le luxe, mais même un certain confort dont son manque d'argent la privait, je m'étais entendu avec un loueur de Balbec afin que tous les jours une voiture vînt nous chercher. Pour avoir moins chaud nous prenions par la forêt de Chantepie. L'invisibilité des innombrables oiseaux, quelques-uns à demi marins, qui s'y répondaient à côté de nous dans les arbres, donnait la même impression de repos qu'on a les yeux fermés. A côté d'Albertine, enchaîné par ses bras au fond de la voiture, j'écoutais ces Océanides. Et quand par hasard j'apercevais l'un de ces musiciens qui passait d'une feuille sous une autre, il y avait si peu de lien apparent entre lui et ses chants que je ne croyais pas voir la cause de ceux-ci dans le petit corps sautillant, humble, étonné et sans regard[50]. La voiture ne pouvait pas nous conduire jusqu'à l'église. Je la faisais arrêter au sortir de Quetteholme et je disais au revoir à Albertine. Car elle m'avait effrayé en me disant de cette église comme d'autres monuments, de certains tableaux : « Quel plaisir ce serait de voir cela avec vous ! » Ce plaisir-là je ne me sentais pas capable de le donner. Je n'en ressentais devant les belles choses que si j'étais seul, ou feignais de l'être et me taisais. Mais puisqu'elle avait cru pouvoir éprouver grâce à moi des sensations d'art qui ne se communiquent pas ainsi, je trouvais plus prudent de lui dire que je la quittais, viendrais la rechercher à la fin de la journée, mais que d'ici là il fallait que je retournasse avec la voiture faire une visite à Mme Verdurin ou aux Cambremer, ou même passer une heure avec maman à Balbec, mais jamais plus loin. Du moins, les premiers temps. Car Albertine m'ayant une fois dit par caprice : « C'est ennuyeux que la nature ait si mal fait les choses et qu'elle ait mis Saint-Jean-de-la-Haise d'un côté, la Raspelière d'un autre, qu'on soit pour toute la journée emprisonnée dans l'endroit qu'on a choisi » ; dès que j'eus reçu la toque et le voile, je commandai, pour mon malheur, une automobile à Saint-Fargeau (*Sanctus Ferreolus* selon le livre du curé). Albertine, laissée par moi dans l'ignorance, et qui était venue me chercher, fut surprise en entendant devant l'hôtel le ronflement du moteur, ravie quand elle sut que cette auto était pour nous. Je la fis monter un instant dans ma chambre. Elle sautait de joie. « Nous allons faire une visite aux Verdurin ? » — « Oui mais il vaut mieux que vous n'y alliez pas dans cette tenue puisque vous allez avoir votre auto. Tenez, vous serez mieux ainsi. » Et je sortis la toque et le voile que j'avais cachés. « C'est à moi ? Oh ! ce que vous êtes gentil », s'écria-t-elle en me sautant au cou. Aimé nous rencontrant dans l'escalier, fier de l'élégance d'Albertine et de notre moyen de transport, car ces voitures étaient assez rares à Balbec, se donna le plaisir de descendre derrière nous. Albertine désirant être vue un peu dans sa nouvelle toilette me demanda de faire relever la capote qu'on baisserait ensuite pour que nous soyons plus librement ensemble. « Allons, dit Aimé au mécanicien qu'il ne connaissait d'ailleurs pas et qui n'avait pas bougé, tu n'entends pas qu'on te dit de relever ta capote ? » Car Aimé, dessalé par la vie d'hôtel où il avait conquis du reste un rang éminent, n'était pas aussi timide que le cocher de fiacre pour qui Françoise était une « dame » ; malgré le manque de présentation préalable, les plébéiens qu'il n'avait jamais vus, il les tutoyait sans qu'on sût trop si c'était de sa part dédain aristocratique, ou fraternité populaire. « Je ne suis pas libre, répondit le chauffeur qui ne me connaissait pas. Je suis commandé pour Mlle Simonet. Je ne peux pas conduire Monsieur. » Aimé s'esclaffa : « Mais voyons, grand gourdiflot, répondit-il au mécanicien qu'il convainquit aussitôt, c'est justement Mlle Simonet, et Monsieur, qui te commande de lever ta capote, est justement ton patron. » Et comme Aimé, quoique n'ayant pas personnellement de sympathie pour Albertine, était à cause de moi fier de la toilette qu'elle portait, il glissa au chauffeur : « T'en conduirais bien tous les jours, hein ! si tu pouvais, des princesses comme ça ! » Cette première fois ce ne fut pas moi seul qui pus aller à la Raspelière comme je fis d'autres jours, pendant qu'Albertine peignait ; elle voulut y venir avec moi. Elle pensait bien que nous pourrions nous arrêter çà et là sur la route, mais croyait impossible de commencer par aller à Saint-Jean-de-la-Haise, c'est-à-dire dans une autre direction, et de faire une promenade qui semblait vouée à un jour différent. Elle apprit au contraire du mécanicien que rien n'était plus facile que d'aller à Saint-Jean où il serait en vingt minutes, et que nous y pourrions rester, si nous le voulions, plusieurs heures, ou pousser beaucoup plus loin, car de Quetteholme à la Raspelière il ne mettrait pas plus de trente-cinq minutes. Nous le comprîmes dès que la voiture s'élançant, franchit d'un seul bond vingt pas d'un excellent cheval. Les distances ne sont que le rapport de l'espace au temps et varient avec lui. Nous exprimons la difficulté que nous avons à nous rendre à un endroit, dans un système de lieues, de kilomètres, qui devient faux dès que cette difficulté diminue. L'art en est aussi modifié, puisqu'un village qui semblait dans un autre monde que tel autre, devient son voisin dans un paysage dont les dimensions sont changées. En tous cas apprendre qu'il existe peut-être un univers où deux et deux font cinq et où la ligne droite n'est pas le chemin le plus court d'un point à un autre, eût beaucoup moins étonné Albertine que d'entendre le mécanicien lui dire qu'il était facile d'aller dans une même après-midi à Saint-Jean et à la Raspelière, Douville et Quetteholme, Saint-Mars-le-Vieux et Saint-Mars-le-Vêtu, Gourville et Balbec-le-Vieux, Tourville et Féterne, prisonniers aussi hermétiquement enfermés jusque-là dans la cellule de jours distincts que jadis Méséglise et Guermantes et sur lesquels les mêmes yeux ne pouvaient se poser dans un seul après-midi, délivrés maintenant par le géant aux bottes de sept lieues, vinrent assembler autour de l'heure de notre goûter, leurs clochers et leurs tours, leurs vieux jardins que le bois avoisinant s'empressait de découvrir.

Arrivée au bas de la route de la Corniche, l'auto monta d'un seul trait, avec un bruit continu, comme un couteau qu'on repasse, tandis que la mer abaissée s'élargissait au-dessous de nous. Les maisons anciennes et rustiques de Montsurvent accoururent en tenant serrés contre elles leur vigne ou leur rosier ; les sapins de la Raspelière, plus agités que quand s'élevait le vent du soir, coururent dans tous les sens pour nous éviter et un domestique nouveau que je n'avais encore jamais vu vint nous ouvrir au perron, pendant que le fils du jardinier, trahissant des dispositions précoces, dévorait des yeux la place du moteur. Comme ce n'était pas un lundi, nous ne savions pas si nous trouverions Mme Verdurin, car sauf ce jour-là où elle recevait, il était imprudent d'aller la voir à l'improviste. Sans doute elle restait chez elle « en principe », mais cette expression, que Mme Swann employait au temps où elle cherchait elle aussi à se faire son petit clan, et à attirer les clients en ne bougeant pas, dût-elle souvent ne pas faire ses frais, et qu'elle traduisait avec contresens en « par principe », signifiait seulement en « règle générale », c'est-à-dire avec de nombreuses exceptions. Car non seulement Mme Verdurin aimait à sortir, mais elle poussait fort loin les devoirs de l'hôtesse, et quand elle avait eu du monde à déjeuner, aussitôt après le café, les liqueurs et les cigarettes (malgré le premier engourdissement de la chaleur et de la digestion où on eût mieux aimé, à travers les feuillages de la terrasse, regarder le paquebot de Jersey passer sur la mer d'émail), le programme comprenait une suite de promenades au cours desquelles les convives installés de force en voiture, étaient emmenés malgré eux vers l'un ou l'autre des points de vue qui foisonnent autour de Douville. Cette deuxième partie de la fête n'était pas du reste (l'effort de se lever et de monter en voiture accompli) celle qui plaisait le moins aux invités, déjà préparés par les mets succulents, les vins fins ou le cidre mousseux, à se laisser facilement griser par la pureté de la brise et la magnificence des sites. Mme Verdurin faisait visiter ceux-ci aux étrangers un peu comme des annexes (plus ou moins lointaines) de sa propriété, et qu'on ne pouvait pas ne pas aller voir du moment qu'on venait déjeuner chez elle et réciproquement qu'on n'aurait pas connu si on n'avait pas été reçu chez la Patronne. Cette prétention de s'arroger un droit unique sur les promenades comme sur le jeu de Morel et jadis de Dechambre, et de contraindre les paysages à faire partie du petit clan, n'était pas du reste aussi absurde qu'elle semble au premier abord. Mme Verdurin se moquait non seulement de l'absence de goût que, selon elle, les Cambremer montraient dans l'ameublement de la Raspelière et l'arrangement du jardin, mais encore de leur manque d'initiative dans les promenades qu'ils faisaient ou faisaient faire aux environs. De même que selon elle, la Raspelière ne commençait à devenir ce qu'elle aurait dû être que depuis qu'elle était l'asile du petit clan, de même elle affirmait que les Cambremer, refaisant perpétuellement dans leur calèche, le long du chemin de fer, au bord de la mer, la seule vilaine route qu'il y eût dans les environs, habitaient le pays de tout temps, mais ne le connaissaient pas. Il y avait du vrai dans cette assertion. Par routine, défaut d'imagination, incuriosité d'une région qui semble rebattue parce qu'elle est si voisine, les Cambremer ne sortaient de chez eux que pour aller toujours aux mêmes endroits et par les mêmes chemins. Certes ils riaient beaucoup de la prétention des Verdurin de leur apprendre leur propre pays. Mais mis au pied du mur, eux et même leur cocher, eussent été incapables de nous conduire aux splendides endroits, un peu secrets, où nous menait M. Verdurin, levant ici la barrière d'une propriété privée mais abandonnée où d'autres n'eussent pas cru pouvoir s'aventurer, là descendant de voiture pour suivre un chemin qui n'était pas carrossable, mais tout cela avec la récompense certaine d'un paysage merveilleux. Disons du reste que le jardin de la Raspelière était en quelque sorte un abrégé de toutes les promenades qu'on pouvait faire à bien des kilomètres alentour. D'abord à cause de sa position dominante, regardant d'un côté la vallée, de l'autre la mer, et puis parce que, même d'un seul côté, de celui de la mer par exemple, des percées avaient été faites au milieu des arbres de telle façon que d'ici on embrassait tel horizon, de là tel autre. Il y avait à chacun de ces points de vue un banc ; on venait s'asseoir tour à tour sur celui d'où on découvrait Balbec, ou Parville, ou Douville. Même dans une seule direction avait été placé un banc plus ou moins à pic sur la falaise, plus ou moins en retrait. De ces derniers on avait un premier plan de verdure et un horizon qui semblait déjà le plus vaste possible, mais qui s'agrandissait infiniment si, continuant par un petit sentier on allait jusqu'à un banc suivant d'où l'on embrassait tout le cirque de la mer. Là on percevait exactement le bruit des vagues qui ne parvenait pas au contraire dans les parties plus enfoncées du jardin, là où le flot se laissait voir encore, mais non plus entendre. Ces lieux de repos portaient à la Raspelière pour les maîtres de maison le nom de « vues ». Et en effet ils réunissaient autour du château les plus belles « vues » des pays avoisinants, des plages ou des forêts, aperçus fort diminués par l'éloignement, comme Hadrien avait assemblé dans sa villa des réductions des monuments les plus célèbres des diverses contrées. Le nom qui suivait le mot « vue » n'était pas forcément celui d'un lieu de la côte, mais souvent de la rive opposée de la baie et qu'on découvrait, gardant un certain relief malgré l'étendue du panorama. De même qu'on prenait un ouvrage dans la bibliothèque de M. Verdurin pour aller lire une heure à la « vue de Balbec », de même si le temps était clair on allait prendre des liqueurs à la « vue de Rivebelle », à condition pourtant qu'il ne fît pas trop de vent, car malgré les arbres plantés de chaque côté, là l'air était vif. Pour en revenir aux promenades en voiture que Mme Verdurin organisait pour l'après-midi, la Patronne, si au retour elle trouvait les cartes de quelque mondain « de passage sur la côte », feignait d'être ravie mais était désolée d'avoir manqué sa visite et (bien qu'on ne vînt encore que pour voir « la maison » ou connaître pour un jour une femme dont le salon artistique était célèbre, mais infréquentable à Paris) le faisait vite inviter par M. Verdurin à venir dîner au prochain mercredi. Comme souvent le touriste était obligé de repartir avant, ou craignait les retours tardifs, Mme Verdurin avait convenu que le lundi, on la trouverait toujours à l'heure du goûter. Ces goûters n'étaient pas extrêmement nombreux et j'en avais connu à Paris de plus brillants chez la Princesse de Guermantes, chez Mme de Galliffet ou Mme d'Arpajon. Mais justement ici ce n'était plus Paris et le charme du cadre ne réagissait pas pour moi que sur l'agrément de la réunion, mais sur la qualité des visiteurs. La rencontre de tel mondain, laquelle à Paris ne me faisait aucun plaisir, mais qui à la Raspelière, où il était venu de loin par Féterne ou la forêt de Chantepie, changeait de caractère, d'importance, devenait un agréable incident. Quelquefois c'était quelqu'un que je connaissais parfaitement bien et que je n'eusse pas fait un pas pour retrouver chez les Swann. Mais son nom sonnait autrement sur cette falaise, comme celui d'un acteur qu'on entend souvent dans un théâtre, imprimé sur l'affiche, en une autre couleur, d'une représentation extraordinaire et de gala, où sa notoriété se multiplie tout à coup de l'imprévu du contexte. Comme à la campagne on ne se gêne pas, le mondain prenait souvent sur lui d'amener les amis chez qui il habitait, faisant valoir tout bas comme excuse à Mme Verdurin qu'il ne pouvait les lâcher, demeurant chez eux ; à ces hôtes en revanche il feignait d'offrir comme une sorte de politesse de leur faire connaître ce divertissement dans une vie de plage monotone d'aller dans un centre spirituel, de visiter une magnifique demeure et de faire un excellent goûter. Cela composait tout de suite une réunion de plusieurs personnes de demi-valeur ; et si un petit bout de jardin avec quelques arbres, qui paraîtrait mesquin à la campagne, prend un charme extraordinaire avenue Gabriel, ou bien rue de Monceau, où des multimillionnaires seuls peuvent se l'offrir, inversement des seigneurs qui sont de second plan dans une soirée parisienne prenaient toute leur valeur, le lundi après-midi, à la Raspelière. À peine assis autour de la table couverte d'une nappe brodée de rouge et sous les trumeaux en camaïeu on leur servait des galettes, des feuilletés normands, des tartes en bateaux, remplies de cerises comme des perles de corail, des « diplomates », et aussitôt ces invités subissaient de l'approche de la profonde coupe d'azur sur laquelle s'ouvraient les fenêtres et qu'on ne pouvait pas ne pas voir en même temps qu'eux, une altération, une transmutation profonde qui les changeait en quelque chose de plus précieux. Bien plus, même avant de les avoir vus, quand on venait le lundi chez Mme Verdurin, les gens qui à Paris n'avaient plus que des regards fatigués par l'habitude pour les élégants attelages qui stationnaient devant un hôtel somptueux sentaient leur cœur battre à la vue des deux ou trois mauvaises tapissières arrêtées devant la Raspelière, sous les grands sapins. Sans doute c'était que le cadre agreste était différent et que les impressions mondaines grâce à cette transposition redevenaient fraîches. C'était aussi parce que la mauvaise voiture prise pour aller voir Mme Verdurin évoquait une belle promenade et un coûteux « forfait » conclu avec un cocher qui avait demandé « tant » pour la journée. Mais la curiosité légèrement émue à l'égard des arrivants, encore impossibles à distinguer, venait aussi de ce que chacun se demandait : « Qui est-ce que cela va être ? » question à laquelle il était difficile de répondre, ne sachant pas qui avait pu venir passer huit jours chez les Cambremer ou ailleurs, et qu'on aime toujours à se poser dans les vies agrestes, solitaires, où la rencontre d'un être humain qu'on n'a pas vu depuis longtemps, ou la présentation à quelqu'un qu'on ne connaît pas cesse d'être cette chose fastidieuse qu'elle est dans la vie de Paris, et interrompt délicieusement l'espace vide des vies trop isolées, où l'heure même du courrier devient agréable. Et le jour où nous vînmes en automobile à la Raspelière, comme ce n'était pas lundi, M. et Mme Verdurin devaient être en proie à ce besoin de voir du monde qui trouble les hommes et les femmes et donne envie de se jeter par la fenêtre au malade qu'on a enfermé loin des siens, pour une cure d'isolement. Car le nouveau domestique aux pieds plus rapides, et déjà familiarisé avec ces expressions, nous ayant répondu que « si Madame n'était pas sortie elle devait être à la vue de Douville », « qu'il allait aller voir », il revint aussitôt nous dire que celle-ci allait nous recevoir. Nous la trouvâmes un peu décoiffée, car elle arrivait du jardin, de la basse-cour et du potager, où elle était allée donner à manger à ses paons, et à ses poules, chercher des œufs, cueillir des fruits et des fleurs pour « faire son chemin de table », chemin qui rappelait en petit celui du parc[51] ; mais sur la table il donnait cette distinction de ne pas lui faire supporter que des choses utiles et bonnes à manger ; car autour de ces autres présents du jardin qu'étaient les poires, les œufs battus à la neige, montaient de hautes tiges de vipérines, d'œillets, de roses et de coréopsis entre lesquels on voyait comme entre des pieux indicateurs et fleuris se déplacer par le vitrage de la fenêtre, les bateaux du large. A l'étonnement que M. et Mme Verdurin, s'interrompant de disposer les fleurs pour recevoir les visiteurs annoncés, montrèrent, en voyant que ces visiteurs n'étaient autres qu'Albertine et moi, je vis bien que le nouveau domestique, plein de zèle mais à qui mon nom n'était pas encore familier, l'avait mal répété et que Mme Verdurin, entendant le nom d'hôtes inconnus, avait tout de même dit de faire entrer, ayant besoin de voir n'importe qui. Et le nouveau domestique contemplait ce spectacle de la porte afin de comprendre le rôle que nous jouions dans la maison. Puis il s'éloigna en courant, à grandes enjambées, car il n'était engagé que de la veille. Quand Albertine eut bien montré sa toque et son voile aux Verdurin, elle me jeta un regard pour me rappeler que nous n'avions pas trop de temps devant nous pour ce que nous désirions faire. Mme Verdurin voulait que nous attendissions le goûter, mais nous refusâmes, quand tout d'un coup se dévoila un projet qui eût mis à néant tous les plaisirs que je me promettais de ma promenade avec Albertine : la Patronne, ne pouvant se décider à nous quitter ou peut-être à laisser échapper une distraction nouvelle, voulait revenir avec nous. Habituée dès longtemps à ce que de sa part les offres de ce genre ne fissent pas plaisir, et n'étant probablement pas certaine que celle-ci nous en causerait un, elle dissimula sous un excès d'assurance la timidité qu'elle éprouvait en nous l'adressant et n'ayant même pas l'air de supposer qu'il pût y avoir doute sur notre réponse, elle ne nous posa pas de question, mais dit à son mari, en parlant d'Albertine et de moi, comme si elle nous faisait une faveur : « Je les ramènerai, moi. » En même temps s'appliqua sur sa bouche un sourire qui ne lui appartenait pas en propre, un sourire que j'avais déjà vu à certaines gens quand ils disaient à Bergotte d'un air fin : « J'ai acheté votre livre, c'est comme cela », un de ces sourires collectifs, universaux, que quand ils en ont besoin — comme on se sert du chemin de fer et des voitures de déménagement — empruntent les individus, sauf quelques-uns très raffinés comme Swann ou comme M. de Charlus aux lèvres de qui je n'ai jamais vu se poser ce sourire-là. Dès lors ma visite était empoisonnée. Je fis semblant de ne pas avoir compris. Au bout d'un instant il devint évident que M. Verdurin serait de la fête. « Mais ce sera bien long pour M. Verdurin », dis-je. « Mais non, me répondit Mme Verdurin d'un air condescendant et égayé, il dit que ça l'amusera beaucoup de refaire avec cette jeunesse cette route qu'il a tant suivie autrefois ; au besoin il montera à côté du wattman, cela ne l'effraye pas et nous reviendrons tous les deux bien sagement par le train comme de bons époux. Regardez, il a l'air enchanté. » Elle semblait parler d'un vieux grand peintre plein de bonhomie qui, plus jeune que les jeunes, met sa joie à barbouiller des images pour faire rire ses petits-enfants. Ce qui ajoutait à ma tristesse est qu'Albertine semblait ne pas la partager et trouver amusant de circuler ainsi par tout le pays avec les Verdurin. Quant à moi, le plaisir que je m'étais promis de prendre avec elle était si impérieux que je ne voulus pas permettre à la Patronne de le gâcher ; j'inventai des mensonges que les irritantes menaces de Mme Verdurin rendaient excusables, mais qu'Albertine, hélas ! contredisait. « Mais nous avons une visite à faire », dis-je. « Quelle visite ? », demanda Albertine. « Je vous expliquerai, c'est indispensable. » — « Hé bien ! nous vous attendrons », dit Mme Verdurin résignée à tout. A la dernière minute, l'angoisse de me sentir ravir un bonheur si désiré me donna le courage d'être impoli. Je refusai nettement, alléguant à l'oreille de Mme Verdurin qu'à cause d'un chagrin qu'avait eu Albertine et sur lequel elle désirait me consulter, il fallait absolument que je fusse seul avec elle. La Patronne prit un air courroucé : « C'est bon, nous ne viendrons pas », me dit-elle d'une voix tremblante de colère. Je la sentis si fâchée que pour avoir l'air de céder un peu : « Mais on aurait peut-être pu... » — « Non, reprit-elle, plus furieuse encore, quand j'ai dit non, c'est non. » Je me croyais brouillé avec elle, mais elle nous rappela à la porte pour nous recommander de ne pas « lâcher » le lendemain mercredi, et de ne pas venir avec cette affaire-là qui était dangereuse la nuit, mais par le train avec tout le petit groupe, et elle fit arrêter l'auto déjà en marche sur la pente du parc parce que le domestique avait oublié de mettre dans la capote le carré de tarte et les sablés qu'elle avait fait envelopper pour nous. Nous repartîmes escortés un moment par les petites maisons accourues avec leurs fleurs. La figure du pays nous semblait toute changée tant, dans l'image topographique que nous nous faisons de chacun d'eux, la notion d'espace est loin d'être celle qui joue le plus grand rôle. Nous avons dit que celle du temps les écarte davantage. Elle n'est pas non plus la seule. Certains lieux que nous voyons toujours isolés nous semblent sans commune mesure avec le reste, presque hors du monde, comme ces gens que nous avons connus dans des périodes à part de notre vie, au régiment, dans notre enfance, et que nous ne relions à rien. La première année de mon séjour à Balbec, il y avait une hauteur où Mme de Villeparisis aimait à nous conduire parce que de là on ne voyait que l'eau et les bois, et qui s'appelait Beaumont. Comme le chemin qu'elle faisait prendre pour y aller et qu'elle trouvait le plus joli à cause de ses vieux arbres, montait tout le temps, sa voiture était obligée d'aller au pas et mettait très longtemps. Une fois arrivés en haut nous descendions, nous nous promenions un peu, remontions en voiture, revenions par le même chemin, sans avoir rencontré aucun village, aucun château. Je savais que Beaumont était quelque chose de très curieux, de très loin, de très haut, je n'avais aucune idée de la direction où cela se trouvait n'ayant jamais pris le chemin de Beaumont pour aller ailleurs ; on mettait du reste beaucoup de temps en voiture pour y arriver. Cela faisait évidemment partie du même département (ou de la même province) que Balbec, mais était situé pour moi dans un autre plan, jouissait d'un privilège spécial d'exterritorialité. Mais l'automobile, qui ne respecte aucun mystère, après avoir dépassé Incarville, dont j'avais encore les maisons dans les yeux, comme nous descendions la côte de traverse qui aboutit à Parville *(Paterni villa)*, apercevant la mer d'un terre-plein où nous étions, je demandai comment s'appelait cet endroit et avant même que le chauffeur m'eût répondu, je reconnus Beaumont à côté duquel je passais ainsi sans le savoir chaque fois que je prenais le petit chemin de fer, car il était à deux minutes de Parville. Comme un officier de mon régiment qui m'eût semblé un être spécial, trop bienveillant et simple pour être de grande famille, trop lointain déjà et mystérieux pour être simplement d'une grande famille, et dont j'aurais appris qu'il était beau-frère, cousin de telles ou telles personnes avec qui je dînais en ville, ainsi Beaumont, relié tout d'un coup à des endroits dont je le croyais si distinct, perdit son mystère et prit sa place dans la région, me faisant penser avec terreur que Madame Bovary et la Sanseverina m'eussent peut-être semblé des êtres pareils aux autres si je les eusse rencontrées ailleurs que dans l'atmosphère close d'un roman. Il peut sembler que mon amour pour les féeriques voyages en chemin de fer aurait dû m'empêcher de partager l'émerveillement d'Albertine devant l'automobile qui mène, même un malade, là où il veut, et empêche — comme je l'avais fait jusqu'ici — de considérer l'emplacement comme la marque individuelle, l'essence sans succédané des beautés inamovibles. Et sans doute cet emplacement, l'automobile n'en faisait pas comme jadis le chemin de fer, quand j'étais venu de Paris à Balbec, un but soustrait aux contingences de la vie ordinaire, presque idéal au départ et qui le restant à l'arrivée, à l'arrivée dans cette grande demeure où n'habite personne et qui porte seulement le nom de la ville, la gare, a l'air d'en promettre enfin l'accessibilité comme elle en serait la matérialisation. Non, l'automobile ne nous menait pas ainsi féeriquement dans une ville que nous voyions d'abord dans l'ensemble que résume son nom, et avec les illusions du spectateur dans la salle. Il [52] nous faisait entrer dans la coulisse des rues, s'arrêtait à demander un renseignement à un habitant. Mais comme compensation d'une progression si familière on a les tâtonnements mêmes du chauffeur incertain de sa route et revenant sur ses pas, les chassés-croisés de la perspective faisant jouer un château aux quatre coins avec une colline, une église et la mer, pendant qu'on se rapproche de lui, bien qu'il se blottisse vainement sous sa feuillée séculaire ; ces cercles de plus en plus rapprochés que décrit l'automobile autour d'une ville fascinée qui fuyait dans tous les sens pour échapper et sur laquelle finalement il fonce tout droit, à pic, au fond de la vallée où elle reste gisante à terre ; de sorte que cet emplacement, point unique, que l'automobile semble avoir dépouillé du mystère des trains express, il donne par contre l'impression de le découvrir, de le déterminer nous-mêmes comme avec un compas, de nous aider à sentir d'une main plus amoureusement exploratrice, avec une plus fine précision, la véritable géométrie, la belle mesure de la terre.

Ce que malheureusement j'ignorais à ce moment-là et que je n'appris que plus de deux ans après, c'est qu'un des clients du chauffeur était M. de Charlus, et que Morel chargé de le payer et gardant une partie de l'argent pour lui (en faisant tripler et quintupler par le chauffeur le nombre des kilomètres) s'était beaucoup lié avec lui (tout en ayant l'air de ne pas le connaître devant le monde) et usait de sa voiture pour des courses lointaines. Si j'avais su cela alors, et que la confiance qu'eurent bientôt les Verdurin en ce chauffeur venait de là, à leur insu, peut-être bien des chagrins de ma vie à Paris, l'année suivante, bien des malheurs relatifs à Albertine, eussent été évités, mais je ne m'en doutais nullement. En elles-mêmes les promenades de M. de Charlus en auto avec Morel n'étaient pas d'un intérêt direct pour moi. Elles se bornaient d'ailleurs plus souvent à un déjeuner ou à un dîner, dans un restaurant de la côte, où M. de Charlus passait pour un vieux domestique ruiné et Morel qui avait mission de payer les notes pour un gentilhomme trop bon. Je raconte un de ces repas qui peut donner une idée des autres. C'était dans un restaurant de forme oblongue à Saint-Mars-le-Vêtu. « Est-ce qu'on ne pourrait pas enlever ceci ? » demanda M. de Charlus à Morel comme à un intermédiaire et pour ne pas s'adresser directement aux garçons. Il désignait par « ceci » trois roses fanées dont un maître d'hôtel bien intentionné avait cru devoir décorer la table. « Si..., dit Morel embarrassé. Vous n'aimez pas les roses ? » — « Je prouverais au contraire par la requête en question que je les aime, puisqu'il n'y a pas de roses ici (Morel parut surpris), mais en réalité je ne les aime pas beaucoup. Je suis assez sensible aux noms ; et dès qu'une rose est un peu belle, on apprend qu'elle s'appelle la Baronne de Rothschild ou la Maréchale Niel, ce qui jette un froid. Aimez-vous les noms ? Avez-vous trouvé de jolis titres pour vos petits morceaux de concert ? » — « Il y en a un qui s'appelle *Poème triste*. » — « C'est affreux, répondit M. de Charlus d'une voix aiguë et claquante comme un soufflet. Mais j'avais demandé du champagne ? » dit-il au maître d'hôtel qui avait cru en apporter en mettant près des deux clients deux coupes remplies de vin mousseux. « Mais, Monsieur... » — « Otez cette horreur qui n'a aucun rapport avec le plus mauvais champagne. C'est le vomitif appelé *cup* où on fait généralement traîner trois fraises pourries dans un mélange de vinaigre et d'eau de Seltz... Oui, continua-t-il en se retournant vers Morel, vous semblez ignorer ce que c'est qu'un titre. Et même dans l'interprétation de ce que vous jouez le mieux, vous semblez ne pas apercevoir le côté mediumnimique de la chose. » — « Vous dites ? » demanda Morel qui, n'ayant absolument rien compris à ce qu'avait dit le Baron, craignait d'être privé d'une information utile, comme, par exemple, une invitation à déjeuner. M. de Charlus ayant négligé de considérer « Vous dites ? » comme une question, Morel, n'ayant en conséquence pas reçu de réponses, crut devoir changer la conversation et lui donner un tour sensuel : « Tenez la petite blonde qui vend ces fleurs que vous n'aimez pas ; encore une qui a sûrement une petite amie. Et la vieille qui dîne à la table du fond aussi. » — « Mais comment sais-tu tout cela ? » demanda M. de Charlus émerveillé de la prescience de Morel. « Oh ! en une seconde je les devine. Si nous nous promenions tous les deux dans une foule, vous verriez que je ne me trompe pas deux fois. » Et qui eût regardé en ce moment Morel avec son air de fille au milieu de sa mâle beauté, eût compris l'obscure divination qui ne le désignait pas moins à certaines femmes qu'elles à lui. Il avait envie de supplanter Jupien, vaguement désireux d'ajouter à son « fixe » les revenus que, croyait-il, le giletier tirait du Baron. « Et pour les gigolos je m'y connais mieux encore, je vous éviterais toutes les erreurs. Ce sera bientôt la foire de Balbec, nous trouverions bien des choses. Et à Paris alors vous verriez que vous vous amuseriez. » Mais une prudence héréditaire de domestique lui fit donner un autre tour à la phrase que déjà il commençait. De sorte que M. de Charlus crut qu'il s'agissait toujours de jeunes filles. « Voyez-vous, dit Morel, désireux d'exalter d'une façon qu'il jugeait moins compromettante pour lui-même (bien qu'elle fût en réalité plus immorale) les sens du Baron, mon rêve, ce serait de trouver une jeune fille bien pure, de m'en faire aimer et de lui prendre sa virginité. » M. de

Charlus ne put se retenir de pincer tendrement l'oreille de Morel, mais ajouta naïvement : « A quoi cela te servirait-il ? Si tu prenais son pucelage, tu serais bien obligé de l'épouser. » — « L'épouser, s'écria Morel qui sentait le Baron grisé ou bien qui ne songeait pas à l'homme, en somme plus scrupuleux qu'il ne croyait, avec lequel il parlait. L'épouser ? Des nèfles ! Je le promettrais, mais dès la petite opération menée à bien, je la plaquerais le soir même. » M. de Charlus avait l'habitude quand une fiction pouvait lui causer un plaisir sensuel momentané d'y donner son adhésion, quitte à la retirer tout entière quelques instants après quand le plaisir serait épuisé. « Vraiment, tu ferais cela ? » dit-il à Morel en riant et en le serrant de plus près. « Et comment ! » dit Morel, voyant qu'il ne déplaisait pas au Baron en continuant à lui expliquer sincèrement ce qui était en effet un de ses désirs. « C'est dangereux », dit M. de Charlus. « Je ferais mes malles d'avance et je ficherais le camp sans laisser d'adresse. » — « Et moi ? » demanda M. de Charlus. « Je vous emmènerais avec moi, bien entendu, s'empressa de dire Morel qui n'avait pas songé à ce que deviendrait le Baron, lequel était le cadet de ses soucis. Tenez, il y a une petite qui me plairait beaucoup pour ça, c'est une petite couturière qui a sa boutique dans l'hôtel de M. le Duc. » — « La fille de Jupien, s'écria le Baron pendant que le sommelier entrait. Oh ! jamais », ajouta-t-il, soit que la présence d'un tiers l'eût refroidi, soit que même dans ces espèces de messes noires où il se complaisait à souiller les choses les plus saintes, il ne pût se résoudre à faire entrer des personnes pour qui il avait de l'amitié. « Jupien est un brave homme, la petite est charmante, il serait affreux de leur causer du chagrin. » Morel sentit qu'il était allé trop loin et se tut, mais son regard continuait dans le vide à se fixer sur la jeune fille devant laquelle il avait voulu un jour que je l'appelasse « cher grand artiste » et à qui il avait commandé un gilet. Très travailleuse, la petite n'avait pas pris de vacances, mais j'ai su depuis que tandis que Morel le violoniste était dans les environs de Balbec elle ne cessait de penser à son beau visage, ennobli de ce qu'ayant vu Morel avec moi, elle l'avait pris pour un « monsieur ».

« Je n'ai jamais entendu jouer Chopin, dit le Baron, et pourtant j'aurais pu, je prenais des leçons avec Stamati mais il me défendit d'aller entendre chez ma tante Chimay le Maître des *Nocturnes*. » — « Quelle bêtise il a faite là », s'écria Morel. « Au contraire, répliqua vivement, d'une voix aiguë, M. de Charlus. Il prouvait son intelligence. Il avait compris que j'étais une « nature » et que je subirais l'influence de Chopin. Ça ne fait rien puisque j'ai abandonné tout jeune la musique, comme tout, du reste. Et puis on se figure un peu, ajouta-t-il d'une voix nasillarde, ralentie et traînante, il y a toujours des gens qui ont entendu, qui vous donnent une idée. Mais enfin Chopin n'était qu'un prétexte pour revenir au côté mediumnimique que vous négligez. »

On remarquera qu'après une interpolation du langage vulgaire, celui de M. de Charlus était brusquement redevenu aussi précieux et hautain qu'il était d'habitude. C'est que l'idée que Morel « plaquerait » sans remords une jeune fille violée lui avait fait brusquement goûter un plaisir complet. Dès lors ses sens étaient apaisés pour quelque temps et le sadique (lui, vraiment mediumnimique) qui s'était substitué pendant quelques instants à M. de Charlus avait fui et rendu la parole au vrai M. de Charlus, plein de raffinement artistique, de sensibilité, de bonté. « Vous avez joué l'autre jour la transcription au piano du XVe quatuor[53], ce qui est déjà absurde parce que rien n'est moins pianistique. Elle est faite pour les gens à qui les cordes trop tendues du glorieux Sourd font mal aux oreilles. Or c'est justement ce mysticisme presque aigre qui est divin. En tous cas vous l'avez très mal joué en changeant tous les mouvements. Il faut jouer ça comme si vous le composiez : le jeune Morel, affligé d'une surdité momentanée et d'un génie inexistant, reste un instant immobile. Puis pris du délire sacré il joue, il compose les premières mesures. Alors épuisé par un pareil effort d'entrance, il s'affaisse, laissant tomber la jolie mèche pour plaire à Mme Verdurin, et de plus, il prend ainsi le temps de refaire la prodigieuse quantité de substance grise qu'il a prélevée pour l'objectivation pythique. Alors ayant retrouvé ses forces, saisi d'une inspiration nouvelle et suréminente, il s'élance vers la sublime phrase intarissable que le virtuose berlinois (nous croyons que M. de Charlus désignait ainsi Mendelssohn) devait infatigablement imiter. C'est de cette façon, seule vraiment transcendante et animatrice, que je vous ferai jouer à Paris. » Quand M. de Charlus lui donnait des avis de ce genre, Morel était beaucoup plus effrayé que de voir le maître d'hôtel remporter ses roses et son « cup » dédaignés, car il se demandait avec anxiété quel effet cela produirait à la « classe ». Mais il ne pouvait s'attarder à ces réflexions car M. de Charlus lui disait impérieusement : « Demandez au maître d'hôtel s'il a du Bon Chrétien. » — « Du bon chrétien ? je ne comprends pas. » — « Vous voyez bien que nous sommes au fruit, c'est une poire. Soyez sûr que Mme de Cambremer en a chez elle, car la Comtesse d'Escarbagnas qu'elle est, en avait. M. Tibaudier la lui envoie et elle dit : " Voilà du Bon Chrétien qui est fort beau. " » — « Non, je ne savais pas. » — « Je vois du reste que vous ne savez rien. Si vous n'avez même pas lu Molière... Hé bien, puisque vous ne devez pas savoir commander, plus que le reste, demandez tout simplement une poire qu'on recueille justement près d'ici, la " Louise-Bonne d'Avranches ". » — « La... ? » — « Attendez, puisque vous êtes si gauche, je vais moi-même en demander d'autres, que j'aime mieux : Maître d'hôtel, avez-vous de la Doyenné des Comices ? Charlie vous devriez lire la page ravissante qu'a écrite sur cette poire la Duchesse Émilie de Clermont-Tonnerre. » — « Non, Monsieur, je n'en ai pas. » — « Avez-vous du Triomphe de Jodoigne ? » — « Non, Monsieur. » — « De la Virginie-Dallet ? de la Passe-Colmar ? Non ? eh bien, puisque vous n'avez rien nous allons partir. La Duchesse d'Angoulême n'est pas encore mûre, allons

Charlie, partons[54]. » Malheureusement pour M. de Charlus, son manque de bon sens, peut-être la chasteté des rapports qu'il avait probablement avec Morel, le firent s'ingénier dès cette époque à combler le violoniste d'étranges bontés que celui-ci ne pouvait comprendre et auxquelles sa nature, folle dans son genre, mais ingrate et mesquine, ne pouvait répondre que par une sécheresse ou une violence toujours croissantes, et qui plongeaient M. de Charlus — jadis si fier, maintenant tout timide — dans des accès de vrai désespoir. On verra comment dans les plus petites choses, Morel qui se croyait devenu un M. de Charlus mille fois plus important, avait compris, de travers, en les prenant à la lettre les orgueilleux enseignements du Baron, quant à l'aristocratie. Disons simplement pour l'instant, tandis qu'Albertine m'attend, à Saint-Jean-de-la-Haise, que s'il y avait une chose que Morel mît au-dessus de la noblesse (et cela était en son principe assez noble, surtout de quelqu'un dont le plaisir était d'aller chercher des petites filles — « ni vu ni connu » — avec le chauffeur), c'était sa réputation artistique et ce qu'on pouvait penser à la classe de violon. Sans doute il était laid que, parce qu'il sentait M. de Charlus tout à lui, il eût l'air de le renier, de se moquer de lui, de la même façon que dès que j'eus promis le secret sur les fonctions de son père chez mon grand-oncle, il me traita de haut en bas. Mais d'autre part, son nom d'artiste diplômé, Morel, lui paraissait supérieur à un « nom ». Et quand M. de Charlus, dans ses rêves de tendresse platonique voulait lui faire prendre un titre de sa famille, Morel s'y refusait énergiquement.

Quand Albertine trouvait plus sage de rester à Saint-Jean-de-la-Haise pour peindre, je prenais l'auto, et ce n'était pas seulement à Gourville et à Féterne, mais à Saint-Mars-le-Vieux et jusqu'à Criquetot que je pouvais aller avant de revenir la chercher. Tout en feignant d'être occupé d'autre chose que d'elle, et d'être obligé de la délaisser pour d'autres plaisirs, je ne pensais qu'à elle. Bien souvent je n'allais pas plus loin que la grande plaine qui domine Gourville et comme elle ressemble un peu à celle qui commence au-dessus de Combray, dans la direction de Méséglise, même à une assez grande distance d'Albertine, j'avais la joie de penser que si mes regards ne pouvaient pas aller jusqu'à elle, portant plus loin qu'eux, cette puissante et douce brise marine qui passait à côté de moi, devait dévaler, sans être arrêtée par rien jusqu'à Quetteholme, venir agiter les branches des arbres qui ensevelissent Saint-Jean-de-la-Haise sous leur feuillage, en caressant la figure de mon amie, et jeter ainsi un double lien d'elle à moi dans cette retraite indéfiniment agrandie, mais sans risques, comme dans ces jeux où deux enfants se trouvent par moments hors de la portée de la voix et de la vue l'un de l'autre, et où tout en étant éloignés ils restent réunis. Je revenais par ces chemins d'où l'on aperçoit la mer, et où autrefois, avant qu'elle apparût entre les branches, je fermais les yeux pour bien penser que ce que j'allais voir, c'était bien la plaintive aïeule de la terre, poursuivant comme au temps qu'il n'existait pas encore d'êtres vivants sa démente et immémoriale agitation. Maintenant, ils n'étaient plus pour moi que le moyen d'aller rejoindre Albertine, quand je les reconnaissais tout pareils, sachant jusqu'où ils allaient filer droit, où ils tourneraient, je me rappelais que je les avais suivis en pensant à Mlle de Stermaria, et aussi que la même hâte de retrouver Albertine, je l'avais eue à Paris en descendant les rues par où passait Mme de Guermantes ; ils prenaient pour moi la monotonie profonde, la signification morale d'une sorte de ligne que suivait mon caractère. C'était naturel, et ce n'était pourtant pas indifférent ; ils me rappelaient que mon sort était de ne poursuivre que des fantômes, des êtres dont la réalité pour une bonne part était dans mon imagination ; il y a des êtres en effet — et ç'avait été dès la jeunesse mon cas — pour qui tout ce qui a une valeur fixe, constatable par d'autres, la fortune, le succès, les hautes situations, ne comptent pas ; ce qu'il leur faut, ce sont des fantômes. Ils y sacrifient tout le reste, mettent tout en œuvre, font tout servir à rencontrer tel fantôme. Mais celui-ci ne tarde pas à s'évanouir ; alors on court après tel autre, quitte à revenir ensuite au premier. Ce n'était pas la première fois que je recherchais Albertine, la jeune fille vue la première année devant la mer. D'autres femmes, il est vrai, avaient été intercalées entre Albertine aimée la première fois, et celle que je ne quittais guère en ce moment ; d'autres femmes, notamment la Duchesse de Guermantes. Mais, dira-t-on, pourquoi se donner tant de soucis au sujet de Gilberte, prendre tant de peine pour Mme de Guermantes, si, devenu l'ami de celle-ci, c'est à seule fin de n'y plus penser, mais seulement à Albertine ? Swann, avant sa mort aurait pu répondre, lui qui avait été amateur de fantômes. De fantômes poursuivis, oubliés, recherchés à nouveau quelquefois pour une seule entrevue et afin de toucher à une vie irréelle laquelle aussitôt s'enfuyait, ces chemins de Balbec en étaient pleins. En pensant que leurs arbres, poiriers, pommiers, tamaris, me survivraient, il me semblait recevoir d'eux le conseil de me mettre enfin au travail pendant que n'avait pas encore sonné l'heure du repos éternel.

Je descendais de voiture à Quetteholme, courais dans la raide cavée, passais le ruisseau sur une planche et trouvais Albertine qui peignait devant l'église toute en clochetons, épineuse et rouge, fleurissant comme un rosier. Le tympan seul était uni ; et à la surface riante de la pierre affleuraient des anges qui continuaient, devant notre couple du XXe siècle, à célébrer, cierges en mains, les cérémonies du XIIIe. C'était eux dont Albertine cherchait à faire le portrait sur sa toile préparée, et imitant Elstir, elle donnait de grands coups de pinceau, tâchant d'obéir au noble rythme qui faisait, lui avait dit le grand maître, ces anges-là si différents de tous ceux qu'il connaissait. Puis elle reprenait ses affaires. Appuyés l'un sur l'autre nous remontions la cavée, laissant la petite église aussi tranquille que si elle ne nous avait pas vus, écouter le bruit perpétuel du ruisseau. Bientôt l'auto filait, nous faisait prendre pour le retour un autre chemin qu'à l'aller. Nous passions devant Marcouville-l'Orgueilleuse. Sur son église, moitié neuve, moitié restaurée, le soleil déclinant étendait sa patine aussi belle que celle des siècles. A travers elle les grands bas-reliefs semblaient n'être vus que sous une couche fluide, moitié liquide, moitié lumineuse, la Sainte Vierge, sainte Elisabeth, saint Joachim, nageaient encore dans l'impalpable remous, presque à sec, à fleur d'eau ou fleur de soleil. Surgissant dans une chaude poussière, les nombreuses statues modernes se dressaient sur des colonnes jusqu'à mi-hauteur des voiles dorés du couchant. Devant l'église un grand cyprès semblait dans une sorte d'enclos consacré. Nous descendions un instant pour le regarder et faisions quelques pas. Tout autant que de ses membres, Albertine avait une conscience directe de sa toque de paille d'Italie et de l'écharpe de soie (qui n'étaient pas pour elle le siège de moindres sensations de bien-être), et recevait d'elles, tout en faisant le tour de l'église, un autre genre d'impulsion, traduite par un contentement inerte mais auquel je trouvais de la grâce ; écharpe et toque qui n'étaient qu'une partie récente, adventice de mon amie, mais qui m'était déjà chère et dont je suivais des yeux le sillage, le long du cyprès, dans l'air du soir. Elle-même ne pouvait le voir, mais se doutait que ces élégances faisaient bien, car elle me souriait tout en harmonisant le port de sa tête avec la coiffure qui la complétait : « Elle ne me plaît pas, elle est restaurée », me dit-elle en me montrant l'église et se souvenant de ce qu'Elstir lui avait dit sur la précieuse, sur l'inimitable beauté des vieilles pierres. Albertine savait reconnaître tout de suite une restauration. On ne pouvait que s'étonner de la sûreté de goût qu'elle avait déjà en architecture, au lieu du déplorable qu'elle gardait en musique. Pas plus qu'Elstir, je n'aimais cette église, c'est sans me faire plaisir que sa façade ensoleillée était venue se poser devant mes yeux, et je n'étais descendu la regarder que pour être agréable à Albertine. Et pourtant je trouvais que le grand impressionniste était en contradiction avec lui-même ; pourquoi ce fétichisme attaché à la valeur architecturale objective, sans tenir compte de la transfiguration de l'église dans le couchant ? « Non décidément, me dit Albertine, je ne l'aime pas ; j'aime son nom d'Orgueilleuse. Mais ce qu'il faudra penser à demander à Brichot, c'est pourquoi Saint-Mars s'appelle le Vêtu. On ira la prochaine fois, n'est-ce pas ? » me disait-elle en me regardant de ses yeux noirs sur lesquels sa toque était abaissée comme autrefois son petit polo. Son voile flottait. Je remontais en auto avec elle, heureux que nous dussions le lendemain aller ensemble à Saint-Mars, dont par ces temps ardents où on ne pensait qu'au bain, les deux antiques clochers d'un rose saumon, aux tuiles en losange, légèrement infléchis et comme palpitants, avaient l'air de vieux poissons aigus, imbriqués d'écailles, moussus et roux, qui sans avoir l'air de bouger s'élevaient dans une eau transparente et bleue. En quittant Marcouville, pour raccourcir, nous bifurquions, à une croisée de chemin où il y a une ferme. Quelquefois Albertine y faisait arrêter et me demandait d'aller seul chercher, pour qu'elle pût le boire dans la voiture, du calvados ou du cidre, qu'on assurait n'être pas mousseux et par lequel nous étions tout arrosés. Nous étions pressés l'un contre l'autre. Les gens de la ferme apercevaient à peine Albertine dans la voiture fermée, je leur rendais les bouteilles ; nous repartions, comme afin de continuer cette vie à nous deux, cette vie d'amants qu'ils pouvaient supposer que nous avions, et dont cet arrêt pour boire n'eût été qu'un moment insignifiant ; supposition qui eût paru d'autant moins invraisemblable si on nous avait vus après qu'Albertine avait bu sa bouteille de cidre ; elle semblait alors en effet ne plus pouvoir supporter entre elle et moi un intervalle qui d'habitude ne la gênait pas ; sous sa jupe de toile ses jambes se serraient contre mes jambes, elle approchait de mes joues ses joues qui étaient devenues blêmes, chaudes et rouges aux pommettes, avec quelque chose d'ardent et de fané comme en ont les filles de faubourg. A ces moments-là, presque aussi vite que de personnalité, elle changeait de voix, perdait la sienne pour en prendre une autre, enrouée, hardie, presque crapuleuse. Le soir tombait. Quel plaisir de la sentir contre moi, avec son écharpe et sa toque, me rappelant que c'est ainsi toujours côte à côte qu'on rencontre ceux qui s'aiment. J'avais peut-être de l'amour pour Albertine, mais n'osant pas le lui laisser apercevoir, si bien que s'il existait en moi, ce ne pouvait être que comme une vérité sans valeur jusqu'à ce qu'on ait pu la contrôler par l'expérience ; or il me semblait irréalisable et hors du plan de la vie. Quant à ma jalousie, elle me poussait à quitter le moins possible Albertine, bien que je susse qu'elle ne guérirait tout à fait qu'en me séparant d'elle à jamais. Je pouvais même l'éprouver auprès d'elle, mais alors m'arrangeais pour ne pas laisser se renouveler la circonstance qui l'avait éveillée en moi. C'est ainsi qu'un jour de beau temps nous allâmes déjeuner à Rivebelle. Les grandes portes vitrées de la salle à manger et de ce hall en forme de couloir qui servait pour les thés étaient ouvertes de plain-pied avec les pelouses dorées par le soleil et desquelles le vaste restaurant lumineux semblait faire partie. Le garçon, à la figure rose, aux cheveux noirs tordus comme une flamme, s'élançait dans toute cette vaste étendue moins vite qu'autrefois, car il n'était plus commis mais chef de rang ; néanmoins à cause de son activité naturelle, parfois au loin, dans la salle à manger, parfois plus près, mais au dehors, servant des clients qui avaient préféré déjeuner dans le jardin, on l'apercevait tantôt ici, tantôt là, comme des statues successives d'un jeune dieu courant, les unes à l'intérieur, d'ailleurs bien éclairé, d'une demeure qui se prolongeait en gazons verts, les autres sous les feuillages, dans la clarté de la vie en plein air. Il fut un moment à côté de nous. Albertine répondit distraitement à ce que je lui disais. Elle le regardait avec des yeux agrandis. Pendant quelques minutes je sentis qu'on peut être près de la personne qu'on aime et cependant ne pas l'avoir avec soi. Ils avaient l'air d'être dans un tête-à-tête mystérieux, rendu muet par ma présence, et suite peut-être de rendez-vous anciens que je ne connaissais pas, ou seulement d'un regard qu'il lui avait jeté — et dont j'étais le tiers gênant et de qui on se cache. Même quand, rappelé avec violence par son patron, il se fut éloigné, Albertine tout en continuant à déjeuner n'avait plus l'air de considérer le restaurant et les jardins que comme une piste illuminée, où apparaissait çà et là, dans des décors variés, le dieu coureur aux cheveux noirs. Un instant je m'étais demandé si pour le suivre, elle n'allait pas me laisser seul à ma table. Mais dès les jours suivants je commençai à oublier pour toujours cette impression pénible car j'avais décidé de ne jamais retourner à Rivebelle, j'avais fait promettre à Albertine, qui m'assura y être venue pour la première fois, qu'elle n'y retournerait jamais. Et je niai que le garçon aux pieds agiles n'eût eu d'yeux que pour elle, afin qu'elle ne crût pas que ma compagnie l'avait privée d'un plaisir. Il m'arriva parfois de retourner à Rivebelle, mais seul, de trop boire, comme j'y avais déjà fait. Tout en vidant une dernière coupe je regardais une rosace peinte sur le mur blanc, je reportais sur elle le plaisir que j'éprouvais. Elle seule au monde existait pour moi ; je la poursuivais, la touchais, et la perdais tour à tour de mon regard fuyant, et j'étais indifférent à l'avenir, me contentant de ma rosace comme un papillon qui tourne autour d'un papillon posé avec lequel il va finir sa vie, dans un acte de volupté suprême. Or je trouvais dangereux de laisser s'installer en moi, même sous une forme légère, un mal qui ressemble à ces états pathologiques habituels, auxquels on ne prend pas garde, mais qui, si survient le moindre accident, imprévisible et inévitable, qui lui arriverait, suffisent à lui donner aussitôt une extrême gravité. Le moment était peut-être particulièrement bien choisi pour renoncer à une femme à qui aucune souffrance bien récente et bien vive ne m'obligeait à demander ce baume contre un mal que possèdent celles qui l'ont causé. J'étais calmé par ces promenades mêmes qui, bien que je ne les considérasse au moment que comme une attente d'un lendemain qui lui-même, malgré le désir qu'il m'inspirait, ne devait pas être différent de la veille, avaient le charme d'être arrachées aux lieux où s'était trouvée jusque-là Albertine et où je n'étais pas avec elle, chez sa tante, chez ses amies. Charme non d'une joie positive, mais seulement de l'apaisement d'une inquiétude, et bien fort pourtant. Car à quelques jours de distance, quand je repensais à la ferme devant laquelle nous avions bu du cidre, ou simplement aux quelques pas que nous avions faits devant Saint-Mars-le-Vêtu, me rappelant qu'Albertine marchait à côté de moi sous sa toque, le sentiment de sa présence ajoutait tout d'un coup une telle vertu à l'image indifférente de l'église neuve, qu'au moment où la façade ensoleillée venait se poser ainsi d'elle-même dans mon souvenir, c'était comme une grande compresse calmante qu'on eût appliquée à mon cœur. Je déposais Albertine à Parville, mais pour la retrouver le soir et aller m'étendre à côté d'elle, dans l'obscurité, sur la grève. Sans doute je ne la voyais pas tous les jours, mais pourtant je pouvais me dire : « Si elle racontait l'emploi de son temps, de sa vie, c'est encore moi qui y tiendrais le plus de place » ; et nous passions ensemble de longues heures de suite qui mettaient dans mes journées un enivrement si doux que même quand à Parville elle sautait de l'auto que j'allais lui renvoyer une heure après, je ne me sentais pas plus seul dans la voiture que si, avant de la quitter, elle y eût laissé des fleurs. J'aurais pu me passer de la voir tous les jours ; j'allais la quitter heureux, je sentais que l'effet calmant de ce bonheur pouvait se prolonger plusieurs jours. Mais alors j'entendais Albertine en me quittant dire à sa tante ou à une amie : « Alors, demain à huit heures et demie. Il ne faut pas être en retard, ils seront prêts dès huit heures et quart. » La conversation d'une femme qu'on aime ressemble à un sol qui recouvre une eau souterraine et dangereuse ; on sent à tout moment derrière les mots la présence, le froid pénétrant d'une nappe invisible ; on aperçoit çà et là son suintement perfide, mais elle-même reste cachée. Aussitôt la phrase d'Albertine entendue, mon calme était détruit. Je voulais lui demander de la voir le lendemain matin, afin de l'empêcher d'aller à ce mystérieux rendez-vous de huit heures et demie dont on n'avait parlé devant moi qu'à mots couverts. Elle m'eût sans doute obéi les premières fois, regrettant pourtant de renoncer à ses projets ; puis elle eût découvert mon besoin permanent de les déranger ; j'eusse été celui pour qui l'on se cache de tout. Et d'ailleurs, il est probable que ces fêtes dont j'étais exclu consistaient en fort peu de chose, et que c'était peut-être par peur que je trouvasse telle invitée vulgaire ou ennuyeuse qu'on ne me conviait pas. Malheureusement cette vie si mêlée à celle d'Albertine n'exerçait pas d'action que sur moi ; elle me donnait du calme ; elle causait à ma mère des inquiétudes dont la confession le détruisit. Comme je rentrais content, décidé à terminer d'un jour à l'autre une existence dont je croyais que la fin dépendait de ma seule volonté, ma mère me dit, entendant que je faisais dire au chauffeur d'aller chercher Albertine : « Comme tu dépenses de l'argent. (Françoise dans son langage simple et expressif disait avec plus de force : " L'argent file. ") Tâche, continua maman, de ne pas devenir comme Charles de Sévigné, dont sa mère disait : " Sa main est un creuset où l'argent se fond[55]. " Et puis je crois que tu es vraiment assez sorti avec Albertine. Je t'assure que c'est exagéré, que même pour elle cela peut sembler ridicule. J'ai été enchantée que cela te distraie, je ne te demande pas de ne plus la voir, mais enfin qu'il ne soit pas impossible de vous rencontrer l'un sans l'autre. » Ma vie avec Albertine, vie dénuée de grands plaisirs — au moins de grands plaisirs perçus — cette vie que je comptais changer d'un jour à l'autre, en choisissant une heure de calme, me redevint tout d'un coup pour un temps nécessaire, quand par ces paroles de maman, elle se trouva menacée. Je dis à ma mère que ses paroles venaient de retarder de deux mois peut-être la décision qu'elles demandaient et qui sans elles eût été prise avant la fin de la semaine. Maman se mit à rire (pour ne pas m'attrister) de l'effet qu'avaient produit instantanément ses conseils, et me promit de ne pas m'en reparler pour ne pas empêcher que renaquît ma bonne intention. Mais depuis la mort de ma grand-mère chaque fois que maman se laissait aller à rire, le rire commencé s'arrêtait net et s'achevait sur une expression presque sanglotante de souffrance, soit par le remords d'avoir pu un instant oublier, soit par la recrudescence dont cet oubli si bref avait ravivé encore sa cruelle préoccupation. Mais à celle que lui causait le souvenir de ma grand-mère, installé en ma mère comme une idée fixe, je sentis que cette fois s'en ajoutait une autre, qui avait trait à moi, à ce que ma mère redoutait des suites de mon intimité avec Albertine ; intimité qu'elle n'osa pourtant pas entraver à cause de ce que je venais de lui dire. Mais elle ne parut pas persuadée que je ne me trompais pas. Elle se rappelait pendant combien d'années ma grand-mère et elle ne m'avaient plus parlé de mon travail et d'une règle de vie plus hygiénique que, disais-je, l'agitation où me mettaient leurs exhortations m'empêchait seule de commencer, et que malgré leur silence obéissant, je n'avais pas poursuivie. Après le dîner l'auto ramenait Albertine ; il faisait encore un peu jour ; l'air était moins chaud, mais après une brûlante journée, nous rêvions tous deux de fraîcheurs inconnues ; alors à nos yeux enfiévrés la lune tout étroite parut d'abord (telle le soir où j'étais allé chez la Princesse de Guermantes et où Albertine m'avait téléphoné) comme la légère et mince pelure, puis comme le frais quartier d'un fruit qu'un invisible couteau commençait à écorcer dans le ciel. Quelquefois aussi, c'était moi qui allais chercher mon amie, un peu plus tard alors, elle devait m'attendre devant les arcades du marché à Maineville. Aux premiers moments je ne la distinguais pas ; je m'inquiétais déjà qu'elle ne dût pas venir, qu'elle eût mal compris. Alors je la voyais dans sa blouse blanche à pois bleus, sauter à côté de moi dans la voiture avec le bond léger plus d'un jeune animal que d'une jeune fille. Et c'est comme une chienne encore qu'elle commençait aussitôt à me caresser sans fin. Quand la nuit était tout à fait venue et que, comme me disait le directeur de l'hôtel, le ciel était tout parcheminé d'étoiles, si nous n'allions pas nous promener en forêt avec une bouteille de champagne, sans nous inquiéter des promeneurs déambulant encore sur la digue faiblement éclairée, mais qui n'auraient rien distingué à deux pas sur le sable noir, nous nous étendions en contrebas des dunes ; ce même corps dans la souplesse duquel vivait toute la grâce féminine, marine et sportive, des jeunes filles que j'avais vu passer la première fois devant l'horizon du flot, je le tenais serré contre le mien, sous une même couverture, tout au bord de la mer immobile divisée par un rayon tremblant ; et nous l'écoutions sans nous lasser et avec le même plaisir, soit quand elle retenait sa respiration, assez longtemps suspendue pour qu'on crût le reflux arrêté, soit quand elle exhalait enfin à nos pieds le murmure attendu et retardé. Je finissais par ramener Albertine à Parville. Arrivé devant chez elle, il fallait interrompre nos baisers de peur qu'on ne nous vît ; n'ayant pas envie de se coucher elle revenait avec moi jusqu'à Balbec, d'où je la ramenais une dernière fois à Parville ; les chauffeurs de ces premiers temps de l'automobile étaient des gens qui se couchaient à n'importe quelle heure. Et de fait je ne rentrais à Balbec qu'avec la première humidité matinale, seul cette fois, mais encore tout entouré de la présence de mon amie, gorgé d'une provision de baisers longue à épuiser. Sur ma table je trouvais un télégramme ou une carte postale. C'était d'Albertine encore ! Elle les avait écrits à Quetteholme pendant que j'étais parti seul en auto et pour me dire qu'elle pensait à moi. Je me mettais au lit en les relisant. Alors j'apercevais au-dessus des rideaux la raie du grand jour et je me disais que nous devions nous aimer tout de même pour avoir passé la nuit à nous embrasser. Quand le lendemain matin je voyais Albertine sur la digue, j'avais si peur qu'elle me répondît qu'elle n'était pas libre ce jour-là et ne pouvait acquiescer à ma demande de nous promener ensemble, que cette demande, je retardais le plus que je pouvais de la lui adresser. J'étais d'autant plus inquiet qu'elle avait l'air froid, préoccupé ; des gens de sa connaissance passaient ; sans doute avait-elle formé pour l'après-midi des projets dont j'étais exclu. Je la regardais, je regardais ce corps charmant, cette tête rose d'Albertine, dressant en face de moi l'énigme de ses intentions, la décision inconnue qui devait faire le bonheur ou le malheur de mon après-midi. C'était tout un état d'âme, tout un avenir d'existence qui avait pris devant moi la forme allégorique et fatale d'une jeune fille. Et quand enfin je me décidais, quand de l'air le plus indifférent que je pouvais, je demandais : « Est-ce que nous nous promenons ensemble tantôt et ce soir ? » et qu'elle me répondait : « Très volontiers », alors tout le brusque remplacement, dans la figure rose, de ma longue inquiétude par une quiétude délicieuse, me rendait encore plus précieuses ces formes auxquelles je devais perpétuellement le bien-être, l'apaisement qu'on éprouve après qu'un orage a éclaté. Je me répétais : « Comme elle est gentille, quel être adorable ! » dans une exaltation moins féconde que celle due à l'ivresse, à peine plus profonde que celle de l'amitié, mais très supérieure à celle de la vie mondaine. Nous ne décommandions l'automobile que les jours où il y avait un dîner chez les Verdurin, et ceux où Albertine n'étant pas libre de sortir avec moi, j'en eusse profité pour prévenir les gens qui désiraient me voir que je resterais à Balbec. Je donnais à Saint-Loup autorisation de venir ces jours-là, mais ces jours-là seulement. Car une fois qu'il était arrivé à l'improviste, j'avais préféré me priver de voir Albertine plutôt que de risquer qu'il la rencontrât, que fût compromis l'état de calme heureux où je me trouvais depuis quelque temps et que fût ma jalousie renouvelée. Et je n'avais été tranquille qu'une fois Saint-Loup reparti. Aussi s'astreignait-il avec regret, mais scrupule, à ne jamais venir à Balbec sans appel de ma part. Jadis, songeant avec envie aux heures que Mme de Guermantes passait avec lui, j'attachais un tel prix à le voir ! Les êtres ne cessent pas de changer de place par rapport à nous. Dans la marche insensible mais éternelle du monde, nous les considérons comme immobiles dans un instant de vision, trop court pour que le mouvement qui les entraîne soit perçu. Mais nous n'avons qu'à choisir dans notre mémoire deux images prises d'eux à des moments différents, assez rapprochés cependant pour qu'ils n'aient pas changé en eux-mêmes, du moins sensiblement, et la différence des deux images mesure le déplacement qu'ils ont opéré par rapport à nous. Il m'inquiéta affreusement en me parlant des Verdurin, j'avais peur qu'il ne me demandât à y être reçu, ce qui eût suffi, à cause de la jalousie que je n'eusse cessé de ressentir, à gâter tout le plaisir que j'y trouvais avec Albertine. Mais heureusement Robert m'avoua tout au contraire qu'il désirait par-dessus tout ne pas les connaître. « Non, me dit-il, je trouve ce genre de milieux cléricaux exaspérants. » Je ne compris pas d'abord l'adjectif « clérical » appliqué aux Verdurin, mais la fin de la phrase de Saint-Loup m'éclaira sa pensée, ses concessions à des modes de langage qu'on est souvent étonné de voir adopter par des hommes intelligents. « Ce sont des milieux, me dit-il, où on fait tribu, où on fait congrégation et chapelle. Tu ne me diras pas que ce n'est pas une petite secte ; on est tout miel pour les gens qui en sont, on n'a pas assez de dédain pour les gens qui n'en sont pas. La question n'est pas comme pour Hamlet d'être ou de ne pas être, mais d'en être ou de ne pas en être. Tu en es, mon oncle Charlus en est. Que veux-tu ? moi je n'ai jamais aimé ça, ce n'est pas ma faute. »

Bien entendu la règle que j'avais imposée à Saint-Loup, de ne me venir voir que sur un appel de moi, je l'édictai aussi stricte pour n'importe laquelle des personnes avec qui je m'étais peu à peu lié à la Raspelière, à Féterne, à Montsurvent, et ailleurs ; et quand j'apercevais de l'hôtel la fumée du train de trois heures qui dans l'anfractuosité des falaises de Parville laissait son panache stable qui restait longtemps accroché au flanc des pentes vertes, je n'avais aucune hésitation sur le visiteur qui allait venir goûter avec moi et m'était encore, à la façon d'un dieu, dérobé sous ce petit nuage. Je suis obligé d'avouer que ce visiteur, préalablement autorisé par moi à venir, ne fut presque jamais Saniette, et je me le suis bien souvent reproché. Mais la conscience que Saniette avait d'ennuyer (naturellement encore bien plus en venant faire une visite qu'en racontant une histoire) faisait que bien qu'il fût plus instruit, plus intelligent et meilleur que bien d'autres, il semblait impossible d'éprouver auprès de lui, non seulement aucun plaisir, mais autre chose qu'un spleen presque intolérable et qui vous gâtait votre après-midi. Probablement si Saniette avait avoué franchement cet ennui qu'il craignait de causer, on n'eût pas redouté ses visites. L'ennui est un des maux les moins graves qu'on ait à supporter, le sien n'existait peut-être que dans l'imagination des autres, ou lui avait été inoculé grâce à une sorte de suggestion par eux, laquelle avait trouvé prise sur son agréable modestie. Mais il tenait tant à ne pas laisser voir qu'il n'était pas recherché, qu'il n'osait pas s'offrir. Certes il avait raison de ne pas faire comme les gens qui sont si contents de donner des coups de chapeau dans un lieu public, que ne vous ayant pas vu depuis longtemps et vous apercevant dans une loge avec des personnes brillantes qu'ils ne connaissent pas, ils vous jettent un bonjour furtif et retentissant en s'excusant sur le plaisir, sur l'émotion qu'ils ont eus à vous apercevoir, à constater que vous renouez avec les plaisirs, que vous avez bonne mine, etc. Mais Saniette, au contraire, manquait par trop d'audace. Il aurait pu, chez Mme Verdurin ou dans le petit tram, me dire qu'il aurait grand plaisir à venir me voir à Balbec s'il ne craignait pas de me déranger. Une telle proposition ne m'eût pas effrayé. Au contraire il n'offrait rien, mais avec un visage torturé et un regard aussi indestructible qu'un émail cuit, mais dans la composition duquel entrait avec un désir pantelant de vous voir — à moins qu'il ne trouvât quelqu'un d'autre de plus amusant — la volonté de ne pas laisser voir ce désir, il me disait d'un air détaché : « Vous ne savez pas ce que vous faites ces jours-ci ? parce que j'irai sans doute près de Balbec. Mais non cela ne fait rien, je vous le demandais par hasard. » Cet air ne trompait pas, et les signes inverses à l'aide desquels nous exprimons nos sentiments par leur contraire sont d'une lecture si claire qu'on se demande comment il y a encore des gens qui disent par exemple : « J'ai tant d'invitations que je ne sais où donner de la tête » pour dissimuler qu'ils ne sont pas invités. Mais de plus cet air détaché, à cause probablement de ce qui entrait dans sa composition trouble, vous causait ce que n'eût jamais pu faire la crainte de l'ennui ou le franc aveu du désir de vous voir, c'est-à-dire cet espèce de malaise, de répulsion, qui dans l'ordre des relations de simple politesse sociale est l'équivalent de ce qu'est dans l'amour, l'offre déguisée que fait à une dame l'amoureux qu'elle n'aime pas, de la voir le lendemain, tout en protestant qu'il n'y tient pas, ou même pas cette offre, mais une attitude de fausse froideur. Aussitôt émanait de la personne de Saniette je ne sais quoi qui faisait qu'on lui répondait de l'air le plus tendre du monde : « Non, malheureusement, cette semaine, je vous expliquerai… » Et je laissais venir à la place des gens qui étaient loin de le valoir mais qui n'avaient pas son regard chargé de la mélancolie, et sa bouche plissée de toute l'amertume de toutes les visites qu'il avait envie, en la leur taisant, de faire aux uns et aux autres. Malheureusement il était bien rare que Saniette ne rencontrât pas dans le tortillard l'invité qui venait me voir, si même celui-ci ne m'avait pas dit chez les Verdurin : « N'oubliez pas que je vais vous voir jeudi », jour où j'avais précisément dit à Saniette ne pas être libre. De sorte qu'il finissait par imaginer la vie comme remplie de divertissements organisés à son insu, sinon même contre lui. D'autre part, comme on n'est jamais tout un, ce trop discret était maladivement indiscret. La seule fois où par hasard il vint me voir malgré moi, une lettre, je ne sais de qui, traînait sur la table. Au bout d'un instant je vis qu'il n'écoutait que distraitement ce que je lui disais. La lettre, dont il ignorait complètement la provenance, le fascinait et je croyais à tout moment que ses prunelles émaillées allaient se détacher de leur orbite pour rejoindre la lettre quelconque mais que sa curiosité aimantait. On aurait dit un oiseau qui va se jeter fatalement sur un serpent. Finalement il n'y put tenir, la changea de place d'abord comme pour mettre de l'ordre dans ma chambre. Cela ne lui suffisant plus, il la prit, la tourna, la retourna, comme machinalement. Une autre forme de son indiscrétion, c'était que rivé à vous il ne pouvait partir. Comme j'étais souffrant ce jour-là, je lui demandai de reprendre le train suivant et de partir dans une demi-heure. Il ne doutait pas que je souffrisse, mais me répondit : « Je resterai une heure un quart et après je partirai. » Depuis j'ai souffert de ne pas lui avoir dit, chaque fois où je le pouvais, de venir. Qui sait ? Peut-être eussé-je conjuré son mauvais sort, d'autres l'eussent invité pour qui il m'eût immédiatement lâché, de sorte que mes invitations auraient eu le double avantage de lui rendre la joie et de me débarrasser de lui.

Les jours qui suivaient ceux où j'avais reçu, je n'attendais naturellement pas de visites et l'automobile revenait nous chercher, Albertine et moi. Et quand nous rentrions, Aimé sur le premier degré de l'hôtel, ne pouvait s'empêcher, avec des yeux passionnés, curieux et gourmands, de regarder quel pourboire je donnais au chauffeur. J'avais beau enfermer ma pièce ou mon billet dans ma main close, les regards d'Aimé écartaient mes doigts. Il détournait la tête au bout d'une seconde car il était discret, bien élevé et même se contentait lui-même de bénéfices relativement petits. Mais l'argent qu'un autre recevait excitait en lui une curiosité incompressible et lui faisait venir l'eau à la bouche. Pendant ces courts instants il avait l'air attentif et fiévreux d'un enfant qui lit un roman de Jules Verne, ou d'un dîneur assis non loin de vous, dans un restaurant, et qui voyant qu'on vous découpe un faisan que lui-même ne peut pas ou ne veut pas s'offrir, délaisse un instant ses pensées sérieuses pour attacher sur la volaille un regard que font sourire l'amour et l'envie.

Ainsi se succédaient quotidiennement ces promenades en automobile. Mais une fois, au moment où je remontais par l'ascenseur, le lift me dit : « Ce monsieur est venu, il m'a laissé une commission pour vous. » Le lift me dit ces mots d'une voix absolument cassée et en me toussant et crachant à la figure. « Quel rhume que je tiens ! » ajouta-t-il, comme si je n'étais pas capable de m'en apercevoir tout seul. « Le docteur dit que c'est la coqueluche », et il recommença à tousser et à cracher sur moi. « Ne vous fatiguez pas à parler », lui dis-je d'un air de bonté, lequel était feint. Je craignais de prendre la coqueluche qui, avec ma disposition aux étouffements, m'eût été fort pénible. Mais il mit sa gloire, comme un virtuose qui ne veut pas se faire porter malade, à parler et à cracher tout le temps. « Non, ça ne fait rien, dit-il (pour vous peut-être, pensai-je, mais pas pour moi). Du reste je vais bientôt rentrer à Paris (tant mieux pourvu qu'il ne me la passe pas avant). Il paraît, reprit-il, que Paris c'est très superbe. Cela doit être encore plus superbe qu'ici et qu'à Monte-Carlo, quoique des chasseurs, même des clients, et jusqu'à des maîtres d'hôtel qui allaient à Monte-Carlo pour la saison, m'aient souvent dit que Paris était moins superbe que Monte-Carlo. Ils se gouraient peut-être, et pourtant pour être maître d'hôtel il ne faut pas être un imbécile ; pour prendre toutes les commandes, retenir les tables, il en faut une tête ! On m'a dit que c'était encore plus terrible que d'écrire des pièces et des livres. » Nous étions presque arrivés à mon étage quand le lift me fit redescendre jusqu'en bas parce qu'il trouvait que le bouton fonctionnait mal, et en un clin d'œil il l'arrangea. Je lui dis que je préférais remonter à pied, ce qui voulait dire et cacher que je préférais ne pas prendre la coqueluche. Mais d'un accès de toux cordial et contagieux, le lift me rejeta dans l'ascenseur. « Ça ne risque plus rien, maintenant, j'ai arrangé le bouton. » Voyant qu'il ne cessait pas de parler, préférant connaître le nom du visiteur et la commission qu'il avait laissée, au parallèle entre les beautés de Balbec, Paris et Monte-Carlo, je lui dis (comme à un ténor qui vous excède avec Benjamin

Godard[56] : Chantez-moi de préférence du Debussy) : « Mais, qui est-ce qui est venu pour me voir ? » — « C'est le monsieur avec qui vous êtes sorti hier. Je vais aller chercher sa carte qui est chez mon concierge. » Comme la veille j'avais déposé Robert de Saint-Loup à la station de Doncières, avant d'aller chercher Albertine, je crus que le lift voulait parler de Saint-Loup, mais c'était le chauffeur. Et en le désignant par ces mots : « Le monsieur avec qui vous êtes sorti », il m'apprenait par la même occasion qu'un ouvrier est tout aussi bien un monsieur que ne l'est un homme du monde. Leçon de mots seulement. Car pour la chose je n'avais jamais fait de distinction entre les classes. Et si j'avais, à entendre appeler un chauffeur un monsieur, le même étonnement que le comte X qui ne l'était que depuis huit jours et à qui, ayant dit : « la Comtesse a l'air fatiguée », je fis tourner la tête derrière lui pour voir de qui je voulais parler, c'était simplement par manque d'habitude du vocabulaire ; je n'avais jamais fait de différence entre les ouvriers, les bourgeois et les grands seigneurs, et j'aurais pris indifféremment les uns et les autres pour amis, avec une certaine préférence pour les ouvriers, et après cela pour les grands seigneurs, non par goût, mais sachant qu'on peut exiger d'eux plus de politesse envers les ouvriers qu'on ne l'obtient de la part des bourgeois, soit que les grands seigneurs ne dédaignent pas les ouvriers comme font les bourgeois, ou bien parce qu'ils sont volontiers polis envers n'importe qui, comme les jolies femmes heureuses de donner un sourire qu'elles savent accueilli avec tant de joie. Je ne peux du reste pas dire que cette façon que j'avais de mettre les gens du peuple sur le pied d'égalité avec les gens du monde, si elle fût très bien admise de ceux-ci, satisfît en revanche toujours pleinement ma mère. Non qu'humainement elle fît une différence quelconque entre les êtres, et si jamais Françoise avait du chagrin ou était souffrante, elle était toujours consolée et soignée par maman avec la même amitié, avec le même dévouement que sa meilleure amie. Mais ma mère était trop la fille de mon grand-père pour ne pas faire socialement acception des castes. Les gens de Combray avaient beau avoir du cœur, de la sensibilité, acquérir les plus belles théories sur l'égalité humaine, ma mère, quand un valet de chambre s'émancipait, disait une fois « vous », et glissait insensiblement à ne plus me parler à la troisième personne, avait de ces usurpations le même mécontentement qui éclate dans les *Mémoires* de Saint-Simon chaque fois qu'un seigneur qui n'y a pas droit saisit un prétexte de prendre la qualité d'« Altesse » dans un acte authentique, ou de ne pas rendre aux ducs ce qu'il leur devait et ce dont peu à peu il se dispense. Il y avait un « esprit de Combray » si réfractaire qu'il faudra des siècles de bonté (celle de ma mère était infinie), de théories égalitaires, pour arriver à le dissoudre. Je ne peux pas dire que chez ma mère certaines parcelles de cet esprit ne fussent pas restées insolubles. Elle eût donné aussi difficilement la main à un valet de chambre qu'elle lui donnait aisément dix francs (lesquels lui faisaient du reste beaucoup plus de plaisir). Pour elle, qu'elle l'avouât ou non, les maîtres étaient les maîtres et les domestiques étaient les gens qui mangeaient à la cuisine. Quand elle voyait un chauffeur d'automobile dîner avec moi dans la salle à manger, elle n'était pas absolument contente et me disait : « il me semble que tu pourrais avoir mieux comme ami qu'un mécanicien », comme elle aurait dit, s'il se fût agi de mariage : « Tu pourrais trouver mieux comme parti. » Le chauffeur (heureusement je ne songeai jamais à inviter celui-là) était venu me dire que la Compagnie d'autos qui l'avait envoyé à Balbec pour la saison lui faisait rejoindre Paris dès le lendemain. Cette raison, d'autant plus que le chauffeur était charmant et s'exprimait si simplement qu'on eût toujours dit paroles d'Évangile, nous sembla devoir être conforme à la vérité. Elle ne l'était qu'à demi. Il n'y avait en effet plus rien à faire à Balbec. Et en tous cas la Compagnie n'ayant qu'à demi confiance dans la véracité du jeune évangéliste, appuyé sur sa roue de consécration, désirait qu'il revînt au plus vite à Paris. Et en effet si le jeune apôtre accomplissait miraculeusement la multiplication des kilomètres quand il les comptait à M. de Charlus, en revanche dès qu'il s'agissait de rendre compte à sa Compagnie, il divisait par six ce qu'il avait gagné. En conclusion de quoi la Compagnie pensant, ou bien que personne ne faisait plus de promenades à Balbec, ce que la saison rendait vraisemblable, soit qu'elle était volée, trouvait dans l'une et l'autre hypothèse que le mieux était de le rappeler à Paris où on ne faisait d'ailleurs pas grand-chose. Le désir du chauffeur était d'éviter si possible la morte saison. J'ai dit — ce que j'ignorais alors et ce dont la connaissance m'eût évité bien des chagrins — qu'il était très lié (sans qu'ils eussent jamais l'air de se connaître devant les autres) avec Morel. A partir du jour où il fut rappelé sans savoir encore qu'il avait un moyen de ne pas partir, nous dûmes nous contenter pour nos promenades de louer une voiture, ou quelquefois, pour distraire Albertine et comme elle aimait l'équitation, des chevaux de selle. Les voitures étaient mauvaises. « Quel tacot ! » disait Albertine. J'aurais d'ailleurs souvent aimé d'y être seul. Sans vouloir me fixer une date je souhaitais que prît fin cette vie à laquelle je reprochais de me faire renoncer, non pas même tant au travail qu'au plaisir. Pourtant il arrivait aussi que les habitudes qui me retenaient fussent soudain abolies, le plus souvent quand quelque ancien moi, plein du désir de vivre avec allégresse, remplaçait pour un instant le moi actuel. J'éprouvai notamment ce désir d'évasion un jour qu'ayant laissé Albertine chez sa tante, j'étais allé à cheval voir les Verdurin et que j'avais pris dans les bois une route sauvage dont ils m'avaient vanté la beauté. Épousant les formes de la falaise, tour à tour elle montait, puis resserrée entre des bouquets d'arbres épais, elle s'enfonçait en gorges sauvages. Un instant, les rochers dénudés dont j'étais entouré, la mer qu'on apercevait par leurs déchirures, flottèrent devant mes yeux, comme des fragments d'un autre univers : j'avais reconnu le paysage montagneux et marin qu'Elstir a donné pour cadre à ces deux admirables aquarelles : « Poète rencontrant une

Muse », « Jeune homme rencontrant un Centaure » que j'avais vues chez la Duchesse de Guermantes. Leur souvenir replaçait les lieux où je me trouvais tellement en dehors du monde actuel que je n'aurais pas été étonné si comme le jeune homme de l'âge antéhistorique que peint Elstir, j'avais au cours de ma promenade croisé un personnage mythologique. Tout à coup mon cheval se cabra ; il avait entendu un bruit singulier, j'eus peine à le maîtriser et à ne pas être jeté à terre, puis je levai vers le point d'où semblait venir ce bruit mes yeux pleins de larmes, et je vis à une cinquantaine de mètres au-dessus de moi, dans le soleil, entre deux grandes ailes d'acier étincelant qui l'emportaient, un être dont la figure peu distincte me parut ressembler à celle d'un homme. Je fus aussi ému que pouvait l'être un Grec qui voyait pour la première fois un demi-dieu. Je pleurais aussi, car j'étais prêt à pleurer du moment que j'avais reconnu que le bruit venait d'au-dessus de ma tête — les aéroplanes étaient encore rares à cette époque — à la pensée que ce que j'allais voir pour la première fois c'était un aéroplane. Alors comme quand on sent venir dans un journal une parole émouvante, je n'attendais que d'avoir aperçu l'avion pour fondre en larmes. Cependant l'aviateur sembla hésiter sur sa voie ; je sentais ouvertes devant lui — devant moi si l'habitude ne m'avait pas fait prisonnier — toutes les routes de l'espace, de la vie ; il poussa plus loin, plana quelques instants, au-dessus de la mer, puis prenant brusquement son parti, semblant céder à quelque attraction inverse de celle de la pesanteur, comme retournant dans sa patrie, d'un léger mouvement de ses ailes d'or, il piqua droit vers le ciel.

Pour revenir au mécanicien, il demanda non seulement à Morel que les Verdurin remplaçassent leur break par une auto (ce qui, étant donné la générosité des Verdurin à l'égard des fidèles, était relativement facile), mais chose plus malaisée, leur principal cocher, le jeune homme sensible et porté aux idées noires par lui, le chauffeur. Cela fut exécuté en quelques jours de la façon suivante. Morel avait commencé par faire voler au cocher tout ce qui lui était nécessaire pour atteler. Un jour il ne trouvait pas le mors, un jour la gourmette. D'autres fois c'était son coussin de siège qui avait disparu, jusqu'à son fouet, sa couverture, le martinet, l'éponge, la peau de chamois. Mais il s'arrangea toujours avec des voisins ; seulement il arrivait en retard, ce qui agaçait contre lui M. Verdurin et le plongeait dans un état de tristesse et d'idées noires. Le chauffeur, pressé d'entrer, déclara à Morel qu'il allait revenir à Paris. Il fallait frapper un grand coup. Morel persuada aux domestiques de M. Verdurin que le jeune cocher avait déclaré qu'il les ferait tous tomber dans un guet-apens et se faisait fort d'avoir raison d'eux six et il leur dit qu'ils ne pouvaient pas laisser passer cela. Pour sa part il ne pouvait pas s'en mêler, mais les prévenait afin qu'ils prissent les devants. Il fut convenu que pendant que M. et Mme Verdurin et leurs amis seraient en promenade, ils tomberaient tous à l'écurie sur le jeune homme. Je rapporterai, bien que ce ne fût que l'occasion de ce qui allait avoir lieu, mais parce que les personnages m'ont intéressé plus tard, qu'il y avait ce jour-là un ami des Verdurin en villégiature chez eux et à qui on voulait faire faire une promenade à pied avant son départ fixé au soir même.

Ce qui me surprit beaucoup quand on partit en promenade, c'est que ce jour-là Morel qui venait avec nous en promenade à pied, où il devait jouer du violon dans les arbres, me dit : « Écoutez, j'ai mal au bras, je ne veux pas le dire à Mme Verdurin, mais priez-la d'emmener un de ses valets, par exemple Howsler, il portera mes instruments. » — « Je crois qu'un autre serait mieux choisi, répondis-je. On a besoin de lui pour le dîner. » Une expression de colère passa sur le visage de Morel. « Mais non, je ne veux pas confier mon violon à n'importe qui. » Je compris plus tard la raison de cette préférence. Howsler était le frère très aimé du jeune cocher et s'il était resté à la maison, aurait pu lui porter secours. Pendant la promenade, assez bas pour que Howsler aîné ne pût nous entendre : « Voilà un bon garçon, dit Morel. Du reste son frère l'est aussi. S'il n'avait pas cette funeste habitude de boire... » — « Comment, boire ? » dit Mme Verdurin, pâlissant à l'idée d'avoir un cocher qui buvait. « Vous ne vous en apercevez pas. Je me dis toujours que c'est un miracle qu'il ne lui soit pas arrivé d'accident pendant qu'il vous conduisait. » — « Mais il conduit donc d'autres personnes ? » — « Vous n'avez qu'à voir combien de fois il a versé, il a aujourd'hui la figure pleine d'ecchymoses. Je ne sais pas comment il ne s'est pas tué, il a cassé ses brancards. » — « Je ne l'ai pas vu aujourd'hui, dit Mme Verdurin tremblante à la pensée de ce qui aurait pu lui arriver à elle, vous me désolez. » Elle voulut abréger la promenade pour rentrer, Morel choisit un air de Bach avec des variations infinies pour la faire durer. Dès le retour elle alla à la remise, vit le brancard neuf et Howsler en sang. Elle allait lui dire, sans lui faire aucune observation, qu'elle n'avait plus besoin de cocher et lui remettre de l'argent, mais de lui-même, ne voulant pas accuser ses camarades à l'animosité de qui il attribuait rétrospectivement le vol quotidien de toutes les selles, etc., et voyant que sa patience ne conduisait qu'à se faire laisser pour mort sur le carreau, il demanda à s'en aller, ce qui arrangea tout. Le chauffeur entra le lendemain et, plus tard, Mme Verdurin (qui avait été obligé d'en prendre un autre) fut si satisfaite de lui, qu'elle me le recommanda chaleureusement comme homme d'absolue confiance. Moi qui ignorais tout, je le pris à la journée à Paris, mais je n'ai que trop anticipé, tout cela se retrouvera dans l'histoire d'Albertine. En ce moment nous sommes à la Raspelière où je viens dîner pour la première fois avec mon amie, et M. de Charlus avec Morel, fils supposé d'un « intendant » qui gagnait trente mille francs par an de fixe, avait une voiture et nombre de majordomes subalternes, de jardiniers, de régisseurs et de fermiers sous ses ordres. Mais puisque j'ai tellement anticipé, je ne veux cependant pas laisser le lecteur sous l'impression d'une méchanceté absolue qu'aurait eue Morel. Il était plutôt plein de contradictions, capable à certains jours d'une gentillesse véritable.

Je fus naturellement bien étonné d'apprendre que le cocher avait été mis à la porte, et bien plus de reconnaître dans son remplaçant, le chauffeur qui nous avait promenés, Albertine et moi. Mais il me débita une histoire compliquée, selon laquelle il était censé être rentré à Paris d'où on l'avait demandé pour les Verdurin, et je n'eus pas une seconde de doute. Le renvoi du cocher fut cause que Morel causa un peu avec moi, afin de m'exprimer sa tristesse relativement au départ de ce brave garçon. Du reste, même en dehors des moments où j'étais seul et où il bondissait littéralement vers moi avec une expansion de joie, Morel, voyant que tout le monde me faisait fête à la Raspelière et sentant qu'il s'excluait volontairement de la familiarité de quelqu'un qui était sans danger pour lui, puisqu'il m'avait fait couper les ponts et ôté toute possibilité d'avoir envers lui des airs protecteurs (que je n'avais d'ailleurs nullement songé à prendre), cessa de se tenir éloigné de moi. J'attribuai son changement d'attitude à l'influence de M. de Charlus, laquelle en effet le rendait sur certains points, moins borné, plus artiste, mais sur d'autres où il appliquait à la lettre les formules éloquentes, mensongères, et d'ailleurs momentanées du maître, le bêtifiait encore davantage. Ce qu'avait pu lui dire M. de Charlus, ce fut en effet la seule chose que je supposai. Comment aurais-je pu deviner alors ce qu'on me dit ensuite (et dont je n'ai jamais été certain, les affirmations d'Andrée sur tout ce qui touchait Albertine, surtout plus tard, m'ayant toujours semblé fort sujettes à caution car, comme nous l'avons vu autrefois, elle n'aimait pas sincèrement mon amie et était jalouse d'elle), ce qui en tous cas, si c'était vrai, me fut remarquablement caché par tous les deux : qu'Albertine connaissait beaucoup Morel ? La nouvelle attitude que, vers ce moment du renvoi du cocher, Morel adopta à mon égard, me permit de changer d'avis sur son compte. Je gardai de son caractère la vilaine idée que m'en avait fait concevoir la bassesse que ce jeune homme m'avait montrée quand il avait eu besoin de moi, suivie, tout aussitôt le service rendu, d'un dédain jusqu'à sembler ne pas me voir. A cela il fallait l'évidence de ses rapports de vénalité avec M. de Charlus, et aussi des instincts de bestialité sans suite dont la non-satisfaction (quand cela arrivait), ou les complications qu'ils entraînaient, causaient ses tristesses ; mais ce caractère n'était pas si uniformément laid et était plein de contradictions. Il ressemblait à un vieux livre du Moyen Age, plein d'erreurs, de traditions absurdes, d'obscénités, il était extraordinairement composite. J'avais cru d'abord que son art, où, il était vraiment passé maître, lui avait donné des supériorités qui dépassaient la virtuosité de l'exécutant. Une fois que je disais mon désir de me mettre au travail : « Travaillez, devenez illustre », me dit-il. « De qui est cela ? » lui demandai-je. « De Fontanes à Chateaubriand[57]. » Il connaissait aussi une correspondance amoureuse de Napoléon. Bien, pensai-je, il est lettré. Mais cette phrase qu'il avait lue je ne sais pas où, était sans doute la seule qu'il connût de toute la littérature ancienne et moderne, car il me la répétait chaque soir. Une autre qu'il répétait davantage pour m'empêcher de rien dire de lui à personne, c'était celle-ci, qu'il croyait également littéraire, qui est à peine française ou du moins n'offre aucune espèce de sens, sauf peut-être pour un domestique cachottier : « Méfions-nous des méfiants. » Au fond en allant de cette stupide maxime jusqu'à la phrase de Fontanes à Chateaubriand, on eût parcouru toute une partie, variée mais moins contradictoire qu'il ne semble, du caractère de Morel. Ce garçon qui, pour peu qu'il y trouvât de l'argent, eût fait n'importe quoi, et sans remords — peut-être pas sans une contrariété bizarre, allant jusqu'à la surexcitation nerveuse, mais à laquelle le nom de remords irait fort mal — qui eût, s'il y trouvait son intérêt, plongé dans la peine, voire dans le deuil, des familles entières, ce garçon qui mettait l'argent au-dessus de tout, et sans parler de bonté, au-dessus des sentiments de simple humanité les plus naturels, ce même garçon mettait pourtant au-dessus de l'argent son diplôme de 1er prix du Conservatoire et qu'on ne pût tenir aucun propos désobligeant sur lui à la classe de flûte ou de contrepoint. Aussi ses plus grandes colères, ses plus sombres et plus injustifiables accès de mauvaise humeur venaient-ils de ce qu'il appelait (en généralisant sans doute quelques cas particuliers où il avait rencontré des malveillants) la fourberie universelle. Il se flattait d'y échapper en ne parlant jamais de personne, en cachant son jeu, en se méfiant de tout le monde. (Pour mon malheur, à cause de ce qui devait en résulter après mon retour à Paris, sa méfiance n'avait pas « joué » à l'égard du chauffeur de Balbec, en qui il avait sans doute reconnu un pareil, c'est-à-dire contrairement à sa maxime, un méfiant dans la bonne acception du mot, un méfiant qui se tait obstinément devant les honnêtes gens et a tout de suite partie liée avec une crapule.) Il lui semblait — et ce n'était pas absolument faux — que cette méfiance lui permettrait de tirer toujours son épingle du jeu, de glisser, insaisissable, à travers les plus dangereuses aventures, et sans qu'on pût rien, non pas même prouver, mais avancer contre lui, dans l'établissement de la rue Bergère. Il travaillerait, deviendrait illustre, serait peut-être un jour, avec une respectabilité intacte, maître du jury de violon, aux concours de ce prestigieux Conservatoire.

Mais c'est peut-être encore trop de logique dans la cervelle de Morel que d'y faire sortir les unes des autres les contradictions. En réalité sa nature était vraiment comme un papier sur lequel on a fait tant de plis dans tous les sens qu'il est impossible de s'y retrouver. Il semblait avoir des principes assez élevés et avec une magnifique écriture, déparée par les plus grossières fautes d'orthographe, passait des heures à écrire à son frère qu'il avait mal agi avec ses sœurs, qu'il était leur aîné, leur appui, à ses sœurs qu'elles avaient commis une inconvenance vis-à-vis de lui-même.

Bientôt même, l'été finissant, quand on descendait du train à Douville, le soleil amorti par la brume n'était déjà plus dans le ciel uniformément mauve qu'un bloc rouge. A la grande paix qui descend le soir sur ces prés drus et salins et qui avait conseillé à beaucoup de Parisiens, peintres pour la plupart, d'aller villégiaturer à Douville, s'ajoutait une humidité qui les faisait rentrer de bonne heure dans leurs petits chalets. Dans plusieurs de ceux-ci la lampe était déjà allumée. Seules quelques vaches restaient dehors à regarder la mer en meuglant, tandis que d'autres s'intéressant plus à l'humanité tournaient leur attention vers nos voitures. Seul un peintre qui avait dressé son chevalet sur une mince éminence travaillait à essayer de rendre ce grand calme, cette lumière apaisée. Peut-être les vaches allaient-elles lui servir inconsciemment et bénévolement de modèles, car leur air contemplatif et leur présence solitaire quand les humains sont rentrés, contribuaient à leur manière à la puissante impression de repos que dégage le soir. Et quelques semaines plus tard, la transposition ne fut pas moins agréable quand, l'automne s'avançant, les jours devinrent tout à fait courts et qu'il fallut faire ce voyage dans la nuit. Si j'avais été faire un tour dans l'après-midi, il fallait rentrer au plus tard s'habiller à cinq heures, où maintenant le soleil rond et rouge était déjà descendu au milieu de la glace oblique, jadis détestée, et comme quelque feu grégeois, incendiait la mer dans les vitres de toutes mes bibliothèques. Quelque geste incantateur ayant suscité, pendant que je passais mon smoking, le moi alerte et frivole qui était le mien quand j'allais avec Saint-Loup dîner à Rivebelle et le soir où j'avais cru emmener Mlle de Stermaria dîner dans l'île du Bois, je fredonnais inconsciemment le même air qu'alors ; et c'est seulement en m'en apercevant qu'à la chanson je reconnaissais le chanteur intermittent, lequel en effet ne savait que celle-là. La première fois que je l'avais chantée, je commençais d'aimer Albertine, mais je croyais que je ne la connaîtrais jamais. Plus tard à Paris, c'était quand j'avais cessé de l'aimer et quelques jours après l'avoir possédée pour la première fois. Maintenant c'était en l'aimant de nouveau et au moment d'aller dîner avec elle, au grand regret du directeur qui croyait que je finirais par habiter la Raspelière et lâcher son hôtel, et qui assurait avoir entendu dire qu'il régnait par là des fièvres dues aux marais du Bec et à leurs eaux « accroupies ». J'étais heureux de cette multiplicité que je voyais ainsi à ma vie déployée sur trois plans ; et puis, quand on redevient pour un instant un homme ancien, c'est-à-dire différent de celui qu'on est depuis longtemps, la sensibilité n'étant plus amortie par l'habitude reçoit des moindres chocs des impressions si vives qui font pâlir tout ce qui les a précédées et auxquelles à cause de leur intensité nous nous attachons avec l'exaltation passagère d'un ivrogne. Il faisait déjà nuit quand nous montions dans l'omnibus ou la voiture qui allait nous mener à la gare prendre le petit chemin de fer. Et dans le hall le premier président nous disait : « Ah ! vous allez à la Raspelière ! Sapristi, elle a du toupet, Mme Verdurin, de vous faire faire une heure de chemin de fer dans la nuit, pour dîner seulement. Et puis recommencer le trajet à dix heures du soir dans un vent de tous les diables. On voit bien qu'il faut que vous n'ayez rien à faire », ajoutait-il en se frottant les mains. Sans doute parlait-il ainsi par mécontentement de ne pas être invité et aussi à cause de la satisfaction qu'ont les hommes « occupés » — fût-ce par le travail le plus sot — de « ne pas avoir le temps » de faire ce que vous faites.

Certes il est légitime que l'homme qui rédige des rapports, aligne des chiffres, répond à des lettres d'affaires, suit les cours de la Bourse, éprouve quand il vous dit en ricanant : « C'est bon pour vous qui n'avez rien à faire », un agréable sentiment de sa supériorité. Mais celle-ci s'affirmerait tout aussi dédaigneuse, davantage même (car dîner en ville l'homme occupé le fait aussi) si votre divertissement était d'écrire *Hamlet* ou seulement de lire. En quoi les hommes occupés manquent de réflexion. Car la culture désintéressée qui leur paraît comique passe-temps d'oisifs quand ils la surprennent au moment qu'on la pratique, ils devraient songer que c'est la même qui dans leur propre métier met hors de pair des hommes qui ne sont peut-être pas meilleurs magistrats ou administrateurs qu'eux, mais devant l'avancement rapide desquels ils s'inclinent en disant : « Il paraît que c'est un grand lettré, un individu tout à fait distingué. » Mais surtout le premier président ne se rendait pas compte que ce qui me plaisait dans ces dîners à la Raspelière, c'est que, comme il le disait avec raison, quoique par critique, ils « représentaient un vrai voyage », un voyage dont le charme me paraissait d'autant plus vif qu'il n'était pas son but à lui-même, qu'on n'y cherchait nullement le plaisir, celui-ci étant affecté à la réunion vers laquelle on se rendait et qui ne laissait pas d'être fort modifié par toute l'atmosphère qui l'entourait. Il faisait déjà nuit maintenant quand j'échangeais la chaleur de l'hôtel — de l'hôtel devenu mon foyer — pour le wagon où nous montions avec Albertine et où le reflet de la lanterne sur la vitre apprenait, à certains arrêts du petit train poussif, qu'on était arrivé à une gare. Pour ne pas risquer que Cottard ne nous aperçût pas, et n'ayant pas entendu crier la station, j'ouvrais la portière, mais ce qui se précipitait dans le wagon ce n'était pas les fidèles, mais le vent, la pluie, le froid. Dans l'obscurité je distinguais les champs, j'entendais la mer, nous étions en rase campagne. Albertine, avant que nous rejoignions le petit noyau, se regardait dans un petit miroir, extrait d'un nécessaire en or qu'elle emportait avec elle. En effet les premières fois, Mme Verdurin l'ayant fait monter dans son cabinet de toilette pour qu'elle s'arrangeât avant le dîner, j'avais, au sein du calme profond où je vivais depuis quelque temps, éprouvé un petit mouvement d'inquiétude et de jalousie à être obligé de laisser Albertine au pied de l'escalier, et je m'étais senti si anxieux pendant que j'étais seul au salon, au milieu du petit clan et me demandais ce que mon amie faisait en haut, que j'avais le lendemain, par dépêche, après avoir demandé des indications à M. de Charlus sur ce qui se faisait de plus élégant, commandé chez Cartier un nécessaire[58] qui était la joie d'Albertine et aussi la mienne. Il était pour moi un gage de calme et aussi de la sollicitude de mon amie. Car elle avait certainement deviné que je n'aimais pas qu'elle restât sans moi chez Mme Verdurin et s'arrangeait à faire en wagon toute la toilette préalable au dîner.

Au nombre des habitués de Mme Verdurin, et le plus fidèle de tous, comptait maintenant depuis plusieurs mois M. de Charlus. Régulièrement, trois fois par semaine, les voyageurs qui stationnaient dans les salles d'attente ou sur le quai de Doncières-Ouest voyaient passer ce gros homme aux cheveux gris, aux moustaches noires, les lèvres rougies d'un fard qui se remarque moins à la fin de la saison que l'été où le grand jour le rendait plus cru et la chaleur à demi liquide. Tout en se dirigeant vers le petit chemin de fer, il ne pouvait s'empêcher (seulement par habitude de connaisseur, puisque maintenant il avait un sentiment qui le rendait chaste ou du moins, la plupart du temps, fidèle) de jeter sur les hommes de peine, les militaires, les jeunes gens en costume de tennis, un regard furtif à la fois inquisitorial et timoré, après lequel il baissait aussitôt ses paupières sur ses yeux presque clos avec l'onction d'un ecclésiastique en train de dire son chapelet, avec la réserve d'une épouse vouée à son unique amour ou d'une jeune fille bien élevée. Les fidèles étaient d'autant plus persuadés qu'il ne les avait pas vus, qu'il montait dans un compartiment autre que le leur (comme faisait souvent aussi la Princesse Sherbatoff), en homme qui ne sait point si l'on sera content ou non d'être vu avec lui et qui vous laisse la faculté de venir le trouver si vous en avez l'envie. Celle-ci n'avait pas été éprouvée les toutes premières fois par le docteur qui avait voulu que nous le laissions seul dans son compartiment. Portant beau son caractère hésitant depuis qu'il avait une grande situation médicale, c'est en souriant, en se renversant en arrière, en regardant Ski par-dessus le lorgnon, qu'il dit par malice ou pour surprendre de biais l'opinion des camarades : « Vous comprenez si j'étais seul, garçon..., mais à cause de ma femme, je me demande si je peux le laisser voyager avec nous après ce que vous m'avez dit », chuchota le docteur. « Qu'est-ce que tu dis ? » demanda Mme Cottard. « Rien, cela ne te regarde pas, ce n'est pas pour les femmes », répondit en clignant de l'œil le docteur avec une majestueuse satisfaction de lui-même qui tenait le milieu entre l'air pince-sans-rire qu'il gardait devant ses élèves et ses malades et l'inquiétude qui accompagnait jadis ses traits d'esprit chez les Verdurin, et il continua à parler tout bas. Mme Cottard ne distingua que les mots « de la confrérie » et « tapette » et comme dans le langage du docteur le premier désignait la race juive et le second les langues bien pendues, Mme Cottard conclut que M. de Charlus devait être un Israélite bavard. Elle ne comprit pas qu'on tînt le Baron à l'écart à cause de cela, trouva de son devoir de doyenne du clan d'exiger qu'on ne le laissât pas seul et nous nous acheminâmes tous vers le compartiment de M. de Charlus, guidés par Cottard, toujours perplexe. Du coin où il lisait un volume de Balzac, M. de Charlus perçut cette hésitation ; il n'avait pourtant pas levé les yeux. Mais comme les sourds-muets reconnaissent à un courant d'air insensible pour les autres, que quelqu'un arrive derrière eux, il avait pour être averti de la froideur qu'on avait à son égard, une véritable hyperacuité sensorielle. Celle-ci, comme elle a coutume de faire dans tous les domaines, avait engendré chez M. de Charlus des souffrances imaginaires. Comme ces névropathes qui, sentant une légère fraîcheur, induisent qu'il doit y avoir une fenêtre ouverte à l'étage au-dessus, entrent en fureur et commencent à éternuer, M. de Charlus, si une personne avait devant lui montré un air préoccupé, concluait qu'on avait répété à cette personne un propos qu'il avait tenu sur elle. Mais il n'y avait même pas besoin qu'on eût l'air distrait, ou l'air sombre, ou l'air rieur, il les inventait. En revanche la cordialité lui masquait aisément les médisances qu'il ne connaissait pas. Ayant deviné la première fois l'hésitation de Cottard, si au grand étonnement des fidèles qui ne se croyaient pas aperçus encore par le liseur aux yeux baissés, il leur tendit la main quand ils furent à distance convenable, il se contenta d'une inclinaison de tout le corps aussitôt vivement redressé pour Cottard, sans prendre avec sa main gantée de Suède la main que le docteur lui avait tendue. « Nous avons tenu absolument à faire route avec vous, Monsieur, et à ne pas vous laisser comme cela seul dans votre petit coin. C'est un grand plaisir pour nous », dit avec bonté Mme Cottard au Baron. « Je suis très honoré », récita le Baron en s'inclinant d'un air froid. « J'ai été très heureuse d'apprendre que vous aviez définitivement choisi ce pays pour y fixer vos tabern... » Elle allait dire tabernacles, mais ce mot lui sembla hébraïque et désobligeant pour un juif qui pourrait y voir une allusion. Aussi se reprit-elle pour choisir une autre des expressions qui lui étaient familières, c'est-à-dire une expression solennelle « pour y fixer, je voulais dire " vos pénates " (il est vrai que ces divinités n'appartiennent pas à la religion chrétienne non plus, mais à une qui est morte depuis si longtemps qu'elle n'a plus d'adeptes qu'on puisse craindre de froisser). Nous, malheureusement, avec la rentrée des classes, le service d'hôpital du docteur, nous ne pouvons jamais bien longtemps élire domicile dans un même endroit ». Et lui montrant un carton : « Voyez d'ailleurs comme nous autres femmes nous sommes moins heureuses que le sexe fort, pour aller aussi près que chez nos amis Verdurin, nous sommes obligées d'emporter avec nous toute une gamme d'impedimenta. » Moi je regardais pendant ce temps-là le volume de Balzac du Baron. Ce n'était pas un exemplaire broché, acheté au hasard comme le volume de Bergotte qu'il m'avait prêté la première année. C'était un livre de sa bibliothèque et comme tel portant la devise : « Je suis au Baron de Charlus », à laquelle faisaient place parfois, pour montrer le goût studieux des Guermantes : « *In prœliis non semper* », et une autre encore : « *Non sine labore*[59]. » Mais nous les verrons bientôt remplacées par d'autres, pour tâcher de plaire à Morel. Mme Cottard, au bout d'un instant, prit un sujet qu'elle trouvait plus personnel au Baron. « Je ne sais pas si vous êtes de mon avis, Monsieur, lui dit-elle au bout d'un instant, mais je suis très large d'idées et selon moi, pourvu qu'on les pratique sincèrement, toutes les religions sont bonnes. Je ne suis pas comme les gens que la vue d'un… protestant rend hydrophobes. » — « On m'a appris que la mienne était la vraie », répondit M. de Charlus. « C'est un fanatique », pensa Mme Cottard, Swann, sauf sur la fin, était plus tolérant, il est vrai qu'il était converti. Or tout au contraire, le Baron était non seulement chrétien comme on le sait, mais pieux à la façon du Moyen Age. Pour lui, comme pour les sculpteurs du XIIIe siècle, l'Église chrétienne était, au sens vivant du mot, peuplée d'une foule d'êtres, crus parfaitement réels, prophètes, apôtres, anges, saints personnages de toute sorte, entourant le Verbe incarné, sa mère et son époux, le Père Éternel, tous les martyrs et docteurs, tels que leur peuple en plein relief, chacun d'eux se presse au porche ou remplit le vaisseau des cathédrales. Entre eux tous M. de Charlus avait choisi comme patrons intercesseurs les archanges Michel, Gabriel et Raphaël avec lesquels il avait de fréquents entretiens pour qu'ils communiquassent ses prières au Père Éternel, devant le trône de qui ils se tiennent. Aussi l'erreur de Mme Cottard m'amusa-t-elle beaucoup.

Pour quitter le terrain religieux, disons que le docteur, venu à Paris avec le maigre bagage de conseils d'une mère paysanne, puis absorbé par les études presque purement matérielles, auxquelles ceux qui veulent pousser loin leur carrière médicale sont obligés de se consacrer pendant un grand nombre d'années, ne s'était jamais cultivé, il avait acquis plus d'autorité, mais non pas d'expérience, il prit à la lettre ce mot d'« honoré », en fut à la fois satisfait parce qu'il était vaniteux et affligé parce qu'il était bon garçon. « Ce pauvre de Charlus, dit-il le soir à sa femme, il m'a fait de la peine quand il m'a dit qu'il était honoré de voyager avec nous. On sent, le pauvre diable, qu'il n'a pas de relations, qu'il s'humilie. »

Bientôt sans avoir besoin d'être guidés par la charitable Mme Cottard, les fidèles avaient réussi à dominer la gêne qu'ils avaient tous plus ou moins éprouvée au début, à se trouver à côté de M. de Charlus. Sans doute en sa présence ils gardaient sans cesse à l'esprit le souvenir des révélations de Ski et l'idée de l'étrangeté sexuelle qui était incluse en leur compagnon de voyage. Mais cette étrangeté même exerçait sur eux une espèce d'attrait. Elle donnait pour eux à la conversation du Baron, d'ailleurs remarquable mais en des parties qu'ils ne pouvaient guère apprécier, une saveur qui faisait paraître à côté la conversation des plus intéressants, de Brichot lui-même, comme un peu fade. Dès le début d'ailleurs, on s'était plu à reconnaître qu'il était intelligent. « Le génie peut être voisin de la folie », énonçait le docteur et si la Princesse, avide de s'instruire, insistait, il n'en disait pas plus, cet axiome étant tout ce qu'il savait sur le génie et ne lui paraissant pas d'ailleurs aussi démontré que tout ce qui a trait à la fièvre typhoïde et à l'arthritisme. Et comme il était devenu superbe et resté mal élevé : « Pas de questions, Princesse, ne m'interrogez pas, je suis au bord de la mer pour me reposer. D'ailleurs vous ne me comprendriez pas, vous ne savez pas la médecine. » Et la Princesse se taisait en s'excusant, trouvant Cottard un homme charmant et comprenant que les célébrités ne sont pas toujours abordables. A cette première période on avait donc fini par trouver M. de Charlus intelligent malgré son vice (ou ce que l'on nomme généralement ainsi). Maintenant c'était sans s'en rendre compte à cause de ce vice qu'on le trouvait plus intelligent que les autres. Les maximes les plus simples que, adroitement provoqué par l'universitaire ou le sculpteur, M. de Charlus énonçait sur l'amour, la jalousie, la beauté, à cause de l'expérience singulière, secrète, raffinée et monstrueuse, où il les avait puisées, prenaient pour les fidèles ce charme du dépaysement qu'une psychologie, analogue à celle que nous a offert de tout temps notre littérature dramatique, revêt dans une pièce russe ou japonaise, jouée par des artistes de là-bas. On risquait encore, quand il n'entendait pas, une mauvaise plaisanterie : « Oh ! chuchotait le sculpteur en voyant un jeune employé aux longs cils de bayadère et que M. de Charlus n'avait pu s'empêcher de dévisager, si le Baron se met à faire de l'œil au contrôleur, nous ne sommes pas prêts d'arriver, le train va aller à reculons. Regardez-moi la manière dont il le regarde, ce n'est plus un petit chemin de fer où nous sommes, c'est un « funiculeur ». Mais au fond, si M. de Charlus ne venait pas, on était presque déçu de voyager seulement entre gens comme tout le monde et de n'avoir pas auprès de soi ce personnage peinturluré, pansu et clos, semblable à quelque boîte de provenance exotique et suspecte qui laisse échapper la curieuse odeur de fruits auxquels l'idée de goûter seulement vous soulèverait le cœur. A ce point de vue, les fidèles de sexe masculin avaient des satisfactions plus vives, dans la courte partie du trajet qu'on faisait entre Saint-Martin-du-Chêne, où montait M. de Charlus et Doncières, station où on était rejoint par Morel. Car tant que le violoniste n'était pas là (et si les dames et Albertine, faisant bande à part pour ne pas gêner la conversation, se tenaient éloignées) M. de Charlus ne se gênait pas pour ne pas avoir l'air de fuir certains sujets et parler de « ce qu'on est convenu d'appeler les mauvaises mœurs ». Albertine ne pouvait le gêner, car elle était toujours avec les dames par grâce de jeune fille qui ne veut pas que sa présence restreigne la liberté de la conversation. Or je supportais aisément de ne pas l'avoir à côté de moi, à condition toutefois qu'elle restât dans le même wagon. Car moi qui n'éprouvais plus de jalousie ni guère d'amour pour elle, ne pensais pas à ce qu'elle faisait les jours où je ne la voyais pas ; en revanche, quand j'étais là, une simple cloison qui eût pu à la rigueur dissimuler une trahison m'était insupportable et si elle allait avec les dames dans le compartiment voisin, au bout d'un instant ne pouvant plus tenir en place, au risque de froisser celui qui parlait, Brichot, Cottard ou Charlus, et à qui je ne pouvais expliquer la raison de ma fuite, je me levais, les plantais là, et pour voir s'il ne s'y faisait rien d'anormal, passais à côté. Et jusqu'à Doncières, M. de Charlus, ne craignant pas de choquer, parlait parfois fort crûment de mœurs qu'il déclarait ne trouver pour son compte ni bonnes ni mauvaises. Il le faisait par habileté, pour montrer sa largeur d'esprit, persuadé qu'il était que les siennes n'éveillaient guère de soupçon dans l'esprit des fidèles. Il pensait bien qu'il y avait dans l'univers quelques personnes qui étaient, selon une expression qui lui devint plus tard familière, « fixées sur son compte ». Mais il se figurait que ces personnes n'étaient pas plus de trois ou quatre et qu'il n'y en avait aucune sur la côte normande. Cette illusion peut étonner de la part de quelqu'un d'aussi fin, d'aussi inquiet. Même pour ceux qu'il croyait plus ou moins renseignés, il se flattait que ce ne fût que dans le vague, et avait la prétention, selon qu'il leur dirait telle ou telle chose, de mettre telle personne en dehors des suppositions d'un interlocuteur qui par politesse faisait semblant d'accepter ses dires. Même se doutant de ce que je pouvais savoir ou supposer sur lui, il se figurait que cette opinion, qu'il croyait beaucoup plus ancienne de ma part qu'elle ne l'était en réalité, était toute générale, et qu'il lui suffisait de nier tel ou tel détail pour être cru, alors qu'au contraire, si la connaissance de l'ensemble précède toujours celle des détails, elle facilite infiniment l'investigation de ceux-ci et ayant détruit le pouvoir d'invisibilité ne permet plus au dissimulateur de cacher ce qu'il lui plaît. Certes quand M. de Charlus, invité à un dîner par tel fidèle ou tel ami des fidèles, prenait les détours les plus compliqués pour amener au milieu des noms de dix personnes qu'il citait, le nom de Morel, il ne se doutait guère qu'aux raisons toujours différentes qu'il donnait du plaisir ou de la commodité qu'il pourrait trouver ce soir-là à être invité avec lui, ses hôtes en ayant l'air de le croire parfaitement en substituaient une seule, toujours la même et qu'il croyait ignorée d'eux, à savoir qu'il l'aimait. De même Mme Verdurin semblant toujours avoir l'air d'admettre entièrement les motifs mi-artistiques, mi-humanitaires que M. de Charlus lui donnait de l'intérêt qu'il portait à Morel, ne cessait de remercier avec émotion le Baron des bontés touchantes, disait-elle, qu'il avait pour le violoniste. Or, quel étonnement aurait eu M. de Charlus si, un jour que Morel et lui étaient en retard et n'étaient pas venus par le chemin de fer, il avait entendu la Patronne dire : « Nous n'attendons plus que ces demoiselles. » Le Baron eût été d'autant plus stupéfait que, ne bougeant guère de la Raspelière, il y faisait figure de chapelain, d'abbé du répertoire, et quelquefois (quand Morel avait quarante-huit heures de permission) y couchait deux nuits de suite. Mme Verdurin leur donnait alors deux chambres communiquantes et pour les mettre à l'aise disait : « Si vous avez envie de faire de la musique, ne vous gênez pas, les murs sont comme ceux d'une forteresse, vous n'avez personne à votre étage, et mon mari a un sommeil de plomb. » Ces jours-là M. de Charlus relayait la Princesse en allant chercher les nouveaux à la gare, excusait Mme Verdurin de ne pas être venue à cause d'un état de santé qu'il décrivait si bien que les invités entraient avec une figure de circonstance, et poussaient un cri d'étonnement en trouvant la Patronne alerte et debout en robe à demi décolletée.

Car M. de Charlus était momentanément devenu pour Mme Verdurin, le fidèle des fidèles, une seconde Princesse Sherbatoff. De sa situation mondaine elle était beaucoup moins sûre que de celle de la Princesse, se figurant que si celle-ci ne voulait voir que le petit noyau, c'était par mépris des autres et prédilection pour lui. Comme cette feinte était justement le propre des Verdurin, lesquels traitaient d'ennuyeux tous ceux qu'ils ne pouvaient fréquenter, il est incroyable que la Patronne pût croire la Princesse une âme d'acier, détestant le chic. Mais elle n'en démordait pas et était persuadée, que pour la grande dame russe, c'était sincèrement et par goût d'intellectualité qu'elle ne fréquentait pas les ennuyeux. Le nombre de ceux-ci diminuait du reste à l'égard des Verdurin. La vie de bains de mer ôtait à une présentation les conséquences pour l'avenir qu'on eût pu redouter à Paris. Des hommes brillants venus à Balbec sans leur femme, ce qui facilitait tout, à la Raspelière faisaient des avances et d'ennuyeux devenaient exquis. Ce fut le cas pour le Prince de Guermantes que l'absence de la Princesse n'aurait pourtant pas décidé à aller « en garçon » chez les Verdurin, si l'aimant du dreyfusisme n'eût été si puissant qu'il lui fit monter d'un seul trait les pentes qui mènent à la Raspelière, malheureusement, un jour où la Patronne était sortie. Mme Verdurin du reste n'était pas certaine que lui et M. de Charlus fussent du même monde. Le Baron avait bien dit que le Duc de Guermantes était son frère, mais c'était peut-être le mensonge d'un aventurier. Si élégant se fût-il montré, si aimable, si « fidèle » envers les Verdurin, la Patronne hésitait presque à l'inviter avec le Prince de Guermantes. Elle consulta Ski et Brichot : « Le Baron et le Prince de Guermantes, est-ce que ça marche ? » — « Mon Dieu, Madame, pour l'un des deux je crois pouvoir dire. » — « Mais l'un des deux, qu'est-ce que ça peut me faire ? avait repris Mme Verdurin irritée. Je vous demande s'ils marchent ensemble ? » — « Ah ! Madame, voilà des choses qui sont bien difficiles à savoir. » Mme Verdurin n'y mettait aucune malice. Elle était certaine des mœurs du Baron, mais quand elle s'exprimait ainsi, elle n'y pensait nullement, mais seulement à savoir si on pouvait inviter ensemble le Prince et M. de Charlus, si cela corderait. Elle ne mettait aucune intention malveillante dans l'emploi de ces expressions toutes faites et que les « petits clans » artistiques favorisent. Pour se parer de M. de Guermantes, elle voulait l'emmener l'après-midi qui suivrait le déjeuner à une fête de charité et où des marins de la côte figureraient un appareillage. Mais n'ayant pas le temps de s'occuper de tout, elle délégua ses fonctions au fidèle des fidèles, au Baron. « Vous comprenez, il ne faut pas qu'ils restent immobiles comme des moules, il faut qu'ils aillent, qu'ils viennent, qu'on voie le branle-bas, je ne sais pas le nom de tout ça. Mais vous qui allez souvent au port du Balbec-Plage, vous pourriez bien faire faire une répétition sans vous fatiguer. Vous devez vous y entendre mieux que moi, M. de Charlus, à faire marcher des petits marins. Mais après tout nous nous donnons bien du mal pour M. de Guermantes. C'est peut-être un imbécile du Jockey. Oh ! Mon Dieu, je dis du mal du Jockey, et il me semble me rappeler que vous en êtes. Hé Baron, vous ne me répondez pas, est-ce que vous en êtes ? Vous ne voulez pas sortir avec nous ? Tenez, voici un livre que j'ai reçu, je pense qu'il vous intéressera. C'est de Roujon. Le titre est joli : *Parmi les hommes*[60]. »

Pour ma part, j'étais d'autant plus heureux que M. de Charlus fût assez souvent substitué à la Princesse Sherbatoff, que j'étais très mal avec celle-ci, pour une raison à la fois insignifiante et profonde. Un jour que j'étais dans le petit train, comblant de mes prévenances, comme toujours, la Princesse Sherbatoff, j'y vis monter Mme de Villeparisis. Elle était en effet venue passer quelques semaines chez la Princesse de Luxembourg, mais enchaîné à ce besoin quotidien de voir Albertine, je n'avais jamais répondu aux invitations multipliées de la Marquise et de son hôtesse royale. J'eus du remords en voyant l'amie de ma grand-mère et, par pur devoir (sans quitter la Princesse Sherbatoff), je causai assez longtemps avec elle. J'ignorais du reste absolument que Mme de Villeparisis savait très bien qui était ma voisine mais ne voulait pas la connaître. A la station suivante, Mme de Villeparisis quitta le wagon, je me reprochai même de ne pas l'avoir aidée à descendre ; j'allai me rasseoir à côté de la Princesse. Mais on eût dit — cataclysme fréquent chez les personnes dont la situation est peu solide et qui craignent qu'on n'ait entendu parler d'elles en mal, qu'on les méprise — qu'un changement à vue s'était opéré. Plongée dans sa *Revue des Deux Mondes*, Mme Sherbatoff répondit à peine du bout des lèvres à mes questions et finit par me dire que je lui donnais la migraine. Je ne comprenais rien à mon crime. Quand je dis au revoir à la Princesse, le sourire habituel n'éclaira pas son visage, un salut sec abaissa son menton, elle ne me tendit même pas la main et ne m'a jamais reparlé depuis. Mais elle dut parler — mais je ne sais pas pour dire quoi — aux Verdurin ; car dès que je demandais à ceux-ci si je ne ferais pas bien de faire une politesse à la Princesse Sherbatoff, tous en chœur se précipitaient : « Non, Non ! Non ! Surtout pas ! Elle n'aime pas les amabilités ! » On ne le faisait pas pour me brouiller avec elle, mais elle avait réussi à faire croire qu'elle était insensible aux prévenances, une âme inaccessible aux vanités de ce monde. Il faut avoir vu l'homme politique qui passe pour le plus entier, le plus intransigeant, le plus inapprochable depuis qu'il est au pouvoir, il faut l'avoir vu au temps de sa disgrâce, mendier timidement, avec un sourire brillant d'amoureux le salut hautain d'un journaliste quelconque, il faut avoir vu le redressement de Cottard (que ses nouveaux malades prenaient pour une barre de fer), et savoir de quels dépits amoureux, de quels échecs de snobisme étaient faits l'apparente hauteur, l'antisnobisme universellement admis de la Princesse Sherbatoff, pour comprendre que dans l'humanité la règle — qui comporte des exceptions naturellement — est que les durs sont des faibles dont on n'a pas voulu, et que les forts, se souciant peu qu'on veuille ou non d'eux, ont seuls cette douceur que le vulgaire prend pour de la faiblesse.

Au reste je ne dois pas juger sévèrement la Princesse Sherbatoff. Son cas est si fréquent ! Un jour, à l'enterrement d'un Guermantes, un homme remarquable placé à côté de moi me montra un monsieur élancé et pourvu d'une jolie figure. « De tous les Guermantes, me dit mon voisin, celui-là est le plus inouï, le plus singulier. C'est le frère du Duc. » Je lui répondis imprudemment qu'il se trompait, que ce monsieur, sans parenté aucune avec les Guermantes, s'appelait Fournier-Sarlovèze. L'homme remarquable me tourna le dos et ne m'a plus jamais salué depuis.

Un grand musicien, membre de l'Institut, haut dignitaire officiel et qui connaissait Ski, passa par

Harambouville où il avait une nièce et vint à un mercredi des Verdurin. M. de Charlus fut particulièrement aimable avec lui (à la demande de Morel) et surtout pour qu'au retour à Paris l'académicien lui permît d'assister à différentes séances privées, répétitions, etc., où jouait le violoniste. L'académicien flatté et d'ailleurs homme charmant, promit et tint sa promesse. Le Baron fut très touché de toutes les amabilités que ce personnage (d'ailleurs, en ce qui le concernait, aimant uniquement et profondément les femmes) eut pour lui, de toutes les facilités qu'il lui procura pour voir Morel dans les lieux officiels où les profanes n'entrent pas, de toutes les occasions données par le célèbre artiste au jeune virtuose de se produire, de se faire connaître, en le désignant, de préférence à d'autres, à talent égal, pour des auditions qui devaient avoir un retentissement particulier. Mais M. de Charlus ne se doutait pas qu'il en devait au maître d'autant plus de reconnaissance que celui-ci, doublement méritant, ou si l'on aime mieux, deux fois coupable, n'ignorait rien des relations du violoniste et de son noble protecteur. Il les favorisa, certes sans sympathie pour elles, ne pouvant comprendre d'autre amour que celui de la femme qui avait inspiré toute sa musique, mais par indifférence morale, complaisance et serviabilité professionnelles, amabilité mondaine, snobisme. Quant à des doutes sur le caractère de ces relations, il en avait si peu, que dès le premier dîner à la Raspelière, il avait demandé à Ski en parlant de M. de Charlus et de Morel, comme il eût fait d'un homme et de sa maîtresse : « Est-ce qu'il y a longtemps qu'ils sont ensemble ? » Mais trop homme du monde pour en laisser rien voir aux intéressés, prêt, si parmi les camarades de Morel il s'était produit quelques commérages, à les réprimer, et à rassurer Morel en lui disant paternellement : « On dit cela de tout le monde aujourd'hui », il ne cessa de combler le Baron de gentillesses que celui-ci trouva charmantes, mais naturelles, incapable de supposer chez l'illustre maître tant de vice ou tant de vertu. Car les mots qu'on disait en l'absence de M. de Charlus, les « à peu près » sur Morel, personne n'avait l'âme assez basse pour les lui répéter. Et pourtant cette simple situation suffit à montrer que même cette chose universellement décriée, qui ne trouverait nulle part un défenseur : le « potin », lui aussi, soit qu'il ait pour objet nous-même et nous devienne ainsi particulièrement désagréable, soit qu'il nous apprenne sur un tiers quelque chose que nous ignorions, a sa valeur psychologique. Il empêche l'esprit de s'endormir sur la vue factice qu'il a de ce qu'il croit les choses et qui n'est que leur apparence. Il retourne celle-ci avec la dextérité magique d'un philosophe idéaliste et nous présente rapidement un coin insoupçonné du revers de l'étoffe. M. de Charlus eût-il pu imaginer ces mots dits par certaine tendre parente : « Comment veux-tu que Mémé soit amoureux de moi ? tu oublies donc que je suis une femme ! » Et pourtant elle avait un attachement véritable, profond, pour M. de Charlus. Comment alors s'étonner que pour les Verdurin, sur l'affection et la bonté desquels il n'avait aucun droit de compter, les propos qu'ils disaient loin de lui (et ce ne furent pas seulement, on le verra, des propos) fussent si différents de ce qu'il les imaginait être, c'est-à-dire du simple reflet de ceux qu'il entendait quand il était là ? Ceux-là seuls ornaient d'inscriptions affectueuses le petit pavillon idéal où M. de Charlus venait parfois rêver seul, quand il introduisait un instant son imagination dans l'idée que les Verdurin avaient de lui. L'atmosphère y était si sympathique, si cordiale, le repos si réconfortant, que quand M. de Charlus, avant de s'endormir, était venu s'y délasser un instant de ses soucis, il n'en sortait jamais sans un sourire. Mais, pour chacun de nous, ce genre de pavillon est double : en face de celui que nous croyons être l'unique, il y a l'autre qui nous est habituellement invisible, le vrai, symétrique avec celui que nous connaissons, mais bien différent et dont l'ornementation, où nous ne reconnaîtrions rien de ce que nous nous attendions à voir, nous épouvanterait comme faite avec les symboles odieux d'une hostilité insoupçonnée.

Quelle stupeur pour M. de Charlus, s'il avait pénétré dans un de ces pavillons adverses, grâce à quelque potin comme par un de ces escaliers de service où des graffitti obscènes sont charbonnés à la porte des appartements par des fournisseurs mécontents ou des domestiques renvoyés. Mais, tout autant que nous sommes privés de ce sens de l'orientation dont sont doués certains oiseaux, nous manquons du sens de la visibilité comme nous manquons de celui des distances, nous imaginant toute proche l'attention intéressée des gens qui au contraire ne pensent jamais à nous et ne soupçonnant pas que nous sommes pendant ce temps-là pour d'autres leur seul souci. Ainsi M. de Charlus vivait dupé comme le poisson qui croit que l'eau où il nage s'étend au-delà du verre de son aquarium qui lui en présente le reflet, tandis qu'il ne voit pas à côté de lui dans l'ombre le promeneur amusé qui suit ses ébats ou le pisciculteur tout-puissant qui, au moment imprévu et fatal, différé en ce moment à l'égard du Baron (pour qui le pisciculteur, à Paris, sera Mme Verdurin), le tirera sans pitié du milieu où il aimait vivre pour le rejeter dans un autre. Au surplus les peuples, en tant qu'ils ne sont que des collections d'individus, peuvent offrir des exemples plus vastes, mais identiques en chacune de leurs parties, de cette cécité profonde, obstinée et déconcertante. Jusqu'ici, si elle était cause que M. de Charlus tenait dans le petit clan des propos d'une habileté inutile ou d'une audace qui faisait sourire en cachette, elle n'avait pas encore eu pour lui ni ne devait avoir à Balbec de graves inconvénients. Un peu d'albumine, de sucre, d'arythmie cardiaque, n'empêche pas la vie de continuer normale, pour celui qui ne s'en aperçoit même pas, alors que seul le médecin y voit la prophétie de catastrophes. Actuellement le goût — platonique ou non — de M. de Charlus pour Morel poussait seulement le Baron à dire volontiers en l'absence de Morel qu'il le trouvait très beau, pensant que cela serait entendu en toute innocence, et agissant en cela comme un homme fin qui appelé à déposer devant un tribunal ne craindra pas d'entrer dans des détails qui semblent en apparence désavantageux pour lui, mais qui à cause de cela même, ont plus de naturel et moins de vulgarité que les protestations conventionnelles d'un accusé de théâtre. Avec la même liberté, toujours entre Doncières-Ouest et Saint-Martin-du-Chêne — ou le contraire au retour — M. de Charlus parlait volontiers de gens qui ont, paraît-il, des mœurs très étranges, et ajoutait même : « Après tout je dis étranges, je ne sais pas pourquoi, car cela n'a rien de si étrange », pour se montrer à soi-même combien il était à l'aise avec son public. Et il l'était en effet, à condition que ce fût lui qui eût l'initiative des opérations et qu'il sût la galerie muette et souriante, désarmée par la crédulité ou la bonne éducation.

Quand M. de Charlus ne parlait pas de son admiration pour la beauté de Morel, comme si elle n'eût eu aucun rapport avec un goût — appelé vice — il traitait de ce vice, mais comme s'il n'avait été nullement le sien. Parfois même il n'hésitait pas à l'appeler par son nom. Comme après avoir regardé la belle reliure de son Balzac, je lui demandais ce qu'il préférait dans *la Comédie humaine*, il me répondit, dirigeant sa pensée vers une idée fixe : « Tout l'un ou tout l'autre, les petites miniatures comme *le Curé de Tours* et *la Femme abandonnée*, ou les grandes fresques comme la série des *Illusions perdues*. Comment ! vous ne connaissez pas *les Illusions perdues* ? C'est si beau. Le moment où Carlos Herrera demande le nom du château devant lequel passe sa calèche, c'est Rastignac, la demeure du jeune homme qu'il a aimé autrefois. Et l'abbé alors de tomber dans une rêverie que Swann appelait, ce qui était bien spirituel, la *Tristesse d'Olympio* de la pédérastie. Et la mort de Lucien ! je ne me rappelle plus quel homme de goût avait eu cette réponse, à qui lui demandait quel événement l'avait le plus affligé dans sa vie : « La mort de Lucien de Rubempré dans *Splendeurs et Misères*[61]. » — « Je sais que Balzac se porte beaucoup cette année, comme l'an passé le pessimisme, interrompit Brichot. Mais au risque de contrister les âmes en mal de déférence balzacienne, sans prétendre, Dieu me damne, au rôle de gendarme de lettres et dresser procès-verbal pour fautes de grammaire, j'avoue que le copieux improvisateur dont vous me semblez surfaire singulièrement les élucubrations effarantes, m'a toujours paru un scribe insuffisamment méticuleux. J'ai lu ces *Illusions perdues* dont vous nous parlez, Baron, en me torturant pour atteindre à une ferveur d'initié, et je confesse en toute simplicité d'âme que ces romans-feuilletons rédigés en pathos, en galimatias double et triple : (*Esther heureuse, Où mènent les mauvais chemins, A combien l'amour revient aux vieillards*[62]), m'ont toujours fait effet des mystères de *Rocambole*[63], promu par inexplicable faveur à la situation précaire de chef-d'œuvre. » — « Vous dites cela parce que vous ne connaissez pas la vie », dit le Baron doublement agacé, car il sentait que Brichot ne comprendrait ni ses raisons d'artiste, ni les autres. « J'entends bien, répondit Brichot, que, pour parler comme Maître François Rabelais, vous voulez dire que je suis moult sorbonagre, sorbonicole et sorboniforme. Pourtant tout autant que les camarades, j'aime qu'un livre donne l'impression de la sincérité et de la vie, je ne suis pas de ces clercs... » — « Le quart d'heure de Rabelais », interrompit le docteur Cottard avec un air non plus de doute, mais de spirituelle assurance. « ... qui font vœu de littérature en suivant la règle de l'Abbaye-aux-Bois dans l'obédience de M. le Vicomte de Chateaubriand, grand maître du chiqué, selon la règle stricte des humanistes. M. le Vicomte de Chateaubriand... » — « Chateaubriand aux pommes ? » interrompit le docteur Cottard. « C'est lui le patron de la confrérie », continua Brichot sans relever la plaisanterie du docteur, lequel en revanche, alarmé par la phrase de l'universitaire, regarda M. de Charlus avec inquiétude. Brichot avait semblé manquer de tact à Cottard, duquel le calembour avait amené un fin sourire sur les lèvres de la Princesse Sherbatoff. « Avec le professeur, l'ironie mordante du parfait sceptique ne perd jamais ses droits », dit-elle par amabilité et pour montrer que le « mot » du médecin n'avait pas passé inaperçu pour elle. « Le sage est forcément sceptique, répondit le docteur. Que sais-je ? γνωθι σεαυτον, disait Socrate [64]. C'est très juste, l'excès en tout est un défaut. Mais je reste bleu quand je pense que cela a suffi à faire durer le nom de Socrate jusqu'à nos jours. Qu'est-ce qu'il y a dans cette philosophie ? peu de chose en somme. Quand on pense que Charcot et d'autres ont fait des travaux mille fois plus remarquables et qui s'appuient, au moins, sur quelque chose, sur la suppression du réflexe pupillaire comme syndrome de la paralysie générale, et qu'ils sont presque oubliés. En somme Socrate, ce n'est pas extraordinaire. Ce sont des gens qui n'avaient rien à faire, qui passaient toute leur journée à se promener, à discutailler. C'est comme Jésus-Christ : Aimez-vous les uns les autres, c'est très joli. » — « Mon ami », pria Mme Cottard. « Naturellement, ma femme proteste, ce sont toutes des névrosées. » — « Mais, mon petit docteur, je ne suis pas névrosée, murmura Mme Cottard. « Comment, elle n'est pas névrosée ? quand son fils est malade, elle présente des phénomènes d'insomnie. Mais enfin, je reconnais que Socrate, et le reste, c'est nécessaire pour une culture supérieure, pour avoir des talents d'exposition. Je cite toujours le γνωθι σεαυτον à mes élèves pour le premier cours. Le père Bouchard qui l'a su m'en a félicité. » — « Je ne suis pas des tenants de la forme pour la forme, pas plus que je ne thésauriserais en poésie la rime millionnaire, reprit Brichot. Mais tout de même *la Comédie humaine* — bien peu humaine — est par trop le contraire de ces œuvres où l'art excède le fond, comme dit cette bonne rosse d'Ovide. Et il est permis de préférer un sentier à mi-côte, qui mène à la cure de Meudon ou à l'ermitage de Ferney, à égale distance de la Vallée-aux-Loups où René remplissait superbement les devoirs d'un pontificat sans mansuétude, et les Jardies, où Honoré de Balzac, harcelé par les recors, ne s'arrêtait pas de cacographier pour une Polonaise, en apôtre zélé du charabia [65]. » — « Chateaubriand est beaucoup plus vivant que vous ne dites, et Balzac est tout de même un grand écrivain, répondit M. de Charlus, encore trop imprégné du goût de Swann pour ne pas être irrité par Brichot, et Balzac a connu jusqu'à ces passions que tout le monde ignore ou n'étudie que pour les flétrir. Sans reparler des immortelles *Illusions perdues*, *Sarrazine*, *la Fille aux yeux d'or*[66], *Une passion dans le désert*, même l'assez énigmatique *Fausse Maîtresse*, viennent à l'appui de mon dire. Quand je parlais de ce côté " hors nature " de Balzac, à Swann, il me disait : " Vous êtes du même avis que Taine[67]. " Je n'avais pas l'honneur de connaître Monsieur Taine », ajouta M. de Charlus, avec cette irritante habitude du « Monsieur » inutile qu'ont les gens du monde, comme s'ils croyaient en taxant de Monsieur un grand écrivain, lui décerner un honneur, peut-être garder les distances, et bien faire savoir qu'ils ne le connaissent pas. « Je ne connaissais pas Monsieur Taine, mais je me tenais pour fort honoré d'être du même avis que lui. » D'ailleurs, malgré ces habitudes mondaines ridicules, M. de Charlus était très intelligent, et il est probable que si quelque mariage ancien avait noué une parenté entre sa famille et celle de Balzac, il eût ressenti (non moins que Balzac d'ailleurs) une satisfaction dont il n'eût pu cependant s'empêcher de se targuer comme d'une marque de condescendance admirable.

Parfois à la station qui suivait Saint-Martin-du-Chêne, des jeunes gens montaient dans le train. M. de Charlus ne pouvait pas s'empêcher de les regarder, mais comme il abrégeait et dissimulait l'attention qu'il leur prêtait, elle prenait l'air de cacher un secret, plus particulier même que le véritable ; on aurait dit qu'il les connaissait, le laissait malgré lui paraître après avoir accepté son sacrifice, avant de se retourner vers nous, comme font ces enfants à qui, à la suite d'une brouille entre parents, on a défendu de dire bonjour à des camarades, mais qui lorsqu'ils les rencontrent ne peuvent se priver de lever la tête, avant de retomber sous la férule de leur précepteur.

Au mot tiré du grec dont M. de Charlus parlant de

Balzac avait fait suivre l'allusion à la *Tristesse d'Olympio* dans *Splendeurs et Misères,* Ski, Brichot et Cottard s'étaient regardés avec un sourire peut-être moins ironique qu'empreint de la satisfaction qu'auraient les dîneurs qui réussiraient à faire parler Dreyfus de sa propre affaire, ou l'Impératrice de son règne. On comptait bien le pousser un peu sur ce sujet, mais c'était déjà Doncières, où Morel nous rejoignait. Devant lui, M. de Charlus surveillait soigneusement sa conversation et quand Ski voulut le ramener à l'amour de Carlos Herrera pour Lucien de Rubempré, le Baron prit l'air contrarié, mystérieux, et finalement (voyant qu'on ne l'écoutait pas) sévère et justicier d'un père qui entendrait dire des indécences devant sa fille. Ski ayant mis quelque entêtement à poursuivre, M. de Charlus les yeux hors de la tête, élevant la voix, dit d'un ton significatif en montrant Albertine qui pourtant ne pouvait nous entendre, occupée à causer avec Mme Cottard et la Princesse Sherbatoff, et sur le ton à double sens de quelqu'un qui veut donner une leçon à des gens mal élevés : « Je crois qu'il serait temps de parler de choses qui puissent intéresser cette jeune fille. » Mais je compris bien que pour lui, la jeune fille était non pas Albertine, mais Morel ; il témoigna du reste plus tard de l'exactitude de mon interprétation par les expressions dont il se servit quand il demanda qu'on n'eût plus de ces conversations devant Morel. « Vous savez, me dit-il en parlant du violoniste, qu'il n'est pas du tout ce que vous pourriez croire, c'est un petit très honnête qui est toujours resté sage, très sérieux. » Et on sentait à ces mots que M. de Charlus considérait l'inversion sexuelle comme un danger aussi menaçant pour les jeunes gens que la prostitution pour les femmes, et que s'il se servait pour Morel de l'épithète de « sérieux », c'était dans le sens qu'elle prend appliquée à une petite ouvrière. Alors Brichot pour changer la conversation me demanda si je comptais rester encore longtemps à Incarville. J'avais eu beau lui faire observer plusieurs fois que j'habitais non pas Incarville mais Balbec, il retombait toujours dans sa faute car c'est sous le nom d'Incarville ou de Balbec-Incarville qu'il désignait cette partie du littoral. Il y a ainsi des gens qui parlent des mêmes choses que nous en les appelant d'un nom un peu différent. Une certaine dame du Faubourg Saint-Germain me demandait toujours quand elle voulait parler de la Duchesse de Guermantes s'il y avait longtemps que je n'avais vu Zénaïde, ou Oriane-Zénaïde, ce qui fait qu'au premier moment je ne comprenais pas. Probablement il y avait eu un temps où une parente de Mme de Guermantes s'appelant Oriane on l'appelait, elle, pour éviter les confusions Oriane-Zénaïde. Peut-être aussi y avait-il eu d'abord une gare seulement à Incarville, et allait-on de là en voiture à Balbec. « De quoi parliez-vous donc ? » dit Albertine étonnée du ton solennel de père de famille que venait d'usurper M. de Charlus. « De Balzac, se hâta de répondre le Baron, et vous avez justement ce soir la toilette de la Princesse de Cadignan, pas la première, celle du dîner, mais la seconde[68]. » Cette rencontre tenait à ce que, pour choisir des toilettes à Albertine, je m'inspirais du goût qu'elle s'était formé grâce à Elstir, lequel appréciait beaucoup une sobriété qu'on eût pu appeler britannique, s'il ne s'y était allié plus de douceur, de mollesse française. Le plus souvent les robes qu'il préférait offraient aux regards une harmonieuse combinaison de couleurs grises comme celle de Diane de Cadignan. Il n'y avait guère que M. de Charlus pour savoir apprécier à leur véritable valeur les toilettes d'Albertine ; tout de suite ses yeux découvraient ce qui en faisait la rareté, le prix ; il n'aurait jamais dit le nom d'une étoffe pour une autre et reconnaissait le faiseur. Seulement il aimait mieux — pour les femmes — un peu plus d'éclat et de couleur que n'en tolérait Elstir. Aussi ce soir-là me lança-t-elle un regard moitié souriant, moitié inquiet, en courbant son petit nez rose de chatte. En effet, croisant sur sa jupe de crêpe de chine gris, sa jaquette de cheviote grise laissait croire qu'Albertine était tout en gris. Mais me faisant signe de l'aider parce que ses manches bouffantes avaient besoin d'être aplaties ou relevées, pour entrer ou retirer sa jaquette, elle ôta celle-ci, et comme ces manches étaient d'un écossais très doux, rose, bleu pâle, verdâtre, gorge-de-pigeon, ce fut comme si dans un ciel gris s'était formé un arc-en-ciel. Et elle se demandait si cela allait plaire à M. de Charlus. « Ah ! s'écria celui-ci ravi, voilà un rayon, un prisme de couleur. Je vous fais tous mes compliments. » — « Mais Monsieur seul en a mérité », répondit gentiment Albertine en me désignant, car elle aimait montrer ce qui lui venait de moi. « Il n'y a que les femmes qui ne savent pas s'habiller qui craignent la couleur, reprit M. de Charlus. On peut être éclatante sans vulgarité et douce sans fadeur. D'ailleurs vous n'avez pas les mêmes raisons que Mme de Cadignan de vouloir paraître détachée de la vie, car c'était l'idée qu'elle voulait inculquer à d'Arthez par cette toilette grise. » Albertine, qu'intéressait ce muet langage des robes, questionna M. de Charlus sur la Princesse de Cadignan. « Oh ! c'est une nouvelle exquise, dit le Baron d'un ton rêveur. Je connais le petit jardin où Diane de Cadignan se promena avec Mme d'Espard. C'est celui d'une de mes cousines. » — « Toutes ces questions du jardin de sa cousine, murmura Brichot à Cottard, peuvent, de même que sa généalogie, avoir du prix pour cet excellent Baron. Mais quel intérêt cela a-t-il pour nous qui n'avons pas le privilège de nous y promener, ne connaissons pas cette dame et ne possédons pas de titres de noblesse ? » Car Brichot ne soupçonnait pas qu'on pût s'intéresser à une robe et à un jardin comme à une œuvre d'art, et que c'est, comme dans Balzac, que M. de Charlus revoyait les petites allées de Mme de Cadignan. Le Baron poursuivit : « Mais vous la connaissez, me dit-il, en parlant de cette cousine et pour me flatter en s'adressant à moi comme à quelqu'un qui, exilé dans le petit clan, pour M. de Charlus, sinon était de son monde, du moins allait dans son monde. En tous cas vous avez dû la voir chez Mme de Villeparisis. » — « La Marquise de Villeparisis à qui appartient le château de Baucreux ? » demanda Brichot d'un air captivé. « Oui, vous la connaissez ? » demanda sèchement M. de Charlus. « Nullement, répondit Brichot, mais notre collègue Norpois passe tous les ans une partie de ses vacances à Baucreux. J'ai eu l'occasion de lui écrire là. » Je dis à Morel, pensant l'intéresser, que M. de Norpois était ami de mon père. Mais pas un mouvement de son visage ne témoigna qu'il eût entendu, tant il tenait mes parents pour gens de peu et n'approchant pas de bien loin de ce qu'avait été mon grand-oncle chez qui son père avait été valet de chambre et qui du reste, contrairement au reste de la famille, aimant assez « faire des embarras », avait laissé un souvenir ébloui à ses domestiques. « Il paraît que Mme de Villeparisis est une femme supérieure ; mais je n'ai jamais été admis à en juger par moi-même, non plus du reste que mes collègues. Car Norpois, qui est d'ailleurs plein de courtoisie et d'affabilité à l'Institut, n'a présenté aucun de nous à la Marquise. Je ne sais de reçu par elle que notre ami Thureau-Dangin, qui avait avec elle d'anciennes relations de famille et aussi Gaston Boissier, qu'elle a désiré connaître à la suite d'une étude qui l'intéressait tout particulièrement. Il y a dîné une fois et est revenu sous le charme. Encore Mme Boissier n'a-t-elle pas été invitée. » A ces noms[69], Morel sourit d'attendrissement : « Ah ! Thureau-Dangin, me dit-il d'un air aussi intéressé que celui qu'il avait montré en entendant parler du Marquis de Norpois et de mon père était resté indifférent. Thureau-Dangin, c'était une paire d'amis avec votre oncle. Quand une dame voulait une place de centre pour une réception à l'Académie, votre oncle disait : « J'écrirai à Thureau-Dangin. » Et naturellement la place était aussitôt envoyée, car vous comprenez bien que M. Thureau-Dangin ne se serait pas risqué de rien refuser à votre oncle qui l'aurait repincé au tournant. Cela m'amuse aussi d'entendre le nom de Boissier, car c'était là que votre grand-oncle faisait faire toutes ses emplettes pour les dames au moment du jour de l'an. Je le sais, car je connais la personne qui était chargée de la commission. » Il faisait plus que la connaître, c'était son père.

Certaines de ces allusions affectueuses de Morel à la mémoire de mon oncle touchaient à ce que nous ne comptions pas rester toujours dans l'hôtel de Guermantes, où nous n'étions venus loger qu'à cause de ma grand-mère. On parlait quelquefois d'un déménagement possible. Or pour comprendre les conseils que me donnait à cet égard Charles Morel, il faut savoir qu'autrefois mon grand-oncle demeurait 40 *bis* boulevard Malesherbes. Il en était résulté que dans la famille, comme nous allions beaucoup chez mon oncle Adolphe jusqu'au jour fatal où je brouillai mes parents avec lui en racontant l'histoire de la dame en rose, au lieu de dire « chez votre oncle », on disait « au 40 *bis* ». Des cousines de maman lui disaient le plus naturellement du monde : « Ah ! dimanche on ne peut pas vous avoir, vous dînez au 40 *bis*. » Si j'allais voir une parente, on me recommandait d'aller d'abord « au 40 *bis* », afin que mon oncle ne pût être froissé qu'on n'eût commencé par lui. Il était propriétaire de la maison et se montrait, à vrai dire, très difficile sur le choix des locataires qui étaient tous des amis, ou le devenaient. Le colonel Baron de Vatry venait tous les jours fumer un cigare avec lui pour obtenir plus facilement des réparations. La porte cochère était toujours fermée. Si à une fenêtre mon oncle apercevait un linge, un tapis, il entrait en fureur et les faisait retirer plus rapidement qu'aujourd'hui les agents de police. Mais enfin il n'en louait pas moins une partie de la maison, n'ayant pour lui que deux étages et les écuries. Malgré cela, sachant lui faire plaisir en vantant le bon entretien de la maison, on célébrait le confort du « petit hôtel » comme si mon oncle en avait été le seul occupant, et il laissait dire, sans opposer le démenti formel qu'il aurait dû. Le « petit hôtel » était assurément confortable (mon oncle y introduisant toutes les inventions de l'époque). Mais il n'avait rien d'extraordinaire. Seul mon oncle, tout en disant avec une modestie fausse « mon petit taudis », était persuadé, ou en tous cas avait inculqué à son valet de chambre, à la femme de celui-ci, au cocher, à la cuisinière, l'idée que rien n'existait à Paris qui pour le confort, le luxe et l'agrément fut comparable au petit hôtel. Charles Morel avait grandi dans cette foi. Il y était resté. Aussi, même les jours où il ne causait pas avec moi, si dans le train je parlais à quelqu'un de la possibilité d'un déménagement, aussitôt il me souriait et clignant de l'œil d'un air entendu, me disait : « Ah ! ce qu'il vous faudrait, c'est quelque chose dans le genre du 40 *bis !* C'est là que vous seriez bien ! On peut dire que votre oncle s'y entendait. Je suis bien sûr que dans tout Paris il n'existe rien qui vaille le 40 *bis.* »

A l'air mélancolique qu'avait pris en parlant de la Princesse de Cadignan, M. de Charlus, j'avais bien senti que cette nouvelle ne le faisait pas penser qu'au petit jardin d'une cousine assez indifférente. Il tomba dans une songerie profonde et comme se parlant à soi-même : « *Les Secrets de la Princesse de Cadignan!* s'écria-t-il, quel chef-d'œuvre ! comme c'est profond, comme c'est douloureux cette mauvaise réputation de Diane qui craint tant que l'homme qu'elle aime ne l'apprenne. Quelle vérité éternelle, et plus générale que cela n'en a l'air, comme cela va loin ! » M. de Charlus prononça ces mots avec une tristesse qu'on sentait pourtant qu'il ne trouvait pas sans charme. Certes M. de Charlus, ne sachant pas au juste dans quelle mesure ses mœurs étaient ou non connues, tremblait depuis quelque temps qu'une fois qu'il serait revenu à Paris et qu'on le verrait avec Morel, la famille de celui-ci n'intervînt et qu'ainsi son bonheur fût compromis. Cette éventualité ne lui était probablement apparue jusqu'ici que comme quelque chose de profondément désagréable et pénible. Mais le Baron était fort artiste. Et maintenant que depuis un instant il confondait sa situation avec celle décrite par Balzac, il se réfugiait en quelque sorte dans la nouvelle, et à l'infortune qui le menaçait peut-être et ne laissait pas en tous cas de l'effrayer, il avait cette consolation de trouver, dans sa propre anxiété, ce que Swann et aussi Saint-Loup eussent appelé quelque chose de « très balzacien ». Cette identification à la Princesse de

Cadignan avait été rendue facile pour M. de Charlus grâce à la transposition mentale qui lui devenait habituelle et dont il avait déjà donné divers exemples. Elle suffisait d'ailleurs pour que le seul remplacement de la femme, comme objet aimé, par un jeune homme, déclenchât aussitôt autour de celui-ci tout le processus de complications sociales qui se développent autour d'une liaison ordinaire. Quand, pour une raison quelconque, on introduit une fois pour toutes un changement dans le calendrier, ou dans les horaires, si on fait commencer l'année quelques semaines plus tard, ou si l'on fait sonner minuit un quart d'heure plus tôt, comme les journées auront tout de même vingt-quatre heures, et les mois trente jours, tout ce qui découle de la mesure du temps restera identique. Tout peut avoir été changé sans amener aucun trouble puisque les rapports entre les chiffres sont toujours pareils. Ainsi des vies qui adoptent « l'heure de l'Europe Centrale » ou les calendriers orientaux. Il semble même que l'amour-propre qu'on a à entretenir une actrice jouât un rôle dans cette liaison-ci. Quand dès le premier jour M. de Charlus s'était enquis de ce qu'était Morel, certes il avait appris qu'il était d'une humble extraction, mais une demi-mondaine que nous aimons ne perd pas pour nous de son prestige parce qu'elle est la fille de pauvres gens. En revanche les musiciens connus à qui il avait fait écrire — même pas par intérêt, comme les amis qui en présentant Swann à Odette la lui avaient dépeinte comme plus difficile et plus recherchée qu'elle n'était — par simple banalité d'hommes en vue surfaisant un débutant, avaient répondu au Baron : « Ah ! grand talent, grosse situation, étant donné naturellement qu'il est un jeune, très apprécié des connaisseurs, fera son chemin. » Et par la manie des gens qui ignorent l'inversion à parler de la beauté masculine : « Et puis il est joli à voir jouer ; il fait mieux que personne dans un concert ; il a de jolis cheveux, des poses distinguées ; la tête est ravissante, et il a l'air d'un violoniste de portrait. » Aussi M. de Charlus, surexcité d'ailleurs par Morel qui ne lui laissait pas ignorer de combien de propositions il était l'objet, était-il flatté de le ramener avec lui, de lui construire un pigeonnier où il revînt souvent. Car le reste du temps, il le voulait libre, ce qui était rendu nécessaire par sa carrière que M. de Charlus désirait, tant d'argent qu'il dût lui donner, que Morel continuât, soit à cause de cette idée très Guermantes qu'il faut qu'un homme fasse quelque chose, qu'on ne vaut que par son talent, et que la noblesse ou l'argent sont simplement le zéro qui multiplie une valeur, soit qu'il eût peur qu'oisif et toujours auprès de lui le violoniste s'ennuyât. Enfin il ne voulait pas se priver du plaisir qu'il avait lors de certains grands concerts, à se dire : « Celui qu'on acclame en ce moment sera chez moi cette nuit. » Les gens élégants, quand ils sont amoureux et de quelque façon qu'ils le soient, mettent leur vanité à ce qui peut détruire les avantages antérieurs où leur vanité eût trouvé satisfaction.

Morel me sentant sans méchanceté pour lui, sincèrement attaché à M. de Charlus, et d'autre part d'une indifférence physique absolue à l'égard de tous les deux, finit par manifester à mon endroit les mêmes sentiments de chaleureuse sympathie qu'une cocotte qui sait qu'on ne la désire pas et que son amant a en vous un ami sincère qui ne cherchera pas à le brouiller avec elle. Non seulement il me parlait exactement comme autrefois Rachel, la maîtresse de Saint-Loup, mais encore, d'après ce que me répétait M. de Charlus, lui disait de moi en mon absence les mêmes choses que Rachel disait de moi à Robert. Enfin M. de Charlus me disait : « Il vous aime beaucoup », comme Robert : « Elle t'aime beaucoup. » Et comme le neveu de la part de sa maîtresse, c'est de la part de Morel que l'oncle me demandait souvent de venir dîner avec eux. Il n'y avait d'ailleurs pas moins d'orages entre eux qu'entre Robert et Rachel. Certes quand Charlie (Morel) était parti, M. de Charlus ne tarissait pas d'éloges sur lui, répétant, ce dont il était flatté, que le violoniste était si bon pour lui. Mais il était pourtant visible que souvent Charlie, même devant tous les fidèles, avait l'air irrité au lieu de paraître toujours heureux et soumis comme eût souhaité le Baron. Cette irritation alla même plus tard, par suite de la faiblesse qui poussait M. de Charlus à pardonner ses inconvenances d'attitude à Morel, jusqu'au point que le violoniste ne cherchait pas à la cacher, ou même l'affectait. J'ai vu M. de Charlus entrant dans un wagon où Charlie était avec des militaires de ses amis, accueilli par des haussements d'épaules du musicien, accompagnés d'un clignement d'yeux à ses camarades. Ou bien il faisait semblant de dormir comme quelqu'un que cette arrivée excède d'ennui. Ou il se mettait à tousser, les autres riaient, affectaient pour se moquer le parler mièvre des hommes pareils à M. de Charlus ; attiraient dans un coin Charlie qui finissait par revenir, comme forcé, auprès de M. de Charlus, dont le cœur était percé par tous ces traits. Il est inconcevable qu'il les ait supportés ; et ces formes chaque fois différentes de souffrance posaient à nouveau pour M. de Charlus le problème du bonheur, le forçaient non seulement à demander davantage, mais à désirer autre chose, la précédente combinaison se trouvant viciée par un affreux souvenir. Et pourtant si pénibles que furent ensuite ces scènes, il faut reconnaître que les premiers temps le génie de l'homme du peuple de France dessinait pour Morel, lui faisait revêtir des formes charmantes de simplicité, de franchise apparente, même d'une indépendante fierté qui semblait inspirée par le désintéressement. Cela était faux, mais l'avantage de l'attitude était d'autant plus en faveur de Morel que, tandis que celui qui aime est toujours forcé de revenir à la charge, d'enchérir, il est au contraire aisé pour celui qui n'aime pas de suivre une ligne droite, inflexible et gracieuse. Elle existait de par le privilège de la race dans le visage si ouvert de ce Morel au cœur si fermé, ce visage paré de la grâce néo-hellénique qui fleurit aux basiliques champenoises. Malgré sa fierté factice, souvent apercevant M. de Charlus au moment où il ne s'y attendait pas, il était gêné pour le petit clan, rougissait, baissait les yeux, au ravissement du Baron, qui voyait là tout un roman. C'était simplement un signe d'irritation et de honte. La première s'exprimait parfois ; car si calme et énergiquement décente que fût habituellement l'attitude de Morel, elle n'allait pas sans se démentir souvent. Parfois même, à quelque mot que lui disait le Baron, éclatait de la part de Morel, sur un ton dur, une réplique insolente dont tout le monde était choqué. M. de Charlus baissait la tête d'un air triste, ne répondait rien, et avec la faculté de croire que rien n'a été remarqué de la froideur, de la dureté de leurs enfants qu'ont les pères idolâtres, n'en continuait pas moins à chanter les louanges du violoniste. M. de Charlus n'était d'ailleurs pas toujours aussi soumis, mais ses rébellions n'atteignaient généralement pas leur but, surtout parce qu'ayant vécu avec des gens du monde, dans le calcul des réactions qu'il pouvait éveiller, il tenait compte de la bassesse, sinon originelle, du moins acquise par l'éducation. Or, à la place, il rencontrait chez Morel quelque velléité plébéienne d'indifférence momentanée. Malheureusement pour M. de Charlus, il ne comprenait pas que pour Morel tout cédait devant les questions où le Conservatoire et la bonne réputation au Conservatoire (mais ceci qui devait être plus grave, ne se posait pas pour le moment) entraient en jeu. Ainsi par exemple les bourgeois changent aisément de nom par vanité, les grands seigneurs par avantage. Pour le jeune violoniste, au contraire, le nom de Morel était indissolublement lié à son 1er prix de violon, donc impossible à modifier. M. de Charlus aurait voulu que Morel tînt tout de lui, même son nom. S'étant avisé que le prénom de Morel était Charles, qui ressemblait à Charlus et que la propriété où ils se voyaient s'appelait les Charmes, il voulut persuader à Morel qu'un joli nom agréable à dire étant la moitié d'une réputation artistique, le virtuose devait sans hésiter prendre le nom de « Charmel », allusion discrète au lieu de leurs rendez-vous. Morel haussa les épaules. En dernier argument M. de Charlus eut la malheureuse idée d'ajouter qu'il avait un valet de chambre qui s'appelait ainsi. Il ne fit qu'exciter la furieuse indignation du jeune homme. « Il y eut un temps où mes ancêtres étaient fiers du titre de valet de chambre, de maîtres d'hôtel du Roi. » — « Il y en eut un autre, répondit fièrement Morel, où mes ancêtres firent couper le cou aux vôtres. » M. de Charlus eût été bien étonné s'il eût pu supposer que, à défaut de « Charmel », résigné à adopter Morel et à lui donner un des titres de la famille de Guermantes desquels il disposait, mais que les circonstances, comme on le verra, ne lui permirent pas d'offrir au violoniste, celui-ci eût refusé en pensant à la réputation artistique attachée à son nom de Morel, et aux commentaires qu'on eût faits à « la classe », tant au-dessus du Faubourg Saint-Germain il plaçait la rue Bergère. Force fut à M. de Charlus de se contenter pour l'instant de faire faire à Morel des bagues symboliques portant l'antique inscription : PLUS ULTRA CAROL'S. Certes devant un adversaire d'une sorte qu'il ne connaissait pas, M. de Charlus aurait dû changer de tactique. Mais qui en est capable ? Du reste si M. de Charlus avait des maladresses, il n'en manquait pas non plus à Morel. Bien plus que la circonstance même qui amena la rupture, ce qui devait, au moins provisoirement (mais ce provisoire se trouva être définitif), le perdre auprès de M. de Charlus, c'est qu'il n'y avait pas en lui que la bassesse qui le faisait être plat devant la dureté et répondre par l'insolence à la douceur. Parallèlement à cette bassesse de nature, il y avait une neurasthénie compliquée de mauvaise éducation, qui s'éveillant dans toute circonstance où il était en faute ou devenait à charge, faisait qu'au moment même où il aurait eu besoin de toute sa gentillesse, de toute sa douceur, de toute sa gaieté pour désarmer le Baron, il devenait sombre, hargneux, cherchait à entamer des discussions où il savait qu'on n'était pas d'accord avec lui, soutenait son point de vue hostile avec une faiblesse de raisons et une violence tranchante qui augmentait cette faiblesse même. Car bien vite à court d'arguments, il en inventait quand même, dans lesquels se déployait toute l'étendue de son ignorance et de sa bêtise. Elles perçaient à peine quand il était aimable et ne cherchait qu'à plaire. Au contraire on ne voyait plus qu'elles dans ses accès d'humeur sombre où, d'inoffensives, elles devenaient haïssables. Alors M. de Charlus se sentait excédé, ne mettait son espoir que dans un lendemain meilleur, tandis que Morel oubliant que le Baron le faisait vivre fastueusement, avait un sourire ironique, de pitié supérieure, et disait : « Je n'ai jamais rien accepté de personne. Comme cela je n'ai personne à qui je doive un seul merci. »

En attendant et comme s'il eût eu affaire à un homme du monde, M. de Charlus continuait à exercer ses colères, vraies ou feintes, mais devenues inutiles. Elles ne l'étaient pas toujours cependant. Ainsi un jour (qui se place d'ailleurs après cette première période) où le Baron revenait avec Charlie et moi d'un déjeuner chez les Verdurin, croyant passer la fin de l'après-midi et la soirée avec le violoniste à Doncières, l'adieu de celui-ci, dès au sortir du train, qui répondit : « Non, j'ai à faire », causa à M. de Charlus une déception si forte, que bien qu'il eût essayé de faire contre mauvaise fortune bon cœur, je vis des larmes faire fondre le fard de ses cils, tandis qu'il restait hébété devant le train. Cette douleur fut telle que, comme nous comptions elle et moi, finir la journée à Doncières, je dis à Albertine, à l'oreille, que je voudrais bien que nous ne laissions pas seul M. de Charlus qui me semblait, je ne savais pourquoi, chagriné. La chère petite accepta de grand cœur. Je demandai alors à M. de Charlus s'il ne voulait pas que je l'accompagnasse un peu. Lui aussi accepta, mais refusa de déranger pour cela ma cousine. Je trouvai une certaine douceur (et sans doute pour une dernière fois, puisque j'étais résolu de rompre avec elle) à lui ordonner doucement, comme si elle avait été ma femme : « Rentre de ton côté, je te retrouverai ce soir », et à l'entendre comme une épouse aurait fait, me donner la permission de faire comme je voudrais, et m'approuver, si M. de Charlus qu'elle aimait bien avait besoin de moi, de me mettre à sa disposition. Nous allâmes, le Baron et moi, lui dandinant son gros corps, ses yeux de jésuite baissés, moi le suivant, jusqu'à un café où on nous apporta de la bière. Je sentis les yeux de M. de Charlus attachés par l'inquiétude à quelque projet. Tout à coup il demanda du papier et de l'encre et se mit à écrire avec une vitesse singulière. Pendant qu'il couvrait feuille après feuille, ses yeux étincelaient d'une rêverie rageuse. Quand il eut écrit huit pages : « Puis-je vous demander un grand service ? me dit-il. Excusez-moi de fermer ce mot. Mais il le faut. Vous allez prendre une voiture, une auto si vous pouvez, pour aller plus vite. Vous trouverez certainement encore Morel dans sa chambre où il est allé se changer. Pauvre garçon, il a voulu faire le fendant au moment de nous quitter, mais soyez sûr qu'il a le cœur plus gros que moi. Vous allez lui donner ce mot et, s'il vous demande où vous m'avez vu, vous lui direz que vous vous étiez arrêté à Doncières (ce qui est du reste la vérité) pour voir Robert, ce qui ne l'est peut-être pas, mais que vous m'avez rencontré avec quelqu'un que vous ne connaissez pas, que j'avais l'air très en colère, que vous avez cru surprendre les mots d'envoi de témoins (je me bats demain en effet). Surtout ne lui dites pas que je le demande, ne cherchez pas à le ramener, mais s'il veut venir avec vous, ne l'empêchez pas de le faire. Allez, mon enfant, c'est pour son bien, vous pouvez éviter un gros drame. Pendant que vous serez parti, je vais écrire à mes témoins. Je vous ai empêché de vous promener avec votre cousine. J'espère qu'elle ne m'en aura pas voulu et même je le crois. Car c'est une âme noble et je sais qu'elle est de celles qui savent ne pas refuser la grandeur des circonstances. Il faudra que vous la remerciiez pour moi. Je lui suis personnellement redevable et il me plaît que ce soit ainsi. » J'avais grand-pitié de M. de Charlus ; il me semblait que Charlie aurait pu empêcher ce duel dont il était peut-être la cause, et j'étais révolté si cela était ainsi, qu'il fût parti avec cette indifférence au lieu d'assister son protecteur. Mon indignation fut plus grande quand, en arrivant à la maison où logeait Morel, je reconnus la voix du violoniste, lequel, par le besoin qu'il avait d'épandre de la gaieté, chantait de tout cœur : « Le samedi soir, après le turbin[70] ! » Si le pauvre M. de Charlus l'avait entendu, lui qui voulait qu'on crût, et croyait sans doute que Morel avait en ce moment le cœur gros ! Charlie se mit à danser de plaisir en m'apercevant. « Oh ! mon vieux (pardonnez-moi de vous appeler ainsi, avec cette sacrée vie militaire, on prend de sales habitudes) quelle veine de vous voir ! Je n'ai rien à faire de ma soirée. Je vous en prie, passons-la ensemble. On restera ici si ça vous plaît, on ira en canot si vous aimez mieux, on fera de la musique, je n'ai aucune préférence. » Je lui dis que j'étais obligé de dîner à Balbec, il avait bonne envie que je l'y invitasse, mais je ne le voulais pas. « Mais si vous êtes si pressé, pourquoi êtes-vous venu ? » — « Je vous apporte un mot de M. de Charlus. » A ce nom toute sa gaieté disparut ; sa figure se contracta. « Comment ! il faut qu'il vienne me relancer jusqu'ici. Alors je suis un esclave. Mon vieux, soyez gentil. Je n'ouvre pas la lettre. Vous lui direz que vous ne m'avez pas trouvé. » — « Ne feriez-vous pas mieux d'ouvrir ? je me figure qu'il y a quelque chose de grave. » — « Cent fois non, vous ne connaissez pas les mensonges, les ruses infernales de ce vieux forban. C'est un truc pour que j'aille le voir. Hé bien ! je n'irai pas, je veux la paix ce soir. » — « Mais est-ce qu'il n'y a pas un duel demain ? » demandai-je à Morel, que je supposais aussi au courant. « Un duel ? me dit-il d'un air stupéfait. Je ne sais pas un mot de ça. Après tout, je m'en fous, ce vieux dégoûtant peut bien se faire zigouiller si ça lui plaît. Mais tenez, vous m'intriguez, je vais tout de même voir sa lettre. Vous lui direz que vous l'avez laissée à tout hasard pour le cas où je rentrerais. » Tandis que Morel me parlait, je regardais avec stupéfaction les admirables livres que lui avait donnés M. de Charlus et qui encombraient la chambre. Le violoniste ayant refusé ceux qui portaient : « Je suis au Baron, etc. », devise qui lui semblait insultante pour lui-même, comme un signe d'appartenance, le

Baron, avec l'ingéniosité sentimentale où se comblait l'amour malheureux, en avait varié d'autres, provenant d'ancêtres, mais commandées au relieur selon les circonstances d'une mélancolique amitié. Quelquefois elles étaient brèves et confiantes, comme « *Spes mea*[71] », ou comme « *Expectata non eludet*[72] ». Quelquefois seulement résignées comme « J'attendrai ». Certaines galantes : « Mesmes plaisir du mestre », ou conseillant la chasteté comme celle empruntée aux Simiane, semée de tours d'azur et de fleurs de lis et détournée de son sens : « *Sustentant lilia turres*[73] ». D'autres enfin désespérées et donnant rendez-vous au ciel à celui qui n'avait pas voulu de lui sur la terre : « *Manet ultima cœlo*[74] » et trouvant trop verte la grappe qu'il ne pouvait atteindre, feignant de n'avoir pas recherché ce qu'il n'avait pas obtenu, M. de Charlus disait dans l'une : « *Non mortale quod opto*[75]. » Mais je n'eus pas le temps de les voir toutes.

Si M. de Charlus en jetant sur le papier cette lettre avait paru en proie au démon de l'inspiration qui faisait courir sa plume, dès que Morel eut ouvert le cachet : *Atavis et armis*[76], chargé d'un léopard accompagné de deux roses de gueules, il se mit à lire avec une fièvre aussi grande qu'avait eue M. de Charlus en écrivant, et sur ces pages noircies à la diable ses regards ne couraient pas moins vite que la plume du Baron. « Ah ! mon Dieu ! s'écria-t-il, il ne manquait plus que cela ! mais où le trouver ? Dieu sait où il est maintenant. » J'insinuai qu'en se pressant on le trouverait peut-être encore à une brasserie où il avait demandé de la bière pour se remettre. « Je ne sais pas si je reviendrai », dit-il à sa femme de ménage, et il ajouta *in petto* : « Cela dépendra de la tournure que prendront les choses. » Quelques minutes après nous arrivions au café. Je remarquai l'air de M. de Charlus au moment où il m'aperçut. En voyant que je ne revenais pas seul, je sentis que la respiration, que la vie lui étaient rendues. Etant d'humeur ce soir-là à ne pouvoir se passer de Morel, il avait inventé qu'on lui avait rapporté que deux officiers du régiment avaient mal parlé de lui à propos du violoniste et qu'il allait leur envoyer des témoins. Morel avait vu le scandale, sa vie au régiment impossible, il était accouru. En quoi il n'avait pas absolument eu tort. Car pour rendre son mensonge plus vraisemblable, M. de Charlus avait déjà écrit à deux amis (l'un était Cottard) pour leur demander d'être ses témoins. Et si le violoniste n'était pas venu, il est certain que fou comme était M. de Charlus (et pour changer sa tristesse en fureur), il les eût envoyés au hasard à un officier quelconque avec lequel ce lui eût été un soulagement de se battre. Pendant ce temps, M. de Charlus se rappelant qu'il était de race plus pure que la Maison de France, se disait qu'il était bien bon de se faire tant de mauvais sang pour le fils d'un maître d'hôtel, dont il n'eût pas daigné fréquenter le maître. D'autre part, s'il ne se plaisait plus guère que dans la fréquentation de la crapule, la profonde habitude qu'a celle-ci de ne pas répondre à une lettre, de manquer à un rendez-vous sans prévenir, sans s'excuser après, lui donnait, comme il s'agissait souvent d'amours, tant d'émotions, et le reste du temps lui causait tant d'agacement, de gêne et de rage, qu'il en arrivait parfois à regretter la multiplicité de lettres pour un rien, l'exactitude scrupuleuse des ambassadeurs et des princes, lesquels, s'ils lui étaient malheureusement indifférents, lui donnaient malgré tout une espèce de repos. Habitué aux façons de Morel et sachant combien il avait peu de prise sur lui et était incapable de s'insinuer dans une vie où des camaraderies vulgaires mais consacrées par l'habitude prenaient trop de place et de temps pour qu'on gardât une heure au grand seigneur évincé, orgueilleux et vainement implorant, M. de Charlus était tellement persuadé que le musicien ne viendrait pas, il avait tellement peur de s'être à jamais brouillé avec lui en allant trop loin, qu'il eut peine à retenir un cri en le voyant. Mais se sentant vainqueur, il tint à dicter les conditions de la paix et à en tirer lui-même les avantages qu'il pouvait. « Que venez-vous faire ici ? lui dit-il. Et vous ? ajouta-t-il en me regardant, je vous avais recommandé surtout de ne pas le ramener. » — « Il ne voulait pas me ramener », dit Morel en roulant vers M. de Charlus, dans la naïveté de sa coquetterie, des regards conventionnellement tristes et langoureusement démodés, avec un air, jugé sans doute irrésistible, de vouloir embrasser le Baron et d'avoir envie de pleurer. « C'est moi qui suis venu malgré lui. Je viens au nom de notre amitié, pour vous supplier à deux genoux de ne pas faire cette folie. » M. de Charlus délirait de joie. La réaction était bien forte pour ses nerfs ; malgré cela il en resta le maître. « L'amitié que vous invoquez assez inopportunément, répondit-il d'un ton sec, devrait au contraire me faire approuver de vous quand je ne crois pas devoir laisser passer les impertinences d'un sot. D'ailleurs si je voulais obéir aux prières d'une affection que j'ai connue mieux inspirée, je n'en aurais plus le pouvoir, mes lettres pour mes témoins sont parties et je ne doute pas de leur acceptation. Vous avez toujours agi avec moi comme un petit imbécile et, au lieu de vous enorgueillir comme vous en aviez le droit, de la prédilection que je vous avais marquée, au lieu de faire comprendre à la tourbe d'adjudants ou de domestiques au milieu desquels la loi militaire vous force de vivre, quel motif d'incomparable fierté était pour vous une amitié comme la mienne, vous avez cherché à vous excuser, presque à vous faire un mérite stupide de ne pas être assez reconnaissant. Je sais qu'en cela, ajouta-t-il, pour ne pas laisser voir combien certaines scènes l'avaient humilié, vous n'êtes coupable que de vous être laissé mener par la jalousie des autres. Mais comment à votre âge êtes-vous assez enfant (et enfant assez mal élevé) pour n'avoir pas deviné tout de suite que votre élection par moi et tous les avantages qui devaient en résulter pour vous allaient exciter des jalousies, que tous vos camarades pendant qu'ils vous excitaient à vous brouiller avec moi, allaient travailler à prendre votre place ? Je n'ai pas cru devoir vous avertir des lettres que j'ai reçues à cet égard de tous ceux à qui vous vous fiez le plus. Je dédaigne autant les avances de ces larbins que leurs inopérantes moqueries. La seule personne dont je me soucie, c'est vous parce que je vous aime bien, mais l'affection a des bornes et vous auriez dû vous en douter. » Si dur que le mot de « larbin » pût être aux oreilles de Morel dont le père l'avait été, mais justement parce que son père l'avait été, l'explication de toutes les mésaventures sociales par la « jalousie », explication simpliste et absurde, mais inusable et qui dans une certaine classe « prend » toujours d'une façon aussi infaillible que les vieux trucs auprès du public des théâtres, ou la menace du péril clérical dans les assemblées, trouvait chez lui une créance presque aussi forte que chez Françoise ou les domestiques de Mme de Guermantes, pour qui c'était la seule cause des malheurs de l'humanité. Il ne douta pas que ses camarades n'eussent essayé de lui chiper sa place et ne fut que plus malheureux de ce duel calamiteux et d'ailleurs imaginaire. « Oh ! quel désespoir, s'écria Charlie. Je n'y survivrai pas. Mais ils ne doivent pas vous voir avant d'aller trouver cet officier ? » — « Je ne sais pas, je pense que si. J'ai fait dire à l'un d'eux que je resterais ici ce soir et je lui donnerais mes instructions. » — « J'espère d'ici sa venue vous faire entendre raison ; permettez-moi seulement de rester auprès de vous », lui demanda tendrement Morel. C'était tout ce que voulait M. de Charlus. Il ne céda pas du premier coup. « Vous auriez tort d'appliquer ici le " qui aime bien châtie bien ", du proverbe, car c'est vous que j'aimais bien et j'entends châtier même après notre brouille ceux qui ont lâchement essayé de vous faire du tort. Jusqu'ici à leurs insinuations questionneuses, osant me demander comment un homme comme moi pouvait frayer avec un gigolo de votre espèce et sorti de rien, je n'ai répondu que par la devise de mes cousins La Rochefoucauld : « C'est mon plaisir. » Je vous ai même marqué plusieurs fois que ce plaisir était susceptible de devenir mon plus grand plaisir, sans qu'il résultât de votre arbitraire élévation un abaissement pour moi. » Et dans un mouvement d'orgueil presque fou, il s'écria en levant les bras : « *Tantus ab uno splendor*[77] *!* Condescendre n'est pas descendre, ajouta-t-il avec plus de calme, après ce délire de fierté et de joie. J'espère au moins que mes deux adversaires, malgré leur rang inégal, sont d'un sang que je peux faire couler sans honte. J'ai pris à cet égard quelques renseignements discrets qui m'ont rassuré. Si vous gardiez pour moi quelque gratitude, vous devriez être fier au contraire de voir qu'à cause de vous je reprends l'humeur belliqueuse de mes ancêtres, disant comme eux, au cas d'une issue fatale, maintenant que j'ai compris le petit drôle que vous êtes, « Mort m'est vie ». Et M. de Charlus le disait sincèrement, non seulement par amour pour Morel, mais parce qu'un goût batailleur qu'il croyait naïvement tenir de ses aïeux, lui donnait tant d'allégresse à la pensée de se battre, que ce duel machiné d'abord seulement pour faire venir Morel, il eût éprouvé maintenant du regret à y renoncer. Il n'avait jamais eu d'affaire sans se croire aussitôt valeureux, et identifié à l'illustre connétable de Guermantes, alors que pour tout autre ce même acte d'aller sur le terrain lui paraissait de la dernière insignifiance. « Je crois que ce sera bien beau, nous dit-il sincèrement, en psalmodiant chaque terme. Voir Sarah Bernhardt dans *l'Aiglon*, qu'est-ce que c'est ? du caca. Mounet-Sully dans *Œdipe*[78] ? caca. Tout au plus prend-il une certaine pâleur de transfiguration quand cela se passe dans les Arènes de Nîmes. Mais qu'est-ce que c'est à côté de cette chose inouïe, voir batailler le propre descendant du Connétable ? » Et à cette seule pensée, M. de Charlus ne se tenant pas de joie, se mit à faire des contre-de-quarte qui rappelaient Molière, nous firent rapprocher prudemment de nous nos bocks, et craindre que les premiers croisements de fer blessassent les adversaires, le médecin et les témoins. « Quel spectacle tentant ce serait pour un peintre. Vous qui connaissez M. Elstir, me dit-il, vous devriez l'amener. » Je répondis qu'il n'était pas sur la côte. M. de Charlus m'insinua qu'on pourrait lui télégraphier. « Oh ! je dis cela pour lui, ajouta-t-il devant mon silence. C'est toujours intéressant pour un maître — à mon avis il en est un — de fixer un exemple de pareille reviviscence ethnique. Et il n'y en a peut-être pas un par siècle. »

Mais si M. de Charlus s'enchantait à la pensée d'un combat qu'il avait cru d'abord tout fictif, Morel pensait avec terreur aux potins qui de la « musique » du régiment pouvaient être colportés, grâce au bruit que ferait ce duel jusqu'au temple de la rue Bergère. Voyant déjà la « classe » informée de tout, il devenait de plus en plus pressant auprès de M. de Charlus, lequel continuait à gesticuler devant l'enivrante idée de se battre. Il supplia le Baron de lui permettre de ne pas le quitter jusqu'au surlendemain, jour supposé du duel, pour le garder à vue et tâcher de lui faire entendre la voix de la raison. Une si tendre proposition triompha des dernières hésitations de M. de Charlus. Il dit qu'il allait essayer de trouver une échappatoire, qu'il ferait remettre au surlendemain une résolution définitive. De cette façon, en n'arrangeant pas l'affaire tout d'un coup, M. de Charlus savait garder Charlie au moins deux jours et en profiter pour obtenir de lui des engagements pour l'avenir en échange de sa renonciation au duel, exercice, disait-il, qui par soi-même l'enchantait, et dont il ne se priverait pas sans regret. Et en cela d'ailleurs il était sincère, car il avait toujours pris plaisir à aller sur le terrain quand il s'agissait de croiser le fer ou d'échanger des balles avec un adversaire. Cottard arriva enfin quoique mis très en retard, car ravi de servir de témoin, mais plus ému encore, il avait été obligé de s'arrêter à tous les cafés ou fermes de la route, en demandant qu'on voulût bien lui indiquer « le n° 100 » ou le « petit endroit ». Aussitôt qu'il fut là, le Baron l'emmena dans une pièce isolée, car il trouvait plus réglementaire que Charlie et moi n'assistions pas à l'entrevue et il excellait à donner à une chambre quelconque l'affectation provisoire de salle du trône ou des délibérations. Une fois seul avec Cottard, il le remercia chaleureusement, mais lui déclara qu'il semblait probable que le propos répété n'avait en réalité pas été tenu, et que dans ces conditions le docteur voulût bien avertir le second témoin que, sauf complications possibles, l'incident était considéré comme clos. Le danger s'éloignant, Cottard fut désappointé. Il voulut même un instant manifester de la colère, mais il se rappela qu'un de ses maîtres, qui avait fait la plus belle carrière médicale de son temps, ayant échoué la première fois à l'Académie pour deux voix seulement, avait fait contre mauvaise fortune bon cœur et était allé serrer la main du concurrent élu. Aussi le docteur se dispensa-t-il d'une expression de dépit qui n'eût plus rien changé et après avoir murmuré, lui, le plus peureux des hommes, qu'il y a certaines choses qu'on ne peut laisser passer, il ajouta que c'était mieux ainsi, que cette solution le réjouissait. M. de Charlus désireux de témoigner sa reconnaissance au docteur de la même façon que M. le Duc son frère eût arrangé le col du paletot de mon père, comme une duchesse surtout eût tenu la taille à une plébéienne, approcha sa chaise tout près de celle du docteur, malgré le dégoût que celui-ci lui inspirait. Et non seulement sans plaisir physique, mais surmontant une répulsion physique, en Guermantes, non en inverti, pour dire adieu au docteur il lui prit la main et la lui caressa un moment avec une bonté de maître flattant le museau de son cheval et lui donnant du sucre. Mais Cottard, qui n'avait jamais laissé voir au Baron qu'il eût même entendu courir de vagues mauvais bruits sur ses mœurs, et ne l'en considérait pas moins, dans son for intérieur, comme faisant partie de la classe des « anormaux » (même avec son habituelle impropriété de termes et sur le ton le plus sérieux, il disait d'un valet de chambre de M. Verdurin : « Est-ce que ce n'est pas la maîtresse du Baron ? ») personnages dont il avait peu l'expérience, se figura que cette caresse de la main était le prélude immédiat d'un viol pour l'accomplissement duquel il avait été, le duel n'ayant servi que de prétexte, attiré dans un guet-apens et conduit par le Baron dans ce salon solitaire où il allait être pris de force. N'osant quitter sa chaise où la peur le tenait cloué, il roulait des yeux d'épouvante, comme tombé aux mains d'un sauvage dont il n'était pas bien assuré qu'il ne se nourrît pas de chair humaine. Enfin M. de Charlus lui lâchant la main et voulant être aimable jusqu'au bout : « Vous allez prendre quelque chose avec nous, comme on dit, ce qu'on appelait autrefois un mazagran ou un gloria, boissons qu'on ne trouve plus comme curiosités archéologiques, que dans les pièces de Labiche et les cafés de Doncières. Un " gloria " serait assez convenable au lieu, n'est-ce pas, et aux circonstances, qu'en dites-vous ? » — « Je suis président de la ligue antialcoolique, répondit Cottard. Il suffirait que quelque médicastre de province passât, pour qu'on dise que je ne prêche pas d'exemple. *Os homini sublime dedit cælumque tueri*[79] », ajouta-t-il, bien que cela n'eût aucun rapport, mais parce que son stock de citations latines était assez pauvre, suffisant d'ailleurs pour émerveiller ses élèves. M. de Charlus haussa les épaules et ramena Cottard auprès de nous, après lui avoir demandé un secret qui lui importait d'autant plus que le motif du duel avorté étant purement imaginaire, il fallait empêcher qu'il parvînt aux oreilles de l'officier arbitrairement mis en cause. Tandis que nous buvions tous quatre, Mme Cottard, qui attendait son mari dehors devant la porte et que M. de Charlus avait très bien vue, mais qu'il ne se souciait pas d'attirer, entra et dit bonjour au Baron, qui lui tendit la main comme à une chambrière, sans bouger de sa chaise, partie en roi qui reçoit des hommages, partie en snob qui ne veut pas qu'une femme peu élégante s'asseye à sa table, partie en égoïste qui a du plaisir à être seul avec ses amis et ne veut pas être embêté. Mme Cottard resta donc debout à parler à M. de Charlus et à son mari. Mais peut-être parce que la politesse, ce qu'on a « à faire », n'est pas le privilège exclusif des Guermantes, et peut tout d'un coup illuminer et guider les cerveaux les plus incertains, ou parce que, trompant beaucoup sa femme, Cottard avait par moments, par une espèce de revanche, le besoin de la protéger contre qui lui manquait, brusquement le docteur fronça le sourcil, ce que je ne lui avais jamais vu faire, et sans consulter M. de Charlus, en maître : « Voyons, Léontine, ne reste donc pas debout, assieds-toi. » — « Mais est-ce que je ne vous dérange pas ? » demanda timidement Mme Cottard à M. de Charlus, lequel surpris du ton du docteur n'avait rien répondu. Et sans lui en donner cette seconde fois le temps, Cottard reprit avec autorité : « Je t'ai dit de t'asseoir. »

Au bout d'un instant on se dispersa et alors M. de Charlus dit à Morel : « Je conclus de toute cette histoire, mieux terminée que vous ne méritiez, que vous ne savez pas vous conduire et qu'à la fin de votre service militaire je vous ramène moi-même à votre père, comme fit l'archange Raphaël envoyé par Dieu au jeune Tobie. » Et le Baron se mit à sourire avec un air de grandeur et une joie que Morel, à qui la perspective d'être ainsi ramené ne plaisait guère, ne semblait pas partager. Dans l'ivresse de se comparer à l'archange, et Morel au fils de Tobie, M. de Charlus ne pensait plus au but de sa phrase qui était de tâter le terrain pour savoir si, comme il le désirait, Morel consentirait à venir avec lui à Paris. Grisé par son amour ou par son amour-propre le Baron ne vit pas ou feignit de ne pas voir la moue que fit le violoniste car ayant laissé celui-ci seul dans le café, il me dit avec un orgueilleux sourire : « Avez-vous remarqué quand je l'ai comparé au fils de Tobie comme il délirait de joie ! C'est parce que, comme il est très intelligent, il a tout de suite compris que le Père auprès duquel il allait désormais vivre, n'était pas son père selon la chair qui doit être un affreux valet de chambre à moustaches, mais son père spirituel, c'est-à-dire Moi. Quel orgueil pour lui ! Comme il redressait fièrement la tête ! Quelle joie il ressentait d'avoir compris. Je suis sûr qu'il va redire tous les jours : " O Dieu qui avez donné le bienheureux Archange Raphaël pour *guide* à votre serviteur Tobie, dans un long voyage, accordez-nous à nous, vos serviteurs, d'être toujours protégés par lui et munis de son secours. " Je n'ai même pas eu besoin, ajouta le Baron, fort persuadé qu'il siégerait un jour devant le trône de Dieu, de lui dire que j'étais l'envoyé céleste, il l'a compris de lui-même et en était muet de bonheur ! » Et M. de Charlus (à qui au contraire le bonheur n'enlevait pas la parole), peu soucieux des quelques passants qui se retournèrent, croyant avoir affaire à un fou, s'écria tout seul et de toute sa force, en levant les mains : « Alleluia ! »

Cette réconciliation ne mit fin que pour un temps aux tourments de M. de Charlus ; souvent Morel parti en manœuvres trop loin pour que M. de Charlus pût aller le voir ou m'envoyer lui parler, écrivait au Baron des lettres désespérées et tendres, où il lui assurait qu'il lui en fallait finir avec la vie parce qu'il avait, pour une chose affreuse, besoin de vingt-cinq mille francs. Il ne disait pas quelle était la chose affreuse, l'eût-il dit qu'elle eût sans doute été inventée. Pour l'argent même, M. de Charlus l'eût envoyé volontiers s'il n'eût senti que cela donnait à Charlie les moyens de se passer de lui et aussi d'avoir les faveurs de quelque autre. Aussi refusait-il, et ses télégrammes avaient le ton sec et tranchant de sa voix. Quand il était certain de leur effet, il souhaitait que Morel fût à jamais brouillé avec lui, car persuadé que ce serait le contraire qui se réaliserait, il se rendait compte de tous les inconvénients qui allaient renaître de cette liaison inévitable. Mais si aucune réponse de Morel ne venait, il ne dormait plus, il n'avait plus un moment de calme, tant le nombre est grand en effet des choses que nous vivons sans les connaître, et des réalités intérieures et profondes qui nous restent cachées. Il formait alors toutes les suppositions sur cette énormité qui faisait que Morel avait besoin de vingt-cinq mille francs, il lui donnait toutes les formes, y attachait tour à tour bien des noms propres. Je crois que dans ces moments-là, M. de Charlus (et bien qu'à cette époque son snobisme diminuant, eût été déjà au moins rejoint sinon dépassé, par la curiosité grandissante que le Baron avait du peuple) devait se rappeler avec quelque nostalgie les gracieux tourbillons multicolores des réunions mondaines où les femmes et les hommes les plus charmants ne le recherchaient que pour le plaisir désintéressé qu'il leur donnait, où personne n'eût songé à « lui monter le coup », à inventer une « chose affreuse », pour laquelle on est prêt à se donner la mort si on ne reçoit pas tout de suite vingt-cinq mille francs. Je crois qu'alors, et peut-être parce qu'il était resté tout de même plus de Combray que moi, et avait enté la fierté féodale sur l'orgueil allemand, il devait trouver qu'on n'est pas impunément l'amant de cœur d'un domestique, que le peuple n'est pas tout à fait le monde, qu'en somme il « ne faisait pas confiance » au peuple comme je lui ai toujours fait.

La station suivante du petit tram, Maineville, me rappelle justement un incident relatif à Morel et à M. de Charlus. Avant d'en parler, je dois dire que l'arrêt à Maineville (quand on conduisait à Balbec un arrivant élégant qui, pour ne pas gêner, préférait ne pas habiter la Raspelière) était l'occasion de scènes moins pénibles que celle que je vais raconter dans un instant. L'arrivant, ayant ses menus bagages dans le train, trouvait généralement le Grand-Hôtel un peu éloigné, mais comme il n'y avait avant Balbec que de petites plages aux villas inconfortables, était par goût de luxe et de bien-être, résigné au long trajet, quand, au moment où le train stationnait à Maineville, il voyait brusquement se dresser le Palace dont il ne pouvait pas se douter que c'était une maison de prostitution. « Mais, n'allons pas plus loin, disait-il infailliblement à Mme Cottard, femme connue comme étant d'esprit pratique et de bon conseil. Voilà tout à fait ce qu'il me faut. A quoi bon continuer jusqu'à Balbec où ce ne sera certainement pas mieux ? Rien qu'à l'aspect, je juge qu'il y a tout le confort ; je pourrai parfaitement faire venir là Mme Verdurin, car je compte, en échange de ses politesses, donner quelques petites réunions en son honneur. Elle n'aura pas tant de chemin à faire que si j'habite Balbec. Cela me semble tout à fait bien pour elle, et pour votre femme, mon cher professeur. Il doit y avoir des salons, nous y ferons venir ces dames. Entre nous je ne comprends pas pourquoi au lieu de louer la Raspelière, Mme Verdurin n'est pas venue habiter ici. C'est beaucoup plus sain que de vieilles maisons comme la Raspelière, qui est forcément humide, sans être propre d'ailleurs, ils n'ont pas l'eau chaude, on ne peut pas se laver comme on veut. Maineville me paraît bien plus agréable. Mme Verdurin y eût joué parfaitement son rôle de patronne. En tous cas chacun ses goûts, moi je vais me fixer ici. Madame Cottard, ne voulez-vous pas descendre avec moi ? en nous dépêchant, car le train ne va pas tarder à repartir. Vous me piloteriez dans cette maison qui sera la vôtre et que vous devez avoir fréquentée souvent. C'est tout à fait un cadre fait pour vous. » On avait toutes les peines du monde à faire taire et surtout à empêcher de descendre, l'infortuné arrivant, lequel, avec l'obstination qui émane souvent des gaffes, insistait, prenait ses valises et ne voulait rien entendre jusqu'à ce qu'on lui eût assuré que jamais Mme Verdurin ni Mme Cottard ne viendraient le voir là. « En tous cas je vais y élire domicile. Mme Verdurin n'aura qu'à m'y écrire. »

Le souvenir relatif à Morel se rapporte à un incident d'un ordre plus particulier. Il y en eut d'autres, mais je me contente ici, au fur et à mesure que le tortillard s'arrête et que l'employé crie Doncières, Grattevast, Maineville, etc., de noter ce que la petite plage ou la garnison m'évoquent. J'ai déjà parlé de Maineville (*media villa*) et de l'importance qu'elle prenait à cause de cette somptueuse maison de femmes qui y avait été récemment construite, non sans éveiller les protestations inutiles des mères de famille. Mais avant de dire en quoi Maineville a quelque rapport dans ma mémoire avec Morel et M. de Charlus, il me faut noter la disproportion (que j'aurai plus tard à approfondir) entre l'importance que Morel attachait à garder libres certaines heures, et l'insignifiance des occupations auxquelles il prétendait les employer, cette même disproportion se retrouvant au milieu des explications d'un autre genre qu'il donnait à M. de Charlus. Lui qui jouait au désintéressé avec le Baron (et pouvait y jouer sans risques, vu la générosité de son protecteur), quand il désirait passer la soirée de son côté pour donner une leçon, etc., il ne manquait pas d'ajouter à son prétexte ces mots dits avec un sourire d'avidité : « Et puis cela peut me faire gagner quarante francs. Ce n'est pas rien. Permettez-moi d'y aller, car vous voyez, c'est mon intérêt. Dame, je n'ai pas de rentes comme vous, j'ai ma situation à faire, c'est le moment de gagner des sous. » Morel n'était pas en désirant donner sa leçon tout à fait insincère. D'une part, que l'argent n'ait pas de couleur est faux. Une manière nouvelle de le gagner rend du neuf aux pièces que l'usage a ternies. S'il était vraiment sorti pour une leçon, il est possible que deux louis remis au départ par une élève, lui eussent produit un effet autre que deux louis tombés de la main de M. de Charlus. Puis l'homme le plus riche ferait pour deux louis des kilomètres qui deviennent des lieues si l'on est fils d'un valet de chambre. Mais souvent M. de Charlus avait sur la réalité de la leçon de violon des doutes d'autant plus grands que souvent le musicien invoquait des prétextes d'un autre genre, d'un ordre entièrement désintéressé au point de vue matériel et d'ailleurs absurdes. Morel ne pouvait ainsi s'empêcher de présenter une image de sa vie, mais volontairement, et involontairement aussi, tellement enténébrée, que certaines parties seules se laissaient distinguer. Pendant un mois il se mit à la disposition de M. de Charlus, à condition de garder ses soirées libres, car il désirait suivre avec continuité des cours d'algèbre. Venir voir après M. de Charlus ? Ah, c'était impossible, les cours duraient parfois fort tard. « Même après deux heures du matin ? » demandait le Baron. « Des fois. » — « Mais l'algèbre s'apprend aussi facilement dans un livre. » — « Même plus facilement, car je ne comprends pas grand-chose aux cours. » — « Alors ? D'ailleurs l'algèbre ne peut te servir à rien. » — « J'aime bien cela. Ça dissipe ma neurasthénie. » — « Cela ne peut pas être l'algèbre qui lui fait demander des permissions de nuit, se disait M. de Charlus. Serait-il attaché à la police ? » En tous cas Morel, quelque objection qu'on fît, réservait certaines heures tardives, que ce fût à cause de l'algèbre ou du violon. Une fois ce ne fut ni l'un ni l'autre, mais le Prince de Guermantes qui, venu passer quelques jours sur cette côte pour rendre visite à la Duchesse de Luxembourg, rencontra le musicien, sans savoir qui il était, sans être davantage connu de lui, et lui offrit cinquante francs pour passer la nuit ensemble dans la maison de femmes de Maineville ; double plaisir pour Morel du gain reçu de M. de Guermantes et de la volupté d'être entouré de femmes dont les seins bruns se montraient à découvert. Je ne sais comment M. de Charlus eut l'idée de ce qui s'était passé et de l'endroit, mais non du séducteur. Fou de jalousie et pour connaître celui-ci, il télégraphia à Jupien qui arriva deux jours après, et quand au commencement de la semaine suivante, Morel annonça qu'il serait encore absent, le Baron demanda à Jupien s'il se chargerait d'acheter la patronne de l'établissement et d'obtenir qu'on les cachât, lui et Jupien, pour assister à la scène. « C'est entendu. Je vais m'en occuper, ma petite gueule », répondit Jupien au Baron. On ne peut comprendre à quel point cette inquiétude agitait et par là même avait momentanément enrichi l'esprit de M. de Charlus. L'amour cause ainsi de véritables soulèvements géologiques de la pensée. Dans celui de M. de Charlus qui, il y a quelques jours, ressemblait à une plaine si uniforme qu'au plus loin il n'aurait pu apercevoir une idée au ras du sol, s'étaient brusquement dressées, dures comme la pierre, un massif de montagnes, mais de montagnes aussi sculptées que si quelque statuaire au lieu d'emporter le marbre l'avait ciselé sur place et où se tordaient en groupes géants et titaniques, la Fureur, la Jalousie, la Curiosité, l'Envie, la Haine, la Souffrance, l'Orgueil, l'Épouvante et l'Amour.

Cependant le soir où Morel devait être absent était arrivé. La mission de Jupien avait réussi. Lui et le Baron devaient venir vers onze heures du soir et on les cacherait. Trois rues avant d'arriver à cette magnifique maison de prostitution (où on venait de tous les environs élégants), M. de Charlus marchait sur la pointe des pieds, dissimulait sa voix, suppliait Jupien de parler moins fort, de peur que, de l'intérieur, Morel les entendît. Or, dès qu'il fut entré à pas de loup dans le vestibule, M. de Charlus, qui avait peu l'habitude de ce genre de lieux, à sa terreur et à sa stupéfaction, se trouva dans un endroit plus bruyant que la Bourse ou l'Hôtel des Ventes. C'est en vain qu'il recommandait de parler plus bas à des soubrettes qui se pressaient autour de lui ; d'ailleurs leur voix même était couverte par le bruit de criées et d'adjudications que faisait une vieille « sous-maîtresse » à la perruque fort brune, au visage où craquelait la gravité d'un notaire ou d'un prêtre espagnol et qui lançait à toutes minutes avec un bruit de tonnerre, en laissant alternativement ouvrir et refermer les portes, comme on règle la circulation des voitures : « Mettez Monsieur au vingt-huit, dans la chambre espagnole. » — « On ne passe plus. » — « Rouvrez la porte, ces Messieurs demandent Mademoiselle Noémie. Elle les attend dans le salon persan. » M. de Charlus était effrayé comme un provincial qui a à traverser les boulevards ; et pour prendre une comparaison infiniment moins sacrilège que le sujet représenté dans les chapiteaux du porche de la vieille église de Couliville, les voix des jeunes bonnes répétaient en plus bas, sans se lasser, l'ordre de la sous-maîtresse, comme ces catéchismes qu'on entend les élèves psalmodier dans la sonorité d'une église de campagne. Si peur qu'il eût, M. de Charlus qui, dans la rue, tremblait d'être entendu, se persuadant que Morel était à la fenêtre, ne fut peut-être pas tout de même aussi effrayé dans le rugissement de ces escaliers immenses où on comprenait que des chambres rien ne pouvait être aperçu. Enfin au terme de son calvaire, il trouva Mlle Noémie qui devait le cacher avec Jupien, mais commença par l'enfermer dans un salon persan fort somptueux d'où il ne voyait rien. Elle lui dit que Morel avait demandé à prendre une orangeade et que dès qu'on la lui aurait servie, on conduirait les deux voyageurs dans un salon transparent. En attendant, comme on la réclamait, elle leur promit, comme dans un conte, que pour leur faire passer le temps elle allait leur envoyer « une petite dame intelligente ». Car elle, on l'appelait. La petite dame intelligente avait un peignoir persan qu'elle voulait ôter. M. de Charlus lui demanda de n'en rien faire, et elle se fit monter du champagne qui coûtait quarante francs la bouteille. Morel, en réalité, pendant ce temps, était avec le Prince de Guermantes ; il avait, pour la forme, fait semblant de se tromper de chambre, était entré dans une où il y avait deux femmes, lesquelles s'étaient empressées de laisser seuls les deux messieurs. M. de Charlus ignorait tout cela, mais pestait, voulait ouvrir les portes, fit redemander Mlle Noémie, laquelle ayant entendu la petite dame intelligente donner à M. de Charlus des détails sur Morel non concordants avec ceux qu'elle-même avait donnés à Jupien, la fit déguerpir et envoya bientôt pour remplacer la petite dame intelligente « une petite dame gentille », qui ne leur montra rien de plus, mais leur dit combien la maison était sérieuse et demanda, elle aussi, du champagne. Le Baron écumant fit revenir Mlle Noémie, qui leur dit : « Oui, c'est un peu long, ces dames prennent des poses, il n'a pas l'air d'avoir envie de rien faire. » Enfin, devant les promesses du Baron, ses menaces, Mlle Noémie s'en alla d'un air contrarié en les assurant qu'ils n'attendraient pas plus de cinq minutes. Ces cinq minutes durèrent une heure, après quoi Noémie conduisit à pas de loup M. de Charlus ivre de fureur et Jupien désolé vers une porte entrebâillée en leur disant : « Vous allez très bien voir. Du reste en ce moment ce n'est pas très intéressant, il est avec trois dames, il leur raconte sa vie de régiment. » Enfin le Baron put voir par l'ouverture de la porte et aussi dans les glaces. Mais une terreur mortelle le força de s'appuyer au mur. C'était bien Morel qu'il avait devant lui, mais comme si les mystères païens et les enchantements existaient encore, c'était plutôt l'ombre de Morel, Morel embaumé, pas même Morel ressuscité comme Lazare, une apparition de Morel, un fantôme de Morel, Morel revenant ou évoqué dans cette chambre (où partout les murs et les divans répétaient des emblèmes de sorcellerie), qui était à quelques mètres de lui, de profil. Morel avait, comme après la mort, perdu toute couleur ; entre ces femmes avec lesquelles il semblait qu'il eût dû s'ébattre joyeusement, livide, il restait figé dans une immobilité artificielle ; pour boire la coupe de champagne qui était devant lui, son bras sans force essayait lentement de se tendre et retombait. On avait l'impression de cette équivoque qui fait qu'une religion parle d'immortalité, mais entend par là quelque chose qui n'exclut pas le néant. Les femmes le pressaient de questions : « Vous voyez, dit tout bas Mlle Noémie au Baron, elles lui parlent de sa vie de régiment, c'est amusant, n'est-ce pas ? — et elle rit — vous êtes content ? Il est calme, n'est-ce pas ? » ajouta-t-elle, comme elle aurait dit d'un mourant. Les questions des femmes se pressaient mais Morel inanimé n'avait pas la force de leur répondre. Le miracle même d'une parole murmurée ne se produisait pas. M. de Charlus n'eut qu'un instant d'hésitation, il comprit la vérité et que, soit maladresse de Jupien quand il était allé s'entendre, soit puissance expansive des secrets confiés qui fait qu'on ne les garde jamais, soit caractère indiscret de ces femmes, soit crainte de la police, on avait prévenu Morel que deux messieurs avaient payé fort cher pour le voir, on avait fait sortir le Prince de Guermantes métamorphosé en trois femmes, et placé le pauvre Morel tremblant, paralysé par la stupeur de telle façon que si M. de Charlus le voyait mal, lui terrorisé, sans paroles, n'osant pas prendre son verre de peur de le laisser tomber, voyait en plein le Baron.

L'histoire au reste ne finit pas mieux pour le Prince de Guermantes. Quand on l'avait fait sortir pour que M. de Charlus ne le vît pas, furieux de sa déconvenue sans soupçonner qui en était l'auteur, il avait supplié Morel, sans toujours vouloir lui faire connaître qui il était, de lui donner rendez-vous pour la nuit suivante dans la toute petite villa qu'il avait louée et que malgré le peu de temps qu'il devait y rester, il avait, suivant la même maniaque habitude que nous avons autrefois remarquée chez Mme de Villeparisis, décorée de quantité de souvenirs de famille, pour se sentir plus chez soi. Donc le lendemain, Morel retournant la tête à toute minute, tremblant d'être suivi et épié par M. de Charlus, avait fini, n'ayant remarqué aucun passant suspect, par entrer dans la villa. Un valet le fit entrer au salon en lui disant qu'il allait prévenir Monsieur (son maître lui avait recommandé de ne pas prononcer le nom de Prince de peur d'éveiller des soupçons). Mais quand Morel se trouva seul et voulut regarder dans la glace si sa mèche n'était pas dérangée, ce fut comme une hallucination. Sur la cheminée, les photographies, reconnaissables pour le violoniste, car il les avait vues chez M. de Charlus, de la Princesse de Guermantes, de la Duchesse de Luxembourg, de Mme de Villeparisis, le pétrifièrent d'abord d'effroi. Au même moment il aperçut celle de M. de Charlus, laquelle était un peu en retrait. Le Baron semblait immobiliser sur Morel un regard étrange et fixe. Fou de terreur, Morel revenant de sa stupeur première, ne doutant pas que ce ne fût un guet-apens où M. de Charlus l'avait fait tomber pour éprouver s'il était fidèle, dégringola quatre à quatre les quelques marches de la villa, se mit à courir à toutes jambes sur la route et quand le Prince de Guermantes (après avoir cru faire faire à une connaissance de passage le stage nécessaire, non sans s'être demandé si c'était bien prudent et si l'individu n'était pas dangereux) entra dans son salon, il n'y trouva plus personne. Il eut beau avec son valet, par crainte de cambriolage, et revolver au poing, explorer toute la maison qui n'était pas grande, les recoins du jardinet, le sous-sol, le compagnon dont il avait cru la présence certaine, avait disparu. Il le rencontra plusieurs fois au cours de la semaine suivante. Mais chaque fois c'était Morel, l'individu dangereux, qui se sauvait comme si le Prince l'avait été plus encore. Buté dans ses soupçons, Morel ne les dissipa jamais, et même à Paris la vue du Prince de Guermantes suffisait à le mettre en fuite. Par où M. de Charlus fut protégé d'une infidélité qui le désespérait, et vengé, sans l'avoir jamais imaginé, ni surtout comment.

Mais déjà les souvenirs de ce qu'on m'avait raconté à ce sujet sont remplacés par d'autres, car le B. C. N., reprenant sa marche de « tacot » continue de déposer ou de prendre les voyageurs aux stations suivantes.

A Grattevast, où habitait sa sœur avec laquelle il était allé passer l'après-midi, montait quelquefois M. Pierre de Verjus, Comte de Crécy (qu'on appelait seulement le Comte de Crécy), gentilhomme pauvre mais d'une extrême distinction, que j'avais connu par les Cambremer, avec qui il était d'ailleurs peu lié. Réduit à une vie extrêmement modeste, presque misérable, je sentais qu'un cigare, une « consommation » étaient choses si agréables pour lui que je pris l'habitude, les jours où je ne pouvais voir Albertine, de l'inviter à Balbec. Très fin et s'exprimant à merveille, tout blanc, avec de charmants yeux bleus, il parlait surtout du bout des lèvres, très délicatement, des conforts de la vie seigneuriale qu'il avait évidemment connus, et aussi de généalogies. Comme je lui demandais ce qui était gravé sur sa bague, il me dit avec un sourire modeste : « C'est une branche de verjus. » Et il ajouta avec un plaisir dégustateur : « Nos armes sont une branche de verjus — symbolique puisque je m'appelle Verjus — tigellée et feuillée de sinople. » Mais je crois qu'il aurait eu une déception si à Balbec je ne lui avais offert à boire que du verjus. Il aimait les vins les plus coûteux, sans doute par privation, par connaissance approfondie de ce dont il était privé, par goût, peut-être aussi par penchant exagéré. Aussi quand je l'invitais à dîner à Balbec, il commandait le repas avec une science raffinée, mais mangeait un peu trop, et surtout buvait, faisant chambrer les vins qui doivent l'être, frapper ceux qui exigent d'être dans de la glace. Avant le dîner et après, il indiquait la date ou le numéro qu'il voulait pour un porto ou une fine, comme il eût fait pour l'érection généralement ignorée d'un marquisat, mais qu'il connaissait aussi bien.

Comme j'étais pour Aimé un client préféré, il était

ravi que je donnasse de ces dîners extras et criait aux garçons : « Vite, dressez la table vingt-cinq », il ne disait même pas « dressez », mais « dressez-moi », comme si ç'avait été pour lui. Et comme le langage des maîtres d'hôtel n'est pas tout à fait le même que celui des chefs de rang, demi-chefs, commis, etc., au moment où je demandais l'addition, il disait au garçon qui nous avait servis, avec un geste répété et apaisant du revers de la main, comme s'il voulait calmer un cheval prêt à prendre le mors aux dents : « N'allez pas trop fort (pour l'addition), allez doucement, très doucement. » Puis comme le garçon partait muni de cet aide-mémoire, Aimé craignant que ses recommandations ne fussent pas exactement suivies, le rappelait : « Attendez, je vais chiffrer moi-même. » Et comme je lui disais que cela ne faisait rien : « J'ai pour principe que, comme on dit vulgairement, on ne doit pas estamper le client. » Quant au directeur, comme les vêtements de mon invité étaient simples, toujours les mêmes, et assez usés (et pourtant personne n'eût si bien pratiqué l'art de s'habiller fastueusement, comme un élégant de Balzac, s'il en avait eu les moyens), il se contentait, à cause de moi, d'inspecter de loin si tout allait bien, et d'un regard de faire mettre une cale sous un pied de la table qui n'était pas d'aplomb. Ce n'est pas qu'il n'eût su, bien qu'il cachât ses débuts comme plongeur, mettre la main à la pâte comme un autre. Il fallut pourtant une circonstance exceptionnelle pour qu'un jour il découpât lui-même les dindonneaux. J'étais sorti mais j'ai su qu'il l'avait fait avec une majesté sacerdotale, entouré, à distance respectueuse du dressoir, d'un cercle de garçons qui cherchaient par là, moins à apprendre qu'à se faire bien voir, et avaient un air béat d'admiration. Vus d'ailleurs par le directeur (plongeant d'un geste lent dans le flanc des victimes et n'en détachant pas plus ses yeux pénétrés de sa haute fonction que s'il avait dû y lire quelque augure) ils ne le furent nullement. Le sacrificateur ne s'aperçut même pas de mon absence. Quand il l'apprit, elle le désola. « Comment, vous ne m'avez pas vu découper moi-même les dindonneaux ? » Je lui répondis que n'ayant pu voir jusqu'ici Rome, Venise, Sienne, le Prado, le musée de Dresde, les Indes, Sarah dans *Phèdre*, je connaissais la résignation et que j'ajouterais son découpage des dindonneaux à ma liste. La comparaison avec l'art dramatique (Sarah dans *Phèdre*) fut la seule qu'il parut comprendre, car il savait par moi que les jours de grandes représentations, Coquelin aîné avait accepté des rôles de débutant, celui même d'un personnage qui ne dit qu'un mot ou ne dit rien. « C'est égal, je suis désolé pour vous. Quand est-ce que je découperai de nouveau ? Il faudrait un événement, il faudrait une guerre. » (Il fallut en effet l'armistice.) Depuis ce jour-là le calendrier fut changé, on compta ainsi : « C'est le lendemain du jour où j'ai découpé moi-même les dindonneaux. » — « C'est juste huit jours après que le directeur a découpé lui-même les dindonneaux. » Ainsi cette prosectomie donna-t-elle, comme la naissance du Christ ou l'Hégire, le point de départ d'un calendrier différent des autres, mais qui ne prit pas leur extension et n'égala pas leur durée.

La tristesse de la vie de M. de Crécy venait tout autant que de ne plus avoir de chevaux et une table succulente, de ne voisiner qu'avec des gens qui pouvaient croire que Cambremer et Guermantes étaient tout un. Quand il vit que je savais que Legrandin, lequel se faisait maintenant appeler Legrand de Méséglise, n'y avait aucune espèce de droit, allumé d'ailleurs par le vin qu'il buvait, il eut une espèce de transport de joie. Sa sœur me disait d'un air entendu : « Mon frère n'est jamais si heureux que quand il peut causer avec vous. » Il se sentait en effet exister depuis qu'il avait découvert quelqu'un qui savait la médiocrité des Cambremer, et la grandeur des Guermantes, quelqu'un pour qui l'univers social existait. Tel après l'incendie de toutes les bibliothèques du globe et l'ascension d'une race entièrement ignorante, un vieux latiniste reprendrait pied et confiance dans la vie, en entendant quelqu'un lui citer un vers d'Horace. Aussi s'il ne quittait jamais le wagon sans me dire : « A quand notre petite réunion ? » c'était, autant que par avidité de parasite, par gourmandise d'érudit, et parce qu'il considérait les agapes de Balbec comme une occasion de causer, en même temps, des sujets qui lui étaient chers et dont il ne pouvait parler avec personne, et analogues en cela à ces dîners où se réunit à dates fixes, devant la table particulièrement succulente du Cercle de l'Union, la Société des Bibliophiles. Très modeste, en ce qui concernait sa propre famille, ce ne fut pas par M. de Crécy que j'appris qu'elle était très grande, et un authentique rameau détaché en France de la famille anglaise qui porte le titre de Crécy. Quand je sus qu'il était un vrai Crécy, je lui racontai qu'une nièce de Mme de Guermantes avait épousé un Américain du nom de Charles Crécy et lui dis que je pensais qu'il n'avait aucun rapport avec lui. « Aucun, me dit-il. Pas plus — bien, du reste, que ma famille n'ait pas autant d'illustration — que beaucoup d'Américains qui s'appellent Montgommery, Berry, Chaudos ou Capel, n'ont de rapport avec les familles de Pembroke, de Buckingham, d'Essex, ou avec le Duc de Berry. » Je pensai plusieurs fois à lui dire, pour l'amuser, que je connaissais Mme Swann qui, comme cocotte, était connue autrefois sous le nom d'Odette de Crécy ; mais bien que le Duc d'Alençon n'eût pu se froisser qu'on parlât avec lui d'Émilienne d'Alençon[80], je ne me sentis pas assez lié avec M. de Crécy pour conduire avec lui la plaisanterie jusque-là. « Il est d'une très grande famille, me dit un jour M. de Montsurvent. Son patronyme est Saylor. » Et il ajouta que sur son vieux castel au-dessus d'Incarville, d'ailleurs devenu presque inhabitable et que, bien que né fort riche, il était aujourd'hui trop ruiné pour réparer, se lisait encore l'antique devise de la famille. Je trouvai cette devise très belle, qu'on l'appliquât soit à l'impatience d'une race de proie nichée dans cette aire d'où elle devait jadis prendre son vol, soit aujourd'hui, à la contemplation du déclin, à l'attente de la mort prochaine, dans cette retraite dominante et sauvage. C'est en ce double sens en effet que joue avec le nom de Saylor cette devise qui est : « Ne sçais l'heure. »

A Hermonville montait quelquefois M. de Chevrigny, dont le nom, nous dit Brichot, signifiait comme celui de Mgr de Cabrières, « lieu où s'assemblent les chèvres ». Il était parent des Cambremer, et à cause de cela, et par une fausse appréciation de l'élégance, ceux-ci l'invitaient souvent à Féterne, mais seulement quand ils n'avaient pas d'invités à éblouir. Vivant toute l'année à Beausoleil, M. de Chevrigny était resté plus provincial qu'eux. Aussi quand il allait passer quelques semaines à Paris, il n'y avait pas un seul jour de perdu pour tout ce qu' « il y avait à voir » ; c'était au point que parfois un peu étourdi par le nombre de spectacles trop rapidement digérés, quand on lui demandait s'il avait vu une certaine pièce, il lui arrivait de n'en être plus bien sûr. Mais ce vague était rare, car il connaissait les choses de Paris avec ce détail particulier aux gens qui y viennent rarement. Il me conseillait les « nouveautés » à aller voir (« Cela en vaut la peine »), ne les considérant du reste qu'au point de vue de la bonne soirée qu'elles font passer, et ignorant du point de vue esthétique jusqu'à ne pas se douter qu'elles pouvaient en effet constituer parfois une « nouveauté » dans l'histoire de l'art. C'est ainsi que parlant de tout sur le même plan il nous disait : « Nous sommes allés une fois à l'Opéra-Comique, mais le spectacle n'est pas fameux. Cela s'appelle *Pelléas et Mélisande*. C'est insignifiant. Périer joue toujours bien, mais il vaut mieux le voir dans autre chose. En revanche, au Gymnase on donne *La Châtelaine*. Nous y sommes retournés deux fois ; ne manquez pas d'y aller, cela mérite d'être vu ; et puis c'est joué à ravir ; vous avez Frévalles, Marie Magnier, Baron fils [81] » ; il me citait même des noms d'acteurs que je n'avais jamais entendu prononcer et sans les faire précéder de Monsieur, Madame ou Mademoiselle, comme eût fait le Duc de Guermantes, lequel parlait du même ton cérémonieusement méprisant des « chansons de Mademoiselle Yvette Guilbert » et des « expériences de Monsieur Charcot [82] ». M. de Chevrigny n'en usait pas ainsi, il disait Cornaglia et Dehelly[83], comme il eût dit Voltaire et Montesquieu. Car chez lui à l'égard des acteurs comme de tout ce qui était parisien, le désir de se montrer dédaigneux qu'avait l'aristocrate était vaincu par celui de paraître familier qu'avait le provincial.

Dès après le premier dîner que j'avais fait à la Raspelière avec ce qu'on appelait encore à Féterne « le jeune ménage », bien que M. et Mme de Cambremer ne fussent plus, tant s'en fallait, de la première jeunesse, la vieille Marquise m'avait écrit une de ces lettres dont on reconnaît l'écriture entre des milliers. Elle me disait : « Amenez votre cousine délicieuse — charmante — agréable. Ce sera un enchantement, un plaisir », manquant toujours avec une telle infaillibilité la progression attendue par celui qui recevait sa lettre que je finis par changer d'avis sur la nature de ces diminuendos, par les croire voulus, et y trouver la même dépravation du goût — transposée dans l'ordre mondain — qui poussait Sainte-Beuve à briser toutes les alliances de mots, à altérer toute expression un peu habituelle[84]. Deux méthodes enseignées sans doute par des maîtres différents se contrariaient dans ce style épistolaire, la deuxième faisant racheter à Mme de Cambremer la banalité des adjectifs multiples, en les employant en gamme descendante, en évitant de finir sur l'accord parfait. En revanche, je penchais à voir dans ces gradations inverses, non plus du raffinement comme quand elles étaient l'œuvre de la Marquise douairière, mais de la maladresse toutes les fois qu'elles étaient employées par le Marquis son fils ou par ses cousines. Car dans toute la famille, jusqu'à un degré assez éloigné et par une imitation admirative de tante Zélia, la règle des trois adjectifs était très en honneur de même qu'une certaine manière enthousiaste de reprendre sa respiration en parlant. Imitation passée dans le sang d'ailleurs ; et quand dans la famille une petite fille, dès son enfance, s'arrêtait en parlant pour avaler sa salive, on disait : « Elle tient de tante Zélia », on sentait que plus tard ses lèvres tendraient assez vite à s'ombrager d'une légère moustache et on se promettait de cultiver chez elle les dispositions qu'elle aurait pour la musique. Les relations des Cambremer ne tardèrent pas à être moins parfaites avec Mme Verdurin qu'avec moi, pour différentes raisons. Ils voulaient inviter celle-ci. La « jeune » Marquise me disait dédaigneusement : « Je ne vois pas pourquoi nous ne l'inviterions pas cette femme, à la campagne on voit n'importe qui, ça ne tire pas à conséquence. » Mais au fond, assez impressionnés ils ne cessaient de me consulter sur la façon dont ils devaient réaliser leur désir de politesse. Comme ils nous avaient invités à dîner, Albertine et moi, avec des amis de Saint-Loup, gens élégants de la région, propriétaires du château de Gourville et qui représentaient un peu plus que le gratin normand, dont Mme Verdurin, sans avoir l'air d'y toucher, était friande, je conseillai aux Cambremer d'inviter avec eux la Patronne. Mais les châtelains de Féterne, par crainte (tant ils étaient timides) de mécontenter leurs nobles amis, ou (tant ils étaient naïfs) que M. et Mme Verdurin s'ennuyassent avec des gens qui n'étaient pas des intellectuels, ou encore (comme ils étaient imprégnés d'un esprit de routine que l'expérience n'avait pas fécondé) de mêler les genres, et de commettre un « impair », déclarèrent que cela ne corderait pas ensemble, que cela ne « bichérait » pas et qu'il valait mieux réserver Mme Verdurin (qu'on inviterait avec tout son petit groupe) pour un autre dîner. Pour le prochain — l'élégant, avec les amis de Saint-Loup — ils ne convièrent du petit noyau que Morel, afin que M. de Charlus fût indirectement informé des gens brillants qu'ils recevaient, et aussi que le musicien fût un élément de distraction pour les invités, car on lui demanderait d'apporter son violon. On lui adjoignit Cottard, parce que M. de Cambremer déclara qu'il avait de l'entrain et « faisait bien » dans un dîner ; puis que cela pourrait être commode d'être en bons termes avec un médecin si on avait jamais quelqu'un de malade. Mais on l'invita seul, pour ne « rien commencer avec la femme ». Mme Verdurin fut outrée quand elle apprit que deux membres du petit groupe étaient invités sans elle à dîner à Féterne « en petit comité ». Elle dicta au docteur, dont le premier mouvement avait été d'accepter, une fière réponse où il disait : « *Nous* dînons ce soir-là chez Mme Verdurin », pluriel qui devait être une leçon pour les Cambremer et leur montrer qu'il n'était pas séparable de Mme Cottard. Quant à Morel, Mme Verdurin n'eut pas besoin de lui tracer une conduite impolie, qu'il tint spontanément, voici pourquoi. S'il avait, à l'égard de M. de Charlus, en ce qui concernait ses plaisirs, une indépendance qui affligeait le Baron, nous avons vu que l'influence de ce dernier se faisait sentir davantage dans d'autres domaines et qu'il avait par exemple élargi les connaissances musicales et rendu plus pur le style du virtuose. Mais ce n'était encore, au moins à ce point de notre récit, qu'une influence. En revanche, il y avait un terrain sur lequel ce que disait M. de Charlus était aveuglément cru et exécuté par Morel. Aveuglément et follement, car non seulement les enseignements de M. de Charlus étaient faux, mais encore eussent-ils été valables pour un grand seigneur, appliqués à la lettre par Morel, ils devenaient burlesques. Le terrain où Morel devenait si crédule, et était si docile à son maître, c'était le terrain mondain. Le violoniste qui avant de connaître M. de Charlus n'avait aucune notion du monde, avait pris à la lettre l'esquisse hautaine et sommaire que lui en avait tracée le Baron : « Il y a un certain nombre de familles prépondérantes, lui avait dit M. de Charlus, avant tout les Guermantes, qui comptent quatorze alliances avec la Maison de France, ce qui est d'ailleurs surtout flatteur pour la Maison de France, car c'était à Aldonce de Guermantes et non à Louis le Gros, son frère consanguin mais puîné, qu'aurait dû revenir le trône de France : sous Louis XIV, nous drapâmes à la mort de Monsieur, comme ayant la même grand-mère que le Roi ; fort au-dessous des Guermantes, on peut cependant citer les La Trémoïlle, descendants des rois de Naples et des Comtes de Poitiers ; les d'Uzès, peu anciens comme famille mais qui sont les plus anciens pairs ; les Luynes, tout à fait récents mais avec l'éclat de grandes alliances ; les Choiseul, les Harcourt, les La Rochefoucauld. Ajoutez encore les Noailles, malgré le Comte de Toulouse, les Montesquiou, les Castellane et, sauf oubli, c'est tout. Quant à tous les petits messieurs qui s'appellent Marquis de Cambremerde ou de Vatefairefiche, il n'y a aucune différence entre eux et le dernier pioupiou de votre régiment. Que vous alliez faire pipi chez la Comtesse Caca, ou caca chez la Baronne Pipi, c'est la même chose, vous aurez compromis votre réputation et pris un torchon breneux comme papier hygiénique. Ce qui est malpropre. » Morel avait recueilli pieusement cette leçon d'histoire, peut-être un peu sommaire ; il jugeait les choses comme s'il était lui-même un Guermantes et souhaitait une occasion de se trouver avec les faux La Tour d'Auvergne pour leur faire sentir, par une poignée de main dédaigneuse, qu'il ne les prenait guère au sérieux. Quant aux Cambremer, justement voici qu'il pouvait leur témoigner qu'ils n'étaient pas « plus que le dernier pioupiou de son régiment ». Il ne répondit pas à leur invitation, et le soir du dîner s'excusa à la dernière heure par un télégramme, ravi comme s'il venait d'agir en prince du sang. Il faut du reste ajouter qu'on ne peut imaginer combien, d'une façon plus générale, M. de Charlus pouvait être insupportable, tatillon, et même, lui si fin, bête, dans toutes les occasions où entraient en jeu les défauts de son caractère. On peut dire en effet que ceux-ci sont comme une maladie intermittente de l'esprit. Qui n'a remarqué le fait sur des femmes, et même des hommes, doués d'intelligence remarquable, mais affligés de nervosité ? Quand ils sont heureux, calmes, satisfaits de leur entourage, ils font admirer leurs dons précieux, c'est à la lettre la vérité qui parle par leur bouche. Une migraine, une petite pique d'amour-propre suffit à tout changer. La lumineuse intelligence, brusque, convulsive et rétrécie ne reflète plus qu'un moi irrité, soupçonneux, coquet, faisant tout ce qu'il faut pour déplaire. La colère des Cambremer fut vive ; et dans l'intervalle d'autres incidents amenèrent une certaine tension dans leurs rapports avec le petit clan. Comme nous revenions, les Cottard, Charlus, Brichot, Morel et moi d'un dîner à la Raspelière et que les Cambremer qui avaient déjeuné chez des amis à Harambouville avaient fait à l'aller une partie du trajet avec nous : « Vous qui aimez tant Balzac et savez le reconnaître dans la société contemporaine, avais-je dit à M. de Charlus, vous devez trouver que ces Cambremer sont échappés des *Scènes de la vie de province.* » Mais M. de Charlus, absolument comme s'il avait été leur ami et si je l'eusse froissé par ma remarque, me coupa brusquement la parole : « Vous dites cela parce que la femme est supérieure au mari », me dit-il d'un ton sec. « Oh ! je ne voulais pas dire que c'était la Muse du département, ni Madame de Bargeton bien que... » M. de Charlus m'interrompit encore : « Dites plutôt Mme de Mortsauf[85]. » Le train s'arrêta et Brichot descendit. « Nous avions beau vous faire des signes, vous êtes terrible. » — « Comment cela ? » — « Voyons, ne vous êtes-vous pas aperçu que Brichot est amoureux fou de Mme de Cambremer ? » Je vis par l'attitude des Cottard et de Charlie que cela ne faisait pas l'ombre d'un doute dans le petit noyau. Je crus qu'il y avait de la malveillance de leur part. « Voyons, vous n'avez pas remarqué comme il a été troublé quand vous avez parlé d'elle », reprit M. de Charlus, qui aimait montrer qu'il avait l'expérience des femmes et parlait du sentiment qu'elles inspirent d'un air naturel et comme si ce sentiment était celui qu'il éprouvait lui-même habituellement. Mais un certain ton d'équivoque paternité avec tous les jeunes gens — malgré son amour exclusif pour Morel — démentit par le ton les vues d'homme à femmes qu'il émettait : « Oh ! ces enfants, dit-il d'une voix aiguë, mièvre et cadencée, il faut tout leur apprendre, ils sont innocents comme l'enfant qui vient de naître, ils ne savent pas reconnaître quand un homme est amoureux d'une femme. A votre âge j'étais plus dessalé que cela », ajouta-t-il, car il aimait employer les expressions du monde apache, peut-être par goût, peut-être pour ne pas avoir l'air, en les évitant, d'avouer qu'il fréquentait ceux dont c'était le vocabulaire courant. Quelques jours plus tard, il fallut bien me rendre à l'évidence et reconnaître que Brichot était épris de la Marquise. Malheureusement il accepta plusieurs déjeuners chez elle. Mme Verdurin estima qu'il était temps de mettre le holà. En dehors de l'utilité qu'elle voyait à une intervention, pour la politique du petit noyau, elle prenait à ces sortes d'explications et aux drames qu'ils déchaînaient un goût de plus en plus vif et que l'oisiveté fait naître, aussi bien que dans le monde aristocratique, dans la bourgeoisie. Ce fut un jour de grande émotion à la Raspelière quand on vit Mme Verdurin disparaître pendant une heure avec Brichot à qui on sut qu'elle avait dit que Mme de Cambremer se moquait de lui, qu'il était la fable de son salon, qu'il allait déshonorer sa vieillesse, compromettre sa situation dans l'enseignement. Elle alla jusqu'à lui parler en termes touchants de la blanchisseuse avec qui il vivait à Paris, et de leur petite fille. Elle l'emporta, Brichot cessa d'aller à Féterne, mais son chagrin fut tel que pendant deux jours on crut qu'il allait perdre complètement la vue et sa maladie en tous cas avait fait un bond en avant qui resta acquis. Cependant les Cambremer, dont la colère contre Morel était grande, invitèrent une fois, et tout exprès, M. de Charlus, mais sans lui. Ne recevant pas de réponse du Baron, ils craignirent d'avoir fait une gaffe, et trouvant que la rancune est mauvaise conseillère, écrivirent un peu tardivement à Morel, platitude qui fit sourire M. de Charlus en lui montrant son pouvoir. « Vous répondrez pour nous deux que j'accepte », dit le Baron à Morel. Le jour du dîner venu, on attendait dans le grand salon de Féterne. Les Cambremer donnaient en réalité le dîner pour la fleur de chic qu'étaient M. et Mme Féré. Mais ils craignaient tellement de déplaire à M. de Charlus, que bien qu'ayant connu les Féré par M. de Chevrigny, Mme de Cambremer se sentit la fièvre quand le jour du dîner elle vit celui-ci venir leur faire une visite à

Féterne. On inventa tous les prétextes pour le renvoyer à Beausoleil au plus vite, pas assez pourtant pour qu'il ne croisât pas dans la cour les Féré, qui furent aussi choqués de le voir chassé que lui honteux. Mais coûte que coûte les Cambremer voulaient épargner à M. de Charlus la vue de M. de Chevrigny, jugeant celui-ci provincial à cause de nuances qu'on néglige en famille, mais dont on ne tient compte que vis-à-vis des étrangers, qui sont précisément les seuls qui ne s'en apercevraient pas. Mais on n'aime pas leur montrer les parents qui sont restés ce que l'on s'est efforcé de cesser d'être. Quant à M. et Mme Féré, ils étaient au plus haut degré ce qu'on appelle des gens « très bien ». Aux yeux de ceux qui les qualifiaient ainsi, sans doute les Guermantes, les Rohan et bien d'autres étaient aussi des gens très bien, mais leur nom dispensait de le dire. Comme tout le monde ne savait pas la grande naissance de la mère de Mme Féré, et le cercle extraordinairement fermé qu'elle et son mari fréquentaient, quand on venait de les nommer pour expliquer on ajoutait toujours que c'était des gens « tout ce qu'il y a de mieux ». Leur nom obscur leur dictait-il une sorte de hautaine réserve ? Toujours est-il que les Féré ne voyaient pas des gens que des La Trémoïlle auraient fréquentés. Il avait fallu la situation de reine du bord de la mer, que la vieille Marquise de Cambremer avait dans la Manche, pour que les Féré vinssent à une de ses matinées chaque année. On les avait invités à dîner et on comptait beaucoup sur l'effet qu'allait produire sur eux M. de Charlus. On annonça discrètement qu'il était au nombre des convives. Par hasard Mme Féré ne le connaissait pas. Mme de Cambremer en ressentit une vive satisfaction, et le sourire du chimiste qui va mettre en rapport pour la première fois deux corps particulièrement importants erra sur son visage. La porte s'ouvrit et Mme de Cambremer faillit se trouver mal en voyant Morel entrer seul. Comme un secrétaire des commandements chargé d'excuser son ministre, comme une épouse morganatique qui exprime le regret qu'a le prince d'être souffrant (ainsi en usait Mme de

Clinchamp à l'égard du Duc d'Aumale), Morel dit du ton le plus léger : « Le Baron ne pourra pas venir. Il est un peu indisposé, du moins je crois que c'est pour cela, je ne l'ai pas rencontré cette semaine », ajouta-t-il, désespérant jusque par ces dernières paroles Mme de Cambremer qui avait dit à M. et Mme Féré que Morel voyait M. de Charlus à toutes les heures du jour. Les Cambremer feignirent que l'absence du Baron était un agrément de plus à la réunion et sans se laisser entendre de Morel, disaient à leurs invités : « Nous nous passerons de lui, n'est-ce pas, ce ne sera que plus agréable. » Mais ils étaient furieux, soupçonnèrent une cabale montée par Mme Verdurin et du tac au tac, quand celle-ci les réinvita à la Raspelière, M. de Cambremer, ne pouvant résister au plaisir de revoir sa maison et de se retrouver dans le petit groupe, vint, mais seul, en disant que la Marquise était désolée, mais que son médecin lui avait ordonné de garder la chambre. Les Cambremer crurent par cette demi-présence à la fois donner une leçon à M. de Charlus, et montrer aux Verdurin qu'ils n'étaient tenus envers eux qu'à une politesse limitée comme les princesses du sang autrefois reconduisaient les duchesses, mais seulement jusqu'à la moitié de la seconde chambre. Au bout de quelques semaines ils étaient à peu près brouillés. M. de Cambremer m'en donnait ces explications : « Je vous dirai qu'avec M. de Charlus c'était difficile. Il est extrêmement dreyfusard... » — « Mais non ! » — « Si... en tous cas son cousin le Prince de Guermantes l'est, on leur jette assez la pierre pour ça. J'ai des parents très à l'œil là-dessus. Je ne peux pas fréquenter ces gens-là, je me brouillerais avec toute ma famille. » — « Puisque le Prince de Guermantes est dreyfusard, cela ira d'autant mieux, dit Mme de Cambremer, que Saint-Loup, qui dit-on épouse sa nièce, l'est aussi. C'est même peut-être la raison du mariage. » — « Voyons, ma chère, ne dites pas que Saint-Loup que nous aimons beaucoup est dreyfusard. On ne doit pas répandre ces allégations à la légère, dit M. de Cambremer. Vous le feriez bien voir dans l'armée ! » — « Il l'a été, mais il ne l'est plus, dis-je à M. de Cambremer. Quant à son mariage avec Mlle de Guermantes-Brassac, est-ce vrai ? » — « On ne parle que de ça, mais vous êtes bien placé pour le savoir. » — « Mais je vous répète qu'il me l'a dit à moi-même qu'il était dreyfusard, dit Mme de Cambremer. C'est du reste très excusable, les Guermantes sont à moitié allemands. » — « Pour les Guermantes de la rue de Varenne, vous pouvez dire tout à fait, dit Cancan. Mais Saint-Loup, c'est une autre paire de manches ; il a beau avoir toute une parenté allemande, son père revendiquait avant tout son titre de grand seigneur français, il a repris du service en 1871 et a été tué pendant la guerre de la plus belle façon. J'ai beau être très à cheval là-dessus, il ne faut pas faire d'exagération ni dans un sens ni dans l'autre. *In medio... virtus*, ah ! je ne peux pas me rappeler. C'est quelque chose que dit le docteur Cottard. En voilà un qui a toujours le mot. Vous devriez avoir ici un petit Larousse [86]. » Pour éviter de se prononcer sur la citation latine et abandonner le sujet de Saint-Loup, où son mari semblait trouver qu'elle manquait de tact, Mme de Cambremer se rabattit sur la Patronne dont la brouille avec eux était encore plus nécessaire à expliquer. « Nous avons loué volontiers la Raspelière à Mme Verdurin, dit la Marquise. Seulement elle a eu l'air de croire qu'avec la maison, et tout ce qu'elle a trouvé le moyen de se faire attribuer, la jouissance du pré, les vieilles tentures, toutes choses qui n'étaient nullement dans le bail, elle aurait en plus le droit d'être liée avec nous. Ce sont des choses absolument distinctes. Notre tort est de n'avoir pas fait faire les choses simplement par un gérant ou par une agence. A Féterne ça n'a pas d'importance, mais je vois d'ici la tête que ferait ma tante de Ch'nouville si elle voyait s'amener, à mon jour, la mère Verdurin avec ses cheveux en l'air. Pour M. de Charlus, naturellement, il connaît des gens très bien, mais il en connaît aussi de très mal. » Je demandai qui. Pressée de questions, Mme de Cambremer finit par dire : « On prétend que c'est lui qui faisait vivre un Monsieur Moreau, Morille,

Morue, je ne sais plus. Aucun rapport, bien entendu avec Morel, le violoniste, ajouta-t-elle en rougissant. Quand j'ai senti que Mme Verdurin s'imaginait que parce qu'elle était notre locataire dans la Manche, elle aurait le droit de me faire des visites à Paris, j'ai compris qu'il fallait couper le câble. »

Malgré cette brouille avec la Patronne, les Cambremer n'étaient pas mal avec les fidèles, et montaient volontiers dans notre wagon quand ils étaient sur la ligne. Quand on était sur le point d'arriver à Douville, Albertine tirant une dernière fois son miroir, trouvait quelquefois utile de changer ses gants ou d'ôter un instant son chapeau et avec le peigne d'écaille que je lui avais donné et qu'elle avait dans les cheveux, elle en lissait les coques, en relevait le bouffant, et s'il était nécessaire, au-desssus des ondulations qui descendaient en vallées régulières jusqu'à la nuque, remontait son chignon. Une fois dans les voitures qui nous attendaient, on ne savait plus du tout où on se trouvait; les routes n'étaient pas éclairées; on reconnaissait au bruit plus fort des roues qu'on traversait un village, on se croyait arrivé, on se retrouvait en pleins champs, on entendait des cloches lointaines, on oubliait qu'on était en smoking, et on s'était presque assoupi quand au bout de cette longue marge d'obscurité qui, à cause de la distance parcourue et des incidents caractéristiques de tout trajet en chemin de fer, semblait nous avoir portés jusqu'à une heure avancée de la nuit et presque à moitié chemin d'un retour vers Paris, tout à coup, après que le glissement de la voiture sur un sable plus fin avait décelé qu'on venait d'entrer dans le parc, explosaient, nous réintroduisant dans la vie mondaine, les éclatantes lumières du salon, puis de la salle à manger où nous éprouvions un vif mouvement de recul en entendant sonner ces huit heures que nous croyions passées depuis longtemps, tandis que les services nombreux et les vins fins allaient se succéder autour des hommes en frac et des femmes à demi décolletées, en un dîner rutilant de clarté comme un véritable dîner en ville et qu'entourait seulement, changeant par là son caractère, la double écharpe sombre et singulière qu'avaient tissée, détournées par cette utilisation mondaine de leur solennité première, les heures nocturnes, champêtres et marines de l'aller et du retour. Celui-ci nous forçait en effet à quitter la splendeur rayonnante et vite oubliée du salon lumineux, pour les voitures où je m'arrangeais à être avec Albertine afin que mon amie ne pût être avec d'autres sans moi, et souvent pour une autre cause encore, qui est que nous pouvions tous deux faire bien des choses dans une voiture noire où les heurts de la descente nous excusaient d'ailleurs, au cas où un brusque rayon filtrerait, d'être cramponnés l'un à l'autre. Quand M. de Cambremer n'était pas encore brouillé avec les Verdurin, il me demandait : « Vous ne croyez pas, avec ce brouillard-là, que vous allez avoir vos étouffements ? Ma sœur en a eu de terribles ce matin. Ah ! vous en avez aussi, disait-il avec satisfaction. Je le lui dirai ce soir. Je sais qu'en rentrant elle s'informera tout de suite s'il y a longtemps que vous ne les avez pas eus. » Il ne me parlait d'ailleurs des miens que pour arriver à ceux de sa sœur, et ne me faisait décrire les particularités des premiers que pour mieux marquer les différences qu'il y avait entre les deux. Mais malgré celles-ci, comme les étouffements de sa sœur lui paraissaient devoir faire autorité, il ne pouvait croire que ce qui « réussissait » aux siens ne fût pas indiqué pour les miens et il s'irritait que je n'en essayasse pas, car il y a une chose plus difficile encore que de s'astreindre à un régime, c'est de ne pas l'imposer aux autres. « D'ailleurs, que dis-je, moi profane, quand vous êtes ici devant l'aréopage, à la source. Qu'en pense le Professeur Cottard ? » Je revis du reste sa femme une autre fois parce qu'elle avait dit que ma « cousine » avait un drôle de genre et que je voulus savoir ce qu'elle entendait par là. Elle nia l'avoir dit, mais finit par avouer qu'elle avait parlé d'une personne qu'elle avait cru rencontrer avec ma cousine. Elle ne savait pas son nom et dit finalement que si elle ne se trompait pas, c'était la femme d'un banquier, laquelle s'appelait Lina, Linette, Lisette, Lia, enfin quelque chose de ce genre. Je pensais que « femme d'un banquier » n'était mis que pour plus de démarquage. Je voulus demander à Albertine si c'était vrai. Mais j'aimais mieux avoir l'air de celui qui sait que de celui qui questionne. D'ailleurs Albertine ne m'eût rien répondu ou un « non » dont le « n » eût été trop hésitant et le « on » trop éclatant, Albertine ne racontait jamais de faits pouvant lui faire du tort, mais d'autres qui ne pouvaient s'expliquer que par les premiers, la vérité étant plutôt un courant qui part de ce qu'on nous dit et qu'on capte, tout invisible qu'il soit, que la chose même qu'on nous a dite. Ainsi quand je lui assurai qu'une femme qu'elle avait connue à Vichy avait mauvais genre, elle me jura que cette femme n'était nullement ce que je croyais et n'avais jamais essayé de lui faire faire le mal. Mais elle ajouta un autre jour, comme je parlais de ma curiosité de ce genre de personnes, que la dame de Vichy avait une amie aussi, qu'elle, Albertine, ne connaissait pas, mais que la dame lui avait « *promis* de lui faire connaître ». Pour qu'elle le lui eût promis, c'était donc qu'Albertine le désirait, ou que la dame avait, en le lui offrant, su lui faire plaisir. Mais si je l'avais objecté à Albertine, j'aurais eu l'air de ne tenir mes révélations que d'elle, je les aurais arrêtées aussitôt, je n'eusse plus rien su, j'eusse cessé de me faire craindre. D'ailleurs nous étions à Balbec, la dame de Vichy et son amie habitait Menton : l'éloignement, l'impossibilité du danger eut tôt fait de détruire mes soupçons. Souvent quand M. de Cambremer m'interpellait de la gare, je venais avec Albertine de profiter des ténèbres et avec d'autant plus de peine que celle-ci s'était un peu débattue, craignant qu'elles ne fussent pas assez complètes. « Vous savez que je suis sûre que Cottard nous a vus, du reste même sans voir il a bien entendu votre voix étouffée, juste au moment où on parlait de vos étouffements d'un autre genre », me disait Albertine en arrivant à la gare de Douville où nous reprenions le petit chemin de fer pour le retour. Mais ce retour, de même que l'aller, si, en me donnant quelque impression de poésie, il réveillait en moi le désir de faire des voyages, de mener une vie nouvelle, et me faisait par là souhaiter d'abandonner tout projet de mariage avec Albertine, et même de rompre définitivement nos relations, me rendait aussi et à cause même de leur nature contradictoire cette rupture plus facile. Car au retour aussi bien qu'à l'aller, à chaque station montaient avec nous ou nous disaient bonjour du quai des gens de connaissance ; sur les plaisirs furtifs de l'imagination dominaient ceux, continuels, de la sociabilité qui sont si apaisants, si endormeurs. Déjà, avant les stations elles-mêmes, leurs noms (qui m'avaient tant fait rêver depuis le jour où je les avais entendus, le premier soir où j'avais voyagé avec ma grand-mère) s'étaient humanisés, avaient perdu leur singularité depuis le soir où Brichot, à la prière d'Albertine nous en avait plus complètement expliqué les étymologies. J'avais trouvé charmant la fleur qui terminait certains noms, comme Fiquefleur, Honfleur, Flers, Barfleur, Harfleur, etc., et amusant le bœuf qu'il y a à la fin de Bricquebœuf. Mais la fleur disparut et aussi le bœuf, quand Brichot (et cela il me l'avait dit le premier jour dans le train) nous apprit que « fleur » veut dire « port » (comme *fiord*) et que « bœuf », en normand *budh*, signifie « cabane ». Comme il citait plusieurs exemples, ce qui m'avait paru particulier se généralisait, Bricquebœuf allait rejoindre Elbeuf, et même dans un nom au premier abord aussi individuel que le lieu, comme le nom de Pennedepie, où les étrangetés les plus impossibles à élucider par la raison me semblaient amalgamées depuis un temps immémorial en un vocable vilain, savoureux et durci comme certain fromage normand, je fus désolé de retrouver le *pen* gaulois qui signifie « montagne » et se retrouve aussi bien dans Penmarch que dans les Apennins. Comme à chaque arrêt du train je sentais que nous aurions des mains amies à serrer, sinon des visites à recevoir, je disais à Albertine : « Dépêchez-vous de demander à Brichot les noms que vous voulez savoir. Vous m'aviez parlé de Marcouville-l'Orgueilleuse. » — « Oui, j'aime beaucoup cet orgueil, c'est un village fier », dit Albertine. « Vous le trouveriez, répondit Brichot, plus fier encore si au lieu de sa forme française ou même de basse latinité telle qu'on la trouve dans le cartulaire de l'évêque de Bayeux, *Marcouvilla superba*, vous preniez la forme plus ancienne, plus voisine du normand *Marculplinvilla superba*, le village, le domaine de Merculph. Dans presque tous ces noms qui se terminent en *ville*, vous pourriez voir encore dressé sur cette côte, le fantôme des rudes envahisseurs normands. A Harambouville, vous n'avez eu debout à la portière du wagon que notre excellent docteur qui, évidemment, n'a rien d'un chef norois. Mais en fermant les yeux vous pourriez voir l'illustre Herimund (*Herimundivilla*). Bien que, je ne sais pourquoi, on aille sur ces routes-ci, comprises entre Loigny et Balbec-Plage, plutôt que sur celles fort pittoresques qui conduisent de Loigny au vieux Balbec, Mme Verdurin vous a peut-être promenés de ce côté-là en voiture. Alors vous avez vu Incarville ou village de Wiscar et Tourville, avant d'arriver chez Mme Verdurin, c'est le village de Turold. D'ailleurs il n'y eut pas que des Normands. Il semble que des Allemands soient venus jusqu'ici (Aumenancourt, *Alemanicurtis*) — ne le disons pas à ce jeune officier que j'aperçois ; il serait capable de ne plus vouloir aller chez ses cousins. Il y eut aussi des Saxons comme en témoigne la fontaine de Sissonne (un des buts de promenade favoris de Mme Verdurin et à juste titre), aussi bien qu'en Angleterre le Middlesex, le Wessex. Chose inexplicable, il semble que des Goths, des " gueux " comme on disait, soient venus jusqu'ici, et même les Maures, car Mortagne vient de *Mauretania*. La trace en est restée à Gourville (*Gothorumvilla*). Quelque vestige des Latins subsiste d'ailleurs aussi, Lagny (*Latiniacum*). » — « Moi je demande l'explication de Thorpehomme, dit M. de Charlus. Je comprends " homme ", ajouta-t-il, tandis que le sculpteur et Cottard échangeaient un regard d'intelligence. Mais " Thorph " ? » — « " Homme " ne signifie nullement ce que vous êtes naturellement porté à croire, Baron, répondit Brichot, en regardant malicieusement Cottard et le sculpteur. “ Homme ” n'a rien à voir ici avec le sexe auquel je ne dois pas ma mère. “ Homme ” c'est *Holm* qui signifie “ îlot ”, etc. Quant à *Thorph*, ou “ village ”, on le retrouve dans cent mots dont j'ai déjà ennuyé notre jeune ami. Ainsi dans Thorpehomme il n'y a pas de nom de chef normand, mais des mots de la langue normande. Vous voyez comme tout ce pays a été germanisé. » — « Je crois qu'il exagère, dit M. de Charlus. J'ai été hier à Orgeville. » — « Cette fois-ci je vous rends l'homme que je vous avais ôté dans Thorpehomme, Baron. Soit dit sans pédantisme, une charte de Robert Ier nous donne pour Orgeville *Otgervilla*, le domaine d'Otger. Tous ces noms sont ceux d'anciens seigneurs. Octeville-la-Venelle est pour l'Avenel. Les Avenel étaient une famille connue au Moyen Age. Bourguenolles, où Mme Verdurin nous a emmenés l'autre jour, s'écrivait « Bourg de Môles », car ce village appartint au XIe siècle à Baudoin de Môles, ainsi que la Chaise-Baudoin, mais nous voici à Doncières. » — « Mon Dieu, que de lieutenants vont essayer de monter, dit M. de Charlus, avec un effroi simulé. Je le dis pour vous, car moi cela ne me gêne pas, puisque je descends. » — « Vous entendez, docteur ? dit Brichot. Le Baron a peur que des officiers ne lui passent sur le corps. Et pourtant ils sont dans leur rôle en se trouvant massés ici, car Doncières, c'est exactement Saint-Cyr, *Dominus Cyriacus*. Il y a beaucoup de noms de villes où *sanctus* et *sancta* sont remplacés par *dominus* et par *domina*. Du reste cette ville calme et militaire a parfois de faux airs de Saint-Cyr, de Versailles, et même de Fontainebleau. »

Pendant ces retours (comme à l'aller), je disais à Albertine de se vêtir, car je savais bien qu'à Amnancourt, à Doncières, à Épreville, à Saint-Vast, nous aurions de courtes visites à recevoir. Elles ne m'étaient d'ailleurs pas désagréables, que ce fût à Hermonville (le domaine d'Herimund) celle de M. de Chevrigny, profitant de ce qu'il était venu chercher des invités, pour me demander de venir le lendemain déjeuner à Montsurvent, ou à Doncières, la brusque invasion d'un des charmants amis de Saint-Loup envoyés par lui (s'il n'était pas libre) pour me transmettre une invitation du capitaine de Borodino, du mess des officiers au Coq-Hardi, ou des sous-officiers au Faisan Doré. Si Saint-Loup venait lui-même et pendant tout le temps qu'il était là, sans qu'on pût s'en apercevoir, je tenais Albertine prisonnière sous mon regard, d'ailleurs inutilement vigilant. Une fois pourtant j'interrompis ma garde. Comme il y avait un long arrêt, Bloch nous ayant salués, se sauva presque aussitôt pour rejoindre son père, lequel venait d'hériter de son oncle et ayant loué un château qui s'appelait la Commanderie, trouvait grand seigneur de ne circuler qu'en une chaise de poste, avec des postillons en livrée. Bloch me pria de l'accompagner jusqu'à la voiture. « Mais hâte-toi, car ces quadrupèdes sont impatients. Viens homme cher aux dieux, tu feras plaisir à mon père. » Mais je souffrais trop de laisser Albertine dans le train avec Saint-Loup, ils auraient pu, pendant que j'avais le dos tourné, se parler, aller dans un autre wagon, se sourire, se toucher, mon regard adhérent à Albertine ne pouvait se détacher d'elle tant que Saint-Loup serait là. Or je vis très bien que Bloch, qui m'avait demandé comme un service d'aller dire bonjour à son père, d'abord trouva peu gentil que je le lui refusasse quand rien ne m'en empêchait, les employés ayant prévenu que le train resterait encore au moins un quart d'heure en gare et que presque tous les voyageurs, sans lesquels il ne repartirait pas, étaient descendus ; et ensuite ne douta pas que ce fût parce que décidément — ma conduite en cette occasion lui était une réponse décisive — j'étais snob. Car il n'ignorait pas le nom des personnes avec qui je me trouvais. En effet M. de Charlus m'avait dit quelque temps auparavant et sans se souvenir ou se soucier que cela eût jadis été fait pour se rapprocher de lui : « Mais présentez-moi donc votre ami, ce que vous faites est un manque de respect pour moi » et il avait causé avec Bloch, qui avait paru lui plaire extrêmement, au point qu'il l'avait gratifié d'un « j'espère vous revoir ». « Alors c'est irrévocable, tu ne veux pas faire ces cent mètres pour dire bonjour à mon père, à qui ça ferait tant de plaisir ? » me dit Bloch. J'étais malheureux d'avoir l'air de manquer à la bonne camaraderie, plus encore de la cause pour laquelle Bloch croyait que j'y manquais et de sentir qu'il s'imaginait que je n'étais pas le même avec mes amis bourgeois quand il y avait des gens « nés ». De ce jour il cessa de me témoigner la même amitié et, ce qui m'était plus pénible, n'eut plus pour mon caractère la même estime. Mais pour le détromper sur le motif qui m'avait fait rester dans le wagon, il m'eût fallu lui dire quelque chose — à savoir que j'étais jaloux d'Albertine — qui m'eût été encore plus douloureux que de le laisser croire que j'étais stupidement mondain. C'est ainsi que théoriquement on trouve qu'on devrait toujours s'expliquer franchement, éviter les malentendus. Mais bien souvent la vie les combine de telle manière que pour les dissiper, dans les rares circonstances où ce serait possible, il faudrait révéler ou bien — ce qui n'est pas le cas ici — quelque chose qui froisserait encore plus notre ami que le tort imaginaire qu'il nous impute, ou un secret dont la divulgation — et c'était ce qui venait de m'arriver — nous paraît pire encore que le malentendu. Et d'ailleurs même sans expliquer à Bloch, puisque je ne le pouvais pas, la raison pour laquelle je ne l'avais pas accompagné, si je l'avais prié de ne pas être froissé, je n'aurais fait que redoubler ce froissement en montrant que je m'en étais aperçu. Il n'y avait rien à faire qu'à s'incliner devant ce *fatum* qui avait voulu que la présence d'Albertine m'empêchât de le reconduire et qu'il pût croire que c'était au contraire celle de gens brillants, laquelle, l'eussent-ils été cent fois plus, n'aurait eu pour effet que de me faire m'occuper exclusivement de Bloch et réserver pour lui toute ma politesse. Il suffit de la sorte qu'accidentellement, absurdement, un incident (ici la mise en présence d'Albertine et de Saint-Loup) s'interpose entre deux destinées dont les lignes convergeaient l'une vers l'autre pour qu'elles soient déviées, s'écartent de plus en plus et ne se rapprochent jamais. Et il y a des amitiés plus belles que celle de Bloch pour moi, qui se sont trouvées détruites, sans que l'auteur involontaire de la brouille ait jamais pu expliquer au brouillé ce qui sans doute eût guéri son amour-propre et ramené sa sympathie fuyante.

Amitiés plus belles que celle de Bloch ne serait pas du reste beaucoup dire. Il avait tous les défauts qui me déplaisaient le plus. Ma tendresse pour Albertine se trouvait, par accident, les rendre tout à fait insupportables. Ainsi dans ce simple moment où je causai avec lui tout en surveillant Robert de l'œil, Bloch me dit qu'il avait déjeuné chez Mme Bontemps et que chacun avait parlé de moi avec les plus grands éloges jusqu'au « déclin d'Hélios ». « Bon ! pensai-je, comme Mme Bontemps croit Bloch un génie, le suffrage enthousiaste qu'il m'aura accordé fera plus que ce que tous les autres ont pu dire, cela reviendra à Albertine. D'un jour à l'autre elle ne peut manquer d'apprendre, et cela m'étonne que sa tante ne lui ait déjà pas redit que je suis un homme « supérieur ». « Oui, ajouta Bloch, tout le monde a fait ton éloge. Moi seul j'ai gardé un silence aussi profond que si j'eusse absorbé au lieu du repas, d'ailleurs médiocre qu'on nous servait, des pavots, chers au bienheureux frère de Tanathos et de Léthé, le divin Hypnos [87], qui enveloppe de doux liens le corps et la langue. Ce n'est pas que je t'admire moins que la bande de chiens avides avec lesquels on m'avait invité. Mais moi je t'admire parce que je te comprends, et eux t'admirent sans te comprendre. Pour bien dire, je t'admire trop pour parler de toi ainsi en public, cela m'eût semblé une profanation de louer à haute voix ce que je porte au plus profond de mon cœur. On eut beau me questionner à ton sujet, une Pudeur sacrée, fille du Kroniôn [88], me fit rester muet. » Je n'eus pas le mauvais goût de paraître mécontent, mais cette Pudeur-là me sembla apparentée — beaucoup plus qu'au Kroniôn — à la pudeur qui empêche un critique qui vous admire de parler de vous parce que le temple secret où vous trônez serait envahi par la tourbe des lecteurs ignares et des journalistes, à la pudeur de l'homme d'État qui ne vous décore pas pour que vous ne soyez pas confondu au milieu de gens qui ne vous valent pas, à la pudeur de l'académicien qui ne vote pas pour vous, afin de vous épargner la honte d'être le collègue de X... qui n'a pas de talent, à la pudeur enfin, plus respectable et plus criminelle pourtant, des fils qui nous prient de ne pas écrire sur leur père défunt qui fut plein de mérites, afin d'assurer le silence et le repos, d'empêcher qu'on entretienne la vie et qu'on crée de la gloire autour du pauvre mort, qui préférerait son nom prononcé par les bouches des hommes aux couronnes, fort pieusement portées d'ailleurs, sur son tombeau.

Si Bloch, tout en me désolant en ne pouvant comprendre la raison qui m'empêchait d'aller saluer son père, m'avait exaspéré en m'avouant qu'il m'avait déconsidéré chez Mme Bontemps (je comprenais maintenant pourquoi Albertine ne m'avait jamais fait allusion à ce déjeuner et restait silencieuse quand je lui parlais de l'affection de Bloch pour moi), le jeune Israélite avait produit sur M. de Charlus une impression tout autre que l'agacement.

Certes Bloch croyait maintenant que non seulement je ne pouvais rester une seconde loin de gens élégants, mais que jaloux des avances qu'ils avaient pu lui faire (comme M. de Charlus), je tâchais de mettre des bâtons dans les roues et de l'empêcher de se lier avec eux ; mais de son côté le Baron regrettait de n'avoir pas vu davantage mon camarade. Selon son habitude il se garda de le montrer. Il commença par me poser, sans en avoir l'air, quelques questions sur Bloch, mais d'un ton si nonchalant, avec un intérêt qui semblait tellement simulé, qu'on n'aurait pas cru qu'il entendait les réponses. D'un air de détachement, sur une mélopée qui exprimait plus que l'indifférence, la distraction, et comme par simple politesse pour moi : « Il a l'air intelligent, il a dit qu'il écrivait, a-t-il du talent ? » Je dis à M. de Charlus qu'il avait été bien aimable de lui dire qu'il espérait le revoir. Pas un mouvement ne révéla chez le Baron qu'il eût entendu ma phrase, et comme je la répétai quatre fois sans avoir de réponse, je finis par douter si je n'avais pas été le jouet d'un mirage acoustique quand j'avais cru entendre ce que M. de Charlus avait dit. « Il habite Balbec ? » chantonna le Baron, d'un air si peu questionneur qu'il est fâcheux que la langue française ne possède pas un signe autre que le point d'interrogation pour terminer ces phrases apparemment si peu interrogatives. Il est vrai que ce signe ne servirait guère que pour M. de Charlus. « Non, ils ont loué près d'ici " la Commanderie ". » Ayant appris ce qu'il désirait, M. de Charlus feignit de mépriser Bloch. « Quelle horreur, s'écria-t-il, en rendant à sa voix toute sa vigueur claironnante. Toutes les localités ou propriétés appelées " La Commanderie " ont été bâties ou possédées par les Chevaliers de l'Ordre de Malte (dont je suis) comme les lieux dits le " Temple " ou " la Cavalerie " par les Templiers. J'habiterais la Commanderie que rien ne serait plus naturel. Mais un Juif ! Du reste cela ne m'étonne pas ; cela tient à un curieux goût du sacrilège, particulier à cette race. Dès qu'un juif a assez d'argent pour acheter un château il en choisit toujours un qui s'appelle le Prieuré, l'Abbaye, le Monastère, la Maison-Dieu. J'ai eu affaire à un fonctionnaire juif, devinez où il résidait : à Pont-l'Evêque. Mis en disgrâce, il se fit envoyer en Bretagne, à Pont-l'Abbé. Quand on donne dans la Semaine Sainte ces indécents spectacles qu'on appelle *la Passion*, la moitié de la salle est remplie de Juifs, exultant à la pensée qu'ils vont mettre une seconde fois le Christ sur la Croix, au moins en effigie. Au concert Lamoureux, j'avais pour voisin un jour un riche banquier juif. On joua *l'Enfance du Christ*, de Berlioz, il était consterné. Mais il retrouva bientôt l'expression de béatitude qui lui est habituelle en entendant *l'Enchantement du Vendredi saint*[89]. Votre ami habite la Commanderie, le malheureux ! Quel sadisme ! Vous m'indiquerez le chemin, ajouta-t-il en reprenant l'air d'indifférence, pour que j'aille un jour voir comment nos antiques domaines supportent une pareille profanation. C'est malheureux, car il est poli, il semble fin. Il ne lui manquerait plus que de demeurer à Paris, rue du Temple ! » M. de Charlus avait l'air, par ces mots, de vouloir seulement trouver à l'appui de sa théorie un nouvel exemple ; mais il me posait en réalité une question à deux fins dont la principale était de savoir l'adresse de Bloch. « En effet, fit remarquer Brichot, la rue du Temple s'appelait rue de la Chevalerie-du-Temple. Et à ce propos, me permettez-vous une remarque, Baron ? » dit l'universitaire. « Quoi ? Qu'est-ce que c'est ? » dit sèchement M. de Charlus, que cette observation empêchait d'avoir son renseignement. « Non, rien, répondit Brichot intimidé. C'était à propos de l'étymologie de Balbec qu'on m'avait demandée. La rue du Temple s'appelait autrefois la rue Barre-du-Bac, parce que l'Abbaye du Bac, en Normandie, avait là à Paris sa barre de justice. » M. de Charlus ne répondit rien et fit semblant de ne pas avoir entendu, ce qui était chez lui une des formes de l'insolence. « Où votre ami demeure-t-il à Paris ? Comme les trois quarts des rues tirent leur nom d'une église ou d'une abbaye, il y a chance pour que le sacrilège continue. On ne peut pas empêcher des Juifs de demeurer boulevard de la Madeleine, faubourg Saint-Honoré ou place Saint-Augustin. Tant qu'ils ne raffinent pas par perfidie en élisant domicile place du Parvis-Notre-Dame, quai de l'Archevêché, rue Chanoinesse, ou rue de l'Ave-Maria, il faut leur tenir compte des difficultés. » Nous ne pûmes renseigner M. de Charlus, l'adresse actuelle de Bloch nous étant inconnue. Mais je savais que les bureaux de son père étaient rue des Blancs-Manteaux. « Oh ! quel comble de perversité, s'écria M. de Charlus, en paraissant trouver, dans son propre cri d'ironique indignation, une satisfaction profonde. Rue des Blancs-Manteaux ! répéta-t-il en pressurant chaque syllabe et en riant. Quel sacrilège ! Pensez que ces Blancs-Manteaux pollués par M. Bloch étaient ceux des frères mendiants, dits serfs de la Sainte-Vierge, que Saint Louis établit là. Et la rue a toujours été à des ordres religieux. La profanation est d'autant plus diabolique qu'à deux pas de la rue des Blancs-Manteaux, il y a une rue dont le nom m'échappe et qui est tout entière concédée aux Juifs, il y a des caractères hébreux sur les boutiques, des fabriques de pains azymes, des boucheries juives, c'est tout à fait la *Judengasse* de Paris[90]. C'est là que M. Bloch aurait dû demeurer. Naturellement, reprit-il sur un ton assez emphatique et fier et pour tenir des propos esthétiques donnant, par une réponse que lui adressait malgré lui son hérédité, un air de vieux mousquetaire Louis XIII à son visage redressé en arrière, je ne m'occupe de tout cela qu'au point de vue de l'art. La politique n'est pas de mon ressort et je ne peux pas condamner en bloc, puisque Bloch il y a, une nation qui compte Spinoza parmi ses enfants illustres. Et j'admire trop Rembrandt pour ne pas savoir la beauté qu'on peut tirer de la fréquentation de la synagogue. Mais enfin un ghetto est d'autant plus beau qu'il est plus homogène et plus complet. Soyez sûr du reste, tant l'instinct pratique et la cupidité se mêlent chez ce peuple au sadisme, que la proximité de la rue hébraïque dont je vous parle, la commodité d'avoir sous la main les boucheries d'Israël a fait choisir à votre ami la rue des Blancs-Manteaux. Comme c'est curieux ! C'est du reste par là que demeurait un étrange Juif qui avait fait bouillir des hosties, après quoi je pense qu'on le fit bouillir lui-même, ce qui est plus étrange encore puisque cela a l'air de signifier que le corps d'un Juif peut valoir autant que le corps du Bon Dieu. Peut-être pourrait-on arranger quelque chose avec votre ami pour qu'il nous mène voir l'église des Blancs-Manteaux. Pensez que c'est là qu'on déposa le corps de Louis d'Orléans après son assassinat par Jean sans Peur, lequel malheureusement ne nous a pas délivré des Orléans. Je suis d'ailleurs personnellement très bien avec mon cousin le Duc de Chartres, mais enfin c'est une race d'usurpateurs qui a fait assassiner Louis XVI, dépouiller Charles X et Henri V. Ils ont du reste de qui tenir ayant pour ancêtres Monsieur, qu'on appelait sans doute ainsi parce que c'était la plus étonnante des vieilles dames, et le Régent et le reste. Quelle famille ! » Ce discours antijuif ou prohébreu — selon qu'on s'attachera à l'extérieur des phrases ou aux intentions qu'elles recélaient — avait été comiquement coupé pour moi par une phrase que Morel me chuchota et qui avait désespéré M. de Charlus. Morel, qui n'avait pas été sans s'apercevoir de l'impression que Bloch avait produite, me remerciait à l'oreille de l'avoir « expédié », ajoutant cyniquement : « Il aurait voulu rester, tout ça c'est la jalousie, il voudrait me prendre ma place. C'est bien d'un youpin ! » — « On aurait pu profiter de cet arrêt qui se prolonge pour demander quelques explications rituelles à votre ami. Est-ce que vous ne pourriez pas le rattraper ? » me demanda M. de Charlus, avec l'anxiété du doute. « Non, c'est impossible, il est parti en voiture et d'ailleurs fâché avec moi. » — « Merci, merci », me souffla Morel. « La raison est absurde, on peut toujours rejoindre une voiture, rien ne vous empêcherait de prendre une auto », répondit M. de Charlus, en homme habitué à ce que tout pliât devant lui. Mais remarquant mon silence : « Quelle est cette voiture plus ou moins imaginaire ? » me dit-il avec insolence et un dernier espoir. « C'est une chaise de poste ouverte et qui doit être déjà arrivée à la Commanderie. » Devant l'impossible, M. de Charlus se résigna et affecta de plaisanter. « Je comprends qu'ils aient reculé devant le coupé superfétatoire. Ç'aurait été un recoupé. » Enfin on fut avisé que le train repartait et Saint-Loup nous quitta. Mais ce jour fut le seul où en montant dans notre wagon il me fit, à son insu, souffrir, par la pensée que j'eus un instant de le laisser avec Albertine pour accompagner Bloch. Les autres fois sa présence ne me tortura pas. Car d'elle-même Albertine, pour m'éviter toute inquiétude, se plaçait sous un prétexte quelconque, de telle façon qu'elle n'aurait pas même involontairement frôlé Robert, presque trop loin pour avoir même à lui tendre la main ; détournant de lui les yeux elle se mettait, dès qu'il était là, à causer ostensiblement et presque avec affectation avec l'un quelconque des autres voyageurs, continuant ce jeu jusqu'à ce que Saint-Loup fût parti. De la sorte les visites qu'il nous faisait à Doncières ne me causant aucune souffrance, même aucune gêne, ne mettaient pas une exception parmi les autres qui toutes m'étaient agréables en m'apportant en quelque sorte l'hommage et l'invitation de cette terre. Déjà dès la fin de l'été, dans notre trajet de Balbec à Douville, quand j'apercevais au loin cette station de Saint-Pierre-des-Ifs où, le soir pendant un instant, la crête des falaises scintillait toute rose comme au soleil couchant la neige d'une montagne, elle ne me faisait plus penser, je ne dis pas même à la tristesse que la vue de son étrange relèvement soudain m'avait causé le premier soir en me donnant si grande envie de reprendre le train pour Paris au lieu de continuer jusqu'à Balbec, au spectacle que le matin on pouvait avoir de là m'avait dit Elstir, à l'heure qui précède le soleil levé, où toutes les couleurs de l'arc-en-ciel se réfractent sur les rochers, et où tant de fois il avait réveillé le petit garçon qui, une année, lui avait servi de modèle pour le peindre tout nu, sur le sable. Le nom de Saint-Pierre-des-Ifs m'annonçait seulement qu'allait apparaître un quinquagénaire étrange, spirituel et fardé, avec qui je pourrais parler de Chateaubriand et de Balzac. Et maintenant dans les brumes du soir, derrière cette falaise d'Incarville, qui m'avait tant fait rêver autrefois, ce que je voyais comme si son grès antique était devenu transparent c'était la belle maison d'un oncle de M. de Cambremer et dans laquelle je savais qu'on serait toujours content de me recueillir si je ne voulais pas dîner à la Raspelière ou rentrer à Balbec. Ainsi ce n'était pas seulement les noms des lieux de ce pays qui avaient perdu leur mystère du début, mais ces lieux eux-mêmes. Les noms déjà vidés à demi d'un mystère que l'étymologie avait remplacé par le raisonnement, étaient encore descendus d'un degré. Dans nos retours à Hermonville, à Saint-Vast, à Harambouville, au moment où le train s'arrêtait, nous apercevions des ombres que nous ne reconnaissions pas d'abord et que Brichot, qui n'y voyait goutte, aurait peut-être pu prendre dans la nuit pour les fantômes d'Hérimund, de Wiscar, et d'Herimbald. Mais elles approchaient du wagon. C'était simplement M. de Cambremer, tout à fait brouillé avec les Verdurin, qui reconduisait des invités et qui, de la part de sa mère et de sa femme, venait me demander si je ne voulais pas qu'il « m'enlevât » pour me garder quelques jours à Féterne où allaient se succéder une excellente musicienne, qui me chanterait tout Gluck et un joueur d'échecs réputé, avec qui je ferais d'excellentes parties qui ne feraient pas tort à celles de pêche et de yachting dans la baie, ni même aux dîners Verdurin, pour lesquels le Marquis s'engageait sur l'honneur à me « prêter », en me faisant conduire et rechercher pour plus de facilité, et de sûreté aussi. « Mais je ne peux pas croire que ce soit bon pour vous d'aller si haut. Je sais que ma sœur ne pourrait pas le supporter. Elle reviendrait dans un état ! Elle n'est du reste pas très bien fichue en ce moment. Vraiment, vous avez eu une crise si forte ! Demain vous ne pourrez pas vous tenir debout ! » Et il se tordait, non par méchanceté, mais pour la même raison qu'il ne pouvait sans rire voir dans la rue un boiteux qui s'étalait, ou causer avec un sourd. « Et avant ? Comment, vous n'en avez pas eu depuis quinze jours ? Savez-vous que c'est très beau. Vraiment vous devriez venir vous installer à Féterne, vous causeriez de vos étouffements avec ma sœur. » A Incarville c'était le Marquis de Montpeyroux qui, n'ayant pas pu aller à Féterne, car il s'était absenté pour la chasse, était venu « au train » en bottes et le chapeau orné d'une plume de faisan, serrer la main des partants et à moi par la même occasion, en m'annonçant pour le jour de la semaine qui ne me gênerait pas, la visite de son fils, qu'il me remerciait de recevoir et qu'il serait très heureux que je fisse un peu lire ; ou bien M. de Crécy, venu faire sa digestion, disait-il, fumant sa pipe, acceptant un ou même plusieurs cigares et qui me disait : « Hé bien ! vous ne me dites pas de jour pour notre prochaine réunion à la Lucullus ? Nous n'avons rien à nous dire ? permettez-moi de vous rappeler que nous avons laissé en train la question des deux familles de Montgommery. Il faut que nous finissions cela. Je compte sur vous. » D'autres étaient venus seulement acheter leurs journaux. Et aussi beaucoup faisaient la causette avec nous, que j'ai toujours soupçonnés ne s'être trouvés sur le quai, à la station la plus proche de leur petit château que parce qu'ils n'avaient rien d'autre à faire que de retrouver un moment des gens de connaissance. Un cadre de vie mondaine comme un autre, en somme, que ces arrêts du petit chemin de fer. Lui-même semblait avoir conscience de ce rôle qui lui était dévolu, avait contracté quelque amabilité humaine ; patient, d'un caractère docile, il attendait aussi longtemps qu'on voulait les retardataires, et même une fois parti s'arrêtait pour recueillir ceux qui lui faisaient signe ; ils couraient alors après lui en soufflant, en quoi ils lui ressemblaient, mais différaient de lui en ce qu'ils le rattrapaient à toute vitesse, alors que lui n'usait que d'une sage lenteur. Ainsi Hermonville, Harambouville, Incarville, ne m'évoquaient même plus les farouches grandeurs de la conquête normande, non contents de s'être entièrement dépouillés de la tristesse inexplicable où je les avais vu baigner jadis dans l'humidité du soir. Doncières ! Pour moi, même après l'avoir connu et m'être éveillé de mon rêve, combien il était resté longtemps dans ce nom des rues agréablement glaciales, des vitrines éclairées, des succulentes volailles. Doncières ! Maintenant ce n'était plus que la station où montait Morel, Égleville (*Aquilævilla)* celle où nous attendait généralement la Princesse Sherbatoff, Maineville la station où descendait Albertine les soirs de beau temps, quand, n'étant pas trop fatiguée, elle avait envie de prolonger encore un moment avec moi, n'ayant, par un raidillon, guère plus à marcher que si elle était descendue à Parville (*Paterni villa*). Non seulement je n'éprouvais plus la crainte anxieuse d'isolement qui m'avait étreint le premier soir, mais je n'avais plus à craindre qu'elle se réveillât, ni de me sentir dépaysé ou de me trouver seul sur cette terre productive non seulement de châtaigniers et de tamaris, mais d'amitiés qui tout le long du parcours formaient une longue chaîne, interrompue comme celle des collines bleuâtres, cachées parfois dans l'anfractuosité du roc ou derrière les tilleuls de l'avenue, mais déléguant à chaque relais un aimable gentilhomme qui venait, d'une poignée de main cordiale, interrompre ma route, m'empêcher d'en sentir la longueur, m'offrir au besoin de la continuer avec moi. Un autre serait à la gare suivante, si bien que le sifflet du petit tram ne nous faisait quitter un ami que pour nous permettre d'en retrouver d'autres. Entre les châteaux les moins rapprochés et le chemin de fer qui les côtoyait presque au pas d'une personne qui marche vite, la distance était si faible qu'au moment où, sur le quai, devant la salle d'attente, nous interpellaient leurs propriétaires, nous aurions presque pu croire qu'ils le faisaient du seuil de leur porte, de la fenêtre de leur chambre, comme si la petite voie départementale n'avait été qu'une rue de province et la gentilhommière isolée qu'un hôtel citadin ; et même aux rares stations où je n'entendais le « bonsoir » de personne, le silence avait une plénitude nourricière et calmante, parce que je le savais formé du sommeil d'amis couchés tôt dans le manoir proche où mon arrivée eût été saluée avec joie si j'avais eu à les réveiller pour leur demander quelque service d'hospitalité. Outre que l'habitude remplit tellement notre temps qu'il ne nous reste plus au bout de quelques mois un instant de libre dans une ville où à l'arrivée la journée nous offrait la disponibilité de ses douze heures, si une par hasard était devenue vacante, je n'aurais plus eu l'idée de l'employer à voir quelque église pour laquelle j'étais jadis venu à Balbec, ni même à confronter un site peint par Elstir avec l'esquisse que j'en avais vue chez lui, mais à aller faire une partie d'échecs de plus chez M. Féré. C'était en effet la dégradante influence, comme le charme aussi qu'avait eus ce pays de Balbec de devenir pour moi un vrai pays de connaissances ; si sa répartition territoriale, son ensemencement extensif tout le long de la côte, en cultures diverses, donnaient forcément aux visites que je faisais à ces différents amis la forme du voyage, ils restreignaient aussi le voyage à n'avoir plus que l'agrément social d'une suite de visites. Les mêmes noms de lieux, si troublants pour moi jadis que le simple *Annuaire des Châteaux*, feuilleté au chapitre du département de la Manche, me causait autant d'émotion que l'Indicateur des chemins de fer, m'étaient devenus si familiers que cet indicateur même, j'aurais pu le consulter à la page Balbec-Douville par Doncières, avec la même heureuse tranquillité qu'un dictionnaire d'adresses. Dans cette vallée trop sociale aux flancs de laquelle je sentais accrochée, visible ou non, une compagnie d'amis nombreux, le poétique cri du soir n'était plus celui de la chouette ou de la grenouille, mais le « Comment va ? » de M. de Criquetot ou le « Khairé[91] » de Brichot. L'atmosphère n'y éveillait plus d'angoisses, et chargée d'effluves purement humains, y était aisément respirable, trop calmante même. Le bénéfice que j'en tirais au moins était de ne plus voir les choses qu'au point de vue pratique. Le mariage avec Albertine m'apparaissait comme une folie.

CHAPITRE IV

Brusque revirement vers Albertine. Désolation au lever du soleil. Je pars immédiatement avec Albertine pour Paris.

Je n'attendais qu'une occasion pour la rupture définitive. Et, un soir, comme maman partait le lendemain pour Combray, où elle allait assister dans sa dernière maladie une sœur de sa mère, me laissant pour que je profitasse, comme grand-mère aurait voulu, de l'air de la mer, je lui avais annoncé qu'irrévocablement j'étais décidé à ne pas épouser Albertine et allais cesser prochainement de la voir. J'étais content d'avoir pu, par ces mots, donner satisfaction à ma mère la veille de son départ. Elle ne m'avait pas caché que c'en avait été en effet une très vive pour elle. Il fallait aussi m'en expliquer avec Albertine. Comme je revenais avec elle de la Raspelière, les fidèles étant descendus tels à Saint-Mars-le-Vêtu, tels à Saint-Pierre-des-Ifs, d'autres à Doncières, me sentant particulièrement heureux et détaché d'elle, je m'étais décidé, maintenant qu'il n'y avait plus que nous deux dans le wagon, à aborder enfin cet entretien. La vérité d'ailleurs est que celle des jeunes filles de Balbec que j'aimais, bien qu'absente en ce moment ainsi que ses amies, mais qui allait revenir (je me plaisais avec toutes, parce que chacune avait pour moi, comme le premier jour, quelque chose de l'essence des autres, était comme d'une race à part) c'était Andrée. Puisqu'elle allait arriver de nouveau, dans quelques jours, à Balbec, certes aussitôt elle viendrait me voir, et alors, pour rester libre, ne pas l'épouser si je ne voulais pas, pour pouvoir aller à Venise, mais pourtant l'avoir d'ici là toute à moi, le moyen que je prendrais ce serait de ne pas trop avoir l'air de venir à elle et dès son arrivée, quand nous causerions ensemble, je lui dirais : « Quel dommage que je ne vous aie pas vue quelques semaines plus tôt. Je vous aurais aimée ; maintenant mon cœur est pris. Mais cela ne fait rien, nous nous verrons souvent, car je suis triste de mon autre amour et vous m'aiderez à me consoler. » Je souriais intérieurement en pensant à cette conversation car de cette façon, je donnerais à Andrée l'illusion que je ne l'aimais pas vraiment ; ainsi elle ne serait pas fatiguée de moi et je profiterais joyeusement et doucement de sa tendresse. Mais tout cela ne faisait que rendre plus nécessaire de parler enfin sérieusement à Albertine, afin de ne pas agir indélicatement, et puisque j'étais décidé à me consacrer à son amie, il fallait qu'elle sût bien, elle, Albertine, que je ne l'aimais pas. Il fallait le lui dire tout de suite, Andrée pouvant venir d'un jour à l'autre. Mais comme nous approchions de Parville, je sentis que nous n'aurions pas le temps ce soir-là et qu'il valait mieux remettre au lendemain ce qui maintenant était irrévocablement résolu. Je me contentai donc de parler avec elle du dîner que nous avions fait chez les Verdurin. Au moment où elle remettait son manteau, le train venant de quitter Incarville, dernière station avant Parville, elle me dit : « Alors demain, re-Verdurin, vous n'oubliez pas que c'est vous qui venez me prendre. » Je ne pus m'empêcher de répondre assez sèchement : « Oui, à moins que je ne “ lâche ”, car je commence à trouver cette vie vraiment stupide. En tous cas si nous y allons, pour que mon temps à la Raspelière ne soit pas du temps absolument perdu, il faudra que je pense à demander à Mme Verdurin quelque chose qui pourra m'intéresser beaucoup, être un objet d'études, et me donner du plaisir, car j'en ai vraiment bien peu cette année à Balbec. » — « Ce n'est pas aimable pour moi, mais je ne vous en veux pas, parce que je sens que vous êtes nerveux. Quel est ce plaisir ? » — « Que Mme Verdurin me fasse jouer des choses d'un musicien dont elle connaît très bien les œuvres. Moi aussi j'en connais une, mais il paraît qu'il y en a d'autres et j'aurais besoin de savoir si c'est édité, si cela diffère des premières. » — « Quel musicien ? » — « Ma petite chérie, quand je t'aurai dit qu'il s'appelle Vinteuil, en seras-tu beaucoup plus avancée ? » Nous pouvons avoir roulé toutes les idées possibles, la vérité n'y est jamais entrée, et c'est du dehors, quand on s'y attend le moins, qu'elle nous fait son affreuse piqûre et nous blesse pour toujours. « Vous ne savez pas comme vous m'amusez, me répondit Albertine en se levant, car le train allait s'arrêter. Non seulement cela me dit beaucoup plus que vous ne croyez, mais même sans Mme Verdurin je pourrai vous avoir tous les renseignements que vous voudrez. Vous vous rappelez que je vous ai parlé d'une amie plus âgée que moi qui m'a servi de mère, de sœur, avec qui j'ai passé à Trieste mes meilleures années et que d'ailleurs je dois dans quelques semaines retrouver à Cherbourg, d'où nous voyagerons ensemble (c'est un peu baroque, mais vous savez comme j'aime la mer), hé bien ! cette amie (oh ! pas du tout le genre de femmes que vous pourriez croire !), regardez comme c'est extraordinaire, est justement la meilleure amie de la fille de ce Vinteuil, et je connais presque autant la fille de Vinteuil. Je ne les appelle jamais que mes deux grandes sœurs. Je ne suis pas fâchée de vous montrer que votre petite Albertine pourra vous être utile pour ces choses de musique, où vous dites, du reste avec raison, que je n'entends rien. » A ces mots prononcés comme nous entrions en gare de Parville, si loin de Combray et de Montjouvain, si longtemps après la mort de Vinteuil, une image s'agitait dans mon cœur, une image tenue en réserve pendant tant d'années, que même si j'avais pu deviner en l'emmagasinant jadis qu'elle avait un pouvoir nocif, j'eusse cru qu'à la longue elle l'avait entièrement perdu ; conservée vivante au fond de moi — comme Oreste dont les Dieux avaient empêché la mort pour qu'au jour désigné il revînt dans son pays punir le meurtre d'Agamemnon — pour mon supplice, pour mon châtiment, qui sait ? d'avoir laissé mourir ma grand-mère, peut-être ; surgissant tout à coup du fond de la nuit où elle semblait à jamais ensevelie et frappant, comme un Vengeur, afin d'inaugurer pour moi une vie terrible, méritée et nouvelle, peut-être aussi pour faire éclater à mes yeux les funestes conséquences que les actes mauvais engendrent indéfiniment, non pas seulement pour ceux qui les ont commis, mais pour ceux qui n'ont fait, qui n'ont cru, que contempler un spectacle curieux et divertissant comme moi, hélas ! en cette fin de journée lointaine à Montjouvain, caché derrière un buisson où (comme quand j'avais complaisamment écouté le récit des amours de Swann) j'avais dangereusement laissé s'élargir en moi la voie funeste et destinée à être douloureuse du Savoir. Et dans ce même temps, de ma plus grande douleur j'eus un sentiment presque orgueilleux, presque joyeux, d'un homme à qui le choc qu'il aurait reçu aurait fait faire un bond tel qu'il serait parvenu à un point où nul effort n'aurait pu le hisser. Albertine amie de Mlle Vinteuil et de son amie, pratiquante professionnelle du Saphisme, c'était auprès de ce que j'avais imaginé dans les plus grands doutes ce qu'est au petit acoustique de l'Exposition de 1889 dont on espérait à peine qu'il pourrait aller du bout d'une maison à une autre, les téléphones planant sur les rues, les villes, les champs, les mers, reliant les pays. C'était une *terra incognita* terrible où je venais d'atterrir, une phase nouvelle de souffrances insoupçonnées qui s'ouvrait. Et pourtant ce déluge de la réalité qui nous submerge, s'il est énorme auprès de nos timides et infimes suppositions, il était pressenti par elles. C'est sans doute quelque chose comme ce que je venais d'apprendre, c'était quelque chose comme l'amitié d'Albertine et Mlle Vinteuil, quelque chose que mon esprit n'aurait su inventer, mais que j'appréhendais obscurément quand je m'inquiétais tant en voyant Albertine auprès d'Andrée. C'est souvent seulement par manque d'esprit créateur qu'on ne va pas assez loin dans la souffrance. Et la réalité la plus terrible donne en même temps que la souffrance la joie d'une belle découverte, parce qu'elle ne fait que donner une forme neuve et claire à ce que nous remâchions depuis longtemps sans nous en douter. Le train s'était arrêté à Parville et comme nous étions les seuls voyageurs qu'il y eût dedans, c'était d'une voix amollie par le sentiment de l'inutilité de la tâche, par la même habitude qui la lui faisait pourtant remplir et lui inspirait à la fois l'exactitude et l'indolence, et plus encore par l'envie de dormir que l'employé cria : « Parville ! » Albertine placée en face de moi et voyant qu'elle était arrivée à destination, fit quelques pas du fond du wagon où nous étions et ouvrit la portière. Mais ce mouvement qu'elle accomplissait ainsi pour descendre me déchirait intolérablement le cœur comme si, contrairement à la position indépendante de mon corps que à deux pas de lui semblait occuper celui d'Albertine, cette séparation spatiale, qu'un dessinateur véridique eût été obligé de figurer entre nous, n'était qu'une apparence et comme si, pour qui eût voulu, selon la réalité véritable, redessiner les choses, il eût fallu placer maintenant Albertine, non pas à quelque distance de moi, mais en moi. Elle me faisait si mal en s'éloignant que, la rattrapant, je la tirai désespérément par le bras. « Est-ce qu'il serait matériellement impossible, lui demandais-je, que vous veniez coucher ce soir à Balbec ? » — « Matériellement, non. Mais je tombe de sommeil. » — « Vous me rendriez un service immense... » — « Alors, soit, quoique je ne comprenne pas ; pourquoi ne l'avez-vous pas dit plus tôt ? Enfin je reste. » Ma mère dormait quand, après avoir fait donner à Albertine une chambre située à un autre étage, je rentrai dans la mienne. Je m'assis près de la fenêtre, réprimant mes sanglots, pour que ma mère, qui n'était séparée de moi que par une mince cloison, ne m'entendît pas. Je n'avais même pas pensé à fermer les volets, car à un moment, levant les yeux, je vis en face de moi dans le ciel cette même petite lueur d'un rouge éteint qu'on voyait au restaurant de Rivebelle dans une étude qu'Elstir avait faite d'un soleil couché. Je me rappelai l'exaltation que m'avait donnée, quand je l'avais aperçue du chemin de fer le premier jour de mon arrivée à Balbec, cette même image d'un soir qui ne précédait pas la nuit, mais une nouvelle journée. Mais nulle journée maintenant ne serait plus pour moi nouvelle, n'éveillerait plus en moi le désir d'un bonheur inconnu, et prolongerait seulement mes souffrances, jusqu'à ce que je n'eusse plus la force de les supporter. La vérité de ce que Cottard m'avait dit au casino d'Incarville ne faisait plus doute pour moi. Ce que j'avais redouté, vaguement soupçonné depuis longtemps d'Albertine, ce que mon instinct dégageait de tout son être, et ce que mes raisonnements dirigés par mon désir m'avaient peu à peu fait nier, c'était vrai ! Derrière Albertine je ne voyais plus les montagnes bleues de la mer, mais la chambre de Montjouvain où elle tombait dans les bras de Mlle Vinteuil avec ce rire où elle faisait entendre comme le son inconnu de sa jouissance. Car jolie comme était Albertine, comment Mlle Vinteuil, avec les goûts qu'elle avait, ne lui eût-elle pas demandé de les satisfaire ? Et la preuve qu'Albertine n'en avait pas été choquée et avait consenti, c'est qu'elles ne s'étaient pas brouillées, mais que leur intimité n'avait pas cessé de grandir. Et ce mouvement gracieux d'Albertine posant son menton sur l'épaule de Rosemonde, la regardant en souriant et lui posant un baiser dans le cou, ce mouvement qui m'avait rappelé Mlle Vinteuil et pour l'interprétation duquel j'avais hésité pourtant à admettre qu'une même ligne tracée par un geste résultât forcément d'un même penchant, qui sait si Albertine ne l'avait pas tout simplement appris de Mlle Vinteuil ? Peu à peu le ciel éteint s'allumait. Moi qui ne m'étais jusqu'ici jamais éveillé sans sourire aux choses les plus humbles, au bol de café au lait, au bruit de la pluie, au tonnerre du vent, je sentis que le jour qui allait se lever dans un instant, et tous les jours qui viendraient ensuite ne m'apporteraient plus jamais l'espérance d'un bonheur inconnu, mais le prolongement de mon martyre. Je tenais encore à la vie ; je savais que je n'avais plus rien que de cruel à en attendre. Je courus à l'ascenseur, malgré l'heure indue, sonner le lift qui faisait fonction de veilleur de nuit et je lui demandai d'aller à la chambre d'Albertine, lui dire que j'avais quelque chose d'important à lui communiquer, si elle pourrait me recevoir. « Mademoiselle aime mieux que ce soit elle qui vienne, vint-il me répondre. Elle sera ici dans un instant. » Et bientôt en effet, Albertine entra en robe de chambre. « Albertine », lui dis-je très bas, et en lui recommandant de ne pas élever la voix pour ne pas éveiller ma mère, de qui nous n'étions séparés que par cette cloison, dont la minceur aujourd'hui importune et qui, forçant à chuchoter, ressemblait jadis, quand s'y peignirent si bien les intentions de ma grand-mère, à une sorte de diaphanéité musicale, « je suis honteux de vous déranger. Voici. Pour que vous compreniez, il faut que je vous dise une chose que vous ne savez pas. Quand je suis venu ici, j'ai quitté une femme que j'ai dû épouser, qui était prête à tout abandonner pour moi. Elle devait partir en voyage ce matin et depuis une semaine, tous les jours, je me demandais si j'aurais le courage de ne pas lui télégraphier que je revenais. J'ai eu ce courage, mais j'étais si malheureux que j'ai cru que je me tuerais. C'est pour cela que je vous ai demandé hier soir si vous ne pourriez pas venir coucher à Balbec. Si j'avais dû mourir, j'aurais aimé vous dire adieu. » Et je donnai libre cours aux larmes que ma fiction rendait naturelles. « Mon pauvre petit, si j'avais su, j'aurais passé la nuit auprès de vous », s'écria Albertine, à l'esprit de qui l'idée que j'épouserais peut-être cette femme et que l'occasion de faire, elle, un « beau mariage » s'évanouissait, ne vint même pas, tant elle était sincèrement émue d'un chagrin dont je pouvais lui cacher la cause, mais non la réalité et la force. « Du reste, me dit-elle, hier pendant tout le trajet depuis la

Raspelière, j'avais bien senti que vous étiez nerveux et triste, je craignais quelque chose. » En réalité mon chagrin n'avait commencé qu'à Parville, et la nervosité bien différente mais qu'heureusement Albertine confondait avec lui, venait de l'ennui de vivre encore quelques jours avec elle. Elle ajouta : « Je ne vous quitte plus, je vais rester tout le temps ici. » Elle m'offrait justement — et elle seule pouvait me l'offrir — l'unique remède contre le poison qui me brûlait, homogène à lui d'ailleurs : l'un doux, l'autre cruel, tous deux étaient également dérivés d'Albertine. En ce moment Albertine — mon mal — se relâchant de me causer des souffrances, me laissait — elle, Albertine remède — attendri comme un convalescent. Mais je pensais qu'elle allait bientôt partir de Balbec pour Cherbourg et de là pour Trieste. Ses habitudes d'autrefois allaient renaître. Ce que je voulais avant tout, c'était empêcher Albertine de prendre le bateau, tâcher de l'emmener à Paris. Certes de Paris, plus facilement encore que de Balbec, elle pourrait, si elle le voulait, aller à Trieste, mais à Paris nous verrions ; peut-être je pourrais demander à Mme de Guermantes d'agir indirectement sur l'amie de Mlle Vinteuil pour qu'elle ne restât pas à Trieste, pour lui faire accepter une situation ailleurs, peut-être chez le Prince de... que j'avais rencontré chez Mme de Villeparisis et chez Mme de Guermantes même. Et celui-ci, même si Albertine voulait allez chez lui voir son amie, pourrait, prévenu par Mme de Guermantes, les empêcher de se joindre. Certes j'aurais pu me dire qu'à Paris, si Albertine avait ces goûts, elle trouverait bien d'autres personnes avec qui les assouvir. Mais chaque mouvement de jalousie est particulier et porte la marque de la créature — pour cette fois-ci l'amie de Mlle Vinteuil — qui l'a suscité. C'était l'amie de Mlle Vinteuil qui restait ma grande préoccupation. La passion mystérieuse avec laquelle j'avais pensé autrefois à l'Autriche parce que c'était le pays d'où venait Albertine (son oncle y avait été conseiller d'ambassade), que sa singularité géographique, la race qui l'habitait, ses monuments, ses paysages, je pouvais les considérer ainsi que dans un atlas, ainsi que dans un recueil de vues, dans le sourire, dans les manières d'Albertine, cette passion mystérieuse, je l'éprouvais encore mais par une interversion de signes, dans le domaine de l'horreur. Oui c'était de là qu'Albertine venait. C'était là que dans chaque maison, elle était sûre de retrouver, soit l'amie de Mlle Vinteuil, soit d'autres. Les habitudes d'enfance allaient renaître, on se réunirait dans trois mois pour la Noël, puis le 1er janvier, dates qui m'étaient déjà tristes en elles-mêmes, de par le souvenir inconscient du chagrin que j'y avais ressenti quand, autrefois, elles me séparaient, tout le temps des vacances du jour de l'an, de Gilberte. Après les longs dîners, après les réveillons, quand tout le monde serait joyeux, animé, Albertine allait avoir, avec ses amies de là-bas, ces mêmes poses que je lui avais vu prendre avec Andrée, alors que l'amitié d'Albertine pour elle était innocente ; qui sait ? peut-être celles qui avaient rapproché devant moi Mlle Vinteuil poursuivie par son amie, à Montjouvain. A Mlle Vinteuil maintenant, tandis que son amie la chatouillait avant de s'abattre sur elle, je donnais le visage enflammé d'Albertine, d'Albertine que j'entendis lancer en s'enfuyant, puis en s'abandonnant, son rire étrange et profond. Qu'était à côté de la souffrance que je ressentais, la jalousie que j'avais pu éprouver le jour où Saint-Loup avait rencontré Albertine avec moi à Doncières et où elle lui avait fait des agaceries ? celle aussi que j'avais éprouvée en repensant à l'initiateur inconnu auquel j'avais pu devoir les premiers baisers qu'elle m'avait donnés à Paris, le jour où j'attendais la lettre de Mlle de Stermaria ? Cette autre jalousie provoquée par Saint-Loup, par un jeune homme quelconque, n'était rien. J'aurais pu dans ce cas craindre tout au plus un rival sur lequel j'eusse essayé de l'emporter. Mais ici le rival n'était pas semblable à moi, ses armes étaient différentes, je ne pouvais pas lutter sur le même terrain, donner à Albertine les mêmes plaisirs, ni même les concevoir exactement. Dans bien des moments de notre vie nous troquerions tout l'avenir contre un pouvoir en soi-même insignifiant. J'aurais jadis renoncé à tous les avantages de la vie pour connaître Mme Blatin, parce qu'elle était une amie de Mme Swann. Aujourd'hui, pour qu'Albertine n'allât pas à Trieste, j'aurais supporté toutes les souffrances et si c'eût été insuffisant, je lui en aurais infligé, je l'aurais isolée, enfermée, je lui eusse pris le peu d'argent qu'elle avait pour que le dénuement l'empêchât matériellement de faire le voyage. Comme jadis, quand je voulais aller à Balbec, ce qui me poussait à partir c'était le désir d'une église persane, d'une tempête à l'aube, ce qui maintenant me déchirait le cœur en pensant qu'Albertine irait peut-être à Trieste, c'était qu'elle y passerait la nuit de Noël avec l'amie de Mlle Vinteuil : car l'imagination, quand elle change de nature et se tourne en sensibilité, ne dispose pas pour cela d'un nombre plus grand d'images simultanées. On m'aurait dit qu'elle ne se trouvait pas en ce moment à Cherbourg ou à Trieste, qu'elle ne pourrait pas voir Albertine, comme j'aurais pleuré de douceur et de joie, comme ma vie et son avenir eussent changé ! Et pourtant je savais bien que cette localisation de ma jalousie était arbitraire, que si Albertine avait ces goûts elle pouvait les assouvir avec d'autres. D'ailleurs peut-être même ces mêmes jeunes filles si elles avaient pu la voir ailleurs n'auraient pas tant torturé mon cœur. C'était de Trieste, de ce monde inconnu où je sentais que se plaisait Albertine, où étaient ses souvenirs, ses amitiés, ses amours d'enfance, quc s'cxhalait cctte atmosphère hostile, inexplicable, comme celle qui montait jadis jusqu'à ma chambre de Combray, de la salle à manger où j'entendais causer et rire avec les étrangers, dans le bruit des fourchettes, maman qui ne viendrait pas me dire bonsoir ; comme celle qui avait rempli pour Swann les maisons où Odette allait chercher en soirée d'inconcevables joies. Ce n'était plus comme vers un pays délicieux où la race est pensive, les couchants dorés, les carillons tristes, que je pensais maintenant à Trieste, mais comme à une cité maudite que j'aurais voulu faire brûler sur-le-champ et supprimer du monde réel. Cette ville était enfoncée dans mon cœur comme une pointe permanente. Laisser partir bientôt Albertine pour Cherbourg et Trieste me faisait horreur ; et même rester à Balbec. Car maintenant que la révélation de l'intimité de mon amie avec Mlle Vinteuil me devenait une quasi-certitude, il me semblait que dans tous les moments où Albertine n'était pas avec moi (et il y avait des jours entiers où à cause de sa tante je ne pouvais pas la voir), elle était livrée aux cousines de Bloch, peut-être à d'autres. L'idée que ce soir même elle pourrait voir les cousines de Bloch me rendait fou. Aussi, après qu'elle m'eut dit que pendant quelques jours elle ne me quitterait pas, je lui répondis : « Mais c'est que je voudrais partir pour Paris. Ne partiriez-vous pas avec moi ? Et ne voudriez-vous pas venir habiter un peu avec nous à Paris ? » A tout prix il fallait l'empêcher d'être seule, au moins quelques jours, la garder près de moi pour être sûr qu'elle ne pût voir l'amie de Mlle Vinteuil. Ce serait en réalité habiter seule avec moi, car ma mère profitant d'un voyage d'inspection qu'allait faire mon père, s'était prescrit comme un devoir d'obéir à une volonté de ma grand-mère qui désirait qu'elle allât quelques jours à Combray auprès d'une de ses sœurs. Maman n'aimait pas sa tante parce qu'elle n'avait pas été pour grand-mère, si tendre pour elle, la sœur qu'elle aurait dû. Ainsi, devenus grands, les enfants se rappellent avec rancune ceux qui ont été mauvais pour eux. Mais maman, devenue ma grand-mère, était incapable de rancune ; la vie de sa mère était pour elle comme une pure et innocente enfance où elle allait puiser ces souvenirs dont la douceur ou l'amertume réglait ses actions avec les uns et les autres. Ma tante aurait pu fournir à maman certains détails inestimables, mais maintenant elle les aurait difficilement, sa tante était tombée très malade (on disait d'un cancer) et elle qui se reprochait de ne pas être allée la voir plus tôt, pour tenir compagnie à mon père, n'y trouvait qu'une raison de plus de faire ce que sa mère aurait fait, et comme elle allait à l'anniversaire du père de ma grand-mère, lequel avait été si mauvais père, porter sur sa tombe des fleurs que ma grand-mère avait l'habitude d'y porter. Ainsi, auprès de la tombe qui allait s'entrouvrir, ma mère voulait-elle apporter les doux entretiens que ma tante n'était pas venue offrir à ma grand-mère. Pendant qu'elle serait à Combray, ma mère s'occuperait de certains travaux que ma grand-mère avait toujours désirés, mais si seulement ils étaient exécutés sous la surveillance de sa fille. Aussi n'avaient-ils pas encore été commencés, maman ne voulant pas, en quittant Paris avant mon père, lui faire trop sentir le poids d'un deuil auquel il s'associait, mais qui ne pouvait pas l'affliger autant qu'elle. « Ah ! ça ne serait pas possible en ce moment, me répondit Albertine. D'ailleurs quel besoin avez-vous de rentrer si vite à Paris, puisque cette dame est partie ? » — « Parce que je serai plus calme dans un endroit où je l'ai connue, plutôt qu'à Balbec qu'elle n'a jamais vu et que j'ai pris en horreur. » Albertine a-t-elle compris plus tard que cette autre femme n'existait pas, et que si cette nuit-là j'avais parfaitement voulu mourir, c'est parce qu'elle m'avait étourdiment révélé qu'elle était liée avec l'amie de Mlle Vinteuil ? C'est possible. Il y a des moments où cela me paraît probable. En tous cas, ce matin-là, elle crut à l'existence de cette femme. « Mais vous devriez épouser cette dame, me dit-elle, mon petit, vous seriez heureux, et elle sûrement aussi serait heureuse. » Je lui répondis que l'idée que je pourrais rendre cette femme heureuse avait en effet failli me décider ; dernièrement quand j'avais fait un gros héritage qui me permettrait de donner beaucoup de luxe, de plaisirs à ma femme, j'avais été sur le point d'accepter le sacrifice de celle que j'aimais. Grisé par la reconnaissance que m'inspirait la gentillesse d'Albertine si près de la souffrance atroce qu'elle m'avait causée, de même qu'on promettrait volontiers une fortune au garçon de café qui vous verse un sixième verre d'eau-de-vie, je lui dis que ma femme aurait une auto, un yacht, qu'à ce point de vue, puisque Albertine aimait tant faire de l'auto et du yachting, il était malheureux qu'elle ne fût pas celle que j'aimasse, que j'eusse été le mari parfait pour elle, mais qu'on verrait, qu'on pourrait peut-être se voir agréablement. Malgré tout, comme dans l'ivresse même on se retient d'interpeller les passants, par peur des coups, je ne commis pas l'imprudence (si c'en était une), comme j'aurais fait au temps de Gilberte, en lui disant que c'était elle, Albertine, que j'aimais. « Vous voyez, j'ai failli l'épouser. Mais je n'ai pas osé le faire pourtant, je n'aurais pas voulu faire vivre une jeune femme auprès de quelqu'un de si souffrant et de si ennuyeux. » — « Mais vous êtes fou, tout le monde voudrait vivre auprès de vous, regardez comme tout le monde vous recherche. On ne parle que de vous chez Mme Verdurin, et dans le plus grand monde aussi, on me l'a dit. Elle n'a donc pas été gentille avec vous cette dame pour vous donner cette impression de doute sur vous-même. Je vois ce que c'est, c'est une méchante, je la déteste, ah ! si j'avais été à sa place. » — « Mais non, elle est très gentille, trop gentille. Quant aux Verdurin et au reste, je m'en moque bien. En dehors de celle que j'aime et à laquelle du reste j'ai renoncé, je ne tiens qu'à ma petite Albertine, il n'y a qu'elle, en me voyant beaucoup — du moins les premiers jours, ajoutais-je pour ne pas l'effrayer et pouvoir demander beaucoup ces jours-là — qui pourra un peu me consoler. » Je ne fis que vaguement allusion à une possibilité de mariage, tout en disant que c'était irréalisable parce que nos caractères ne concorderaient pas. Malgré moi, toujours poursuivi dans ma jalousie par le souvenir des relations de Saint-Loup avec « Rachel quand du Seigneur » et de Swann avec Odette, j'étais trop porté à croire que du moment que j'aimais, je ne pouvais pas être aimé et que l'intérêt seul pouvait attacher à moi une femme. Sans doute c'était une folie de juger Albertine d'après Odette et Rachel. Mais ce n'était pas elle, c'était moi ; c'était les sentiments que je pouvais inspirer que ma jalousie me faisait trop sous-estimer. Et de ce jugement, peut-être erroné, naquirent sans doute bien des malheurs qui allaient fondre sur nous.

« Alors, vous refusez mon invitation pour Paris ? » — « Ma tante ne voudrait pas que je parte en ce moment. D'ailleurs même si plus tard, je peux, est-ce que cela n'aurait pas l'air drôle que je descende ainsi chez vous ? A Paris on saura bien que je ne suis pas votre cousine. » — « Hé bien ! nous dirons que nous sommes un peu fiancés. Qu'est-ce que cela fait, puisque vous savez que cela n'est pas vrai ? » Le cou d'Albertine qui sortait tout entier de sa chemise était puissant, doré, à gros grains. Je l'embrassai aussi purement que si j'avais embrassé ma mère pour calmer un chagrin d'enfant que je croyais alors ne pouvoir jamais arracher de mon cœur. Albertine me quitta pour aller s'habiller. D'ailleurs son dévouement fléchissait déjà ; tout à l'heure, elle m'avait dit qu'elle ne me quitterait pas d'une seconde. (Et je sentais bien que sa résolution ne durerait pas puisque je craignais, si nous restions à Balbec, qu'elle vît ce soir même, sans moi, les cousines de Bloch.) Or elle venait maintenant de me dire qu'elle voulait passer à Maineville et qu'elle reviendrait me voir dans l'après-midi. Elle n'était pas rentrée la veille au soir, il pouvait y avoir des lettres pour elle, de plus sa tante pouvait être inquiète. J'avais répondu : « Si ce n'est que pour cela, on peut envoyer le lift dire à votre tante que vous êtes ici et chercher vos lettres. » Et désireuse de se montrer gentille mais contrariée d'être asservie, elle avait plissé le front puis, tout de suite, très gentiment, dit : « C'est cela » et elle avait envoyé le lift. Albertine ne m'avait pas quitté depuis un moment que le lift vint frapper légèrement. Je ne m'attendais pas à ce que pendant que je causais avec Albertine, il eût eu le temps d'aller à Maineville et d'en revenir. Il venait me dire qu'Albertine avait écrit un mot à sa tante et qu'elle pouvait, si je voulais, venir à Paris le jour même. Elle avait du reste eu tort de lui donner la commission de vive voix, car déjà, malgré l'heure matinale, le directeur était au courant et affolé venait me demander si j'étais mécontent de quelque chose, si vraiment je partais, si je ne pourrais pas attendre au moins quelques jours, le vent étant aujourd'hui assez craintif (à craindre). Je ne voulais pas lui expliquer que je voulais à tout prix qu'Albertine ne fût plus à Balbec à l'heure où les cousines de Bloch faisaient leur promenade, surtout Andrée, qui seule eût pu la protéger, n'étant pas là, et que Balbec était comme ces endroits où un malade qui n'y respire plus est décidé, dût-il mourir en route, à ne pas passer la nuit suivante. Du reste, j'allais avoir à lutter contre des prières du même genre dans l'hôtel d'abord où Marie Gineste et Céleste Albaret avaient les yeux rouges. (Marie, du reste, faisait entendre le sanglot pressé d'un torrent. Céleste, plus molle, lui recommandait le calme ; mais Marie ayant murmuré les seuls vers qu'elle connût : *Ici-bas tous les lilas meurent*[92], Céleste ne put se retenir et une nappe de larmes s'épandit sur sa figure couleur de lilas ; je pense du reste qu'elles m'oublièrent dès le soir même.) Ensuite, dans le petit chemin de fer d'intérêt local, malgré toutes mes précautions pour ne pas être vu, je rencontrai M. de Cambremer, qui à la vue de mes malles blêmit, car il comptait sur moi pour le surlendemain ; il m'exaspéra en voulant me persuader que mes étouffements tenaient au changement de temps et qu'octobre serait excellent pour eux, et il me demanda si, en tous cas, « je ne pourrais pas remettre mon départ à huitaine », expression dont la bêtise ne me mit peut-être en fureur que parce que ce qu'il me proposait me faisait mal. Et tandis qu'il me parlait dans le wagon, à chaque station je craignais de voir apparaître plus terribles qu'Herimbald ou Guiscard, M. de Crécy implorant d'être invité, ou plus redoutable encore Mme Verdurin tenant à m'inviter. Mais cela ne devait arriver que dans quelques heures. Je n'en étais pas encore là. Je n'avais à faire face qu'aux plaintes désespérées du directeur. Je l'éconduisis, car je craignais que tout en chuchotant il ne finît par éveiller maman. Je restai seul dans la chambre, cette même chambre trop haute de plafond où j'avais été si malheureux à la première arrivée, où j'avais pensé avec tant de tendresse à Mlle de Stermaria, guetté le passage d'Albertine et de ses amies comme d'oiseaux migrateurs arrêtés sur la plage, où je l'avais possédée avec tant d'indifférence quand je l'avais fait chercher par le lift, où j'avais connu la bonté de ma grand-mère, puis appris qu'elle était morte ; ces volets au pied desquels tombait la lumière du matin, je les avais ouverts la première fois pour apercevoir les premiers contreforts de la mer (ces volets qu'Albertine me faisait fermer pour qu'on ne nous vît pas nous embrasser). Je prenais conscience de mes propres transformations en les confrontant à l'identité des choses. On s'habitue pourtant à elles comme aux personnes et quand, tout d'un coup, on se rappelle la signification différente qu'elles comportèrent, puis quand elles eurent perdu toute signification, les événements bien différents de ceux d'aujourd'hui qu'elles encadrèrent, la diversité des actes joués sous le même plafond, entre les mêmes bibliothèques vitrées, le changement dans le cœur et dans la vie que cette diversité implique, semblent encore accrus par la permanence immuable du décor, renforcés par l'unité du lieu.

Deux ou trois fois, pendant un instant, j'eus l'idée que le monde où était cette chambre et ces bibliothèques, et dans lequel Albertine était si peu de chose, était peut-être un monde intellectuel, qui était la seule réalité, et mon chagrin quelque chose comme celui que donne la lecture d'un roman et dont un fou seul pourrait faire un chagrin durable et permanent et se prolongeant dans sa vie ; qu'il suffirait peut-être d'un petit mouvement de ma volonté pour atteindre ce monde réel, y rentrer en dépassant ma douleur comme un cerceau de papier qu'on crève, et ne plus me soucier davantage de ce qu'avait fait Albertine, que nous ne nous soucions des actions de l'héroïne imaginaire d'un roman après que nous en avons fini la lecture. Au reste les maîtresses que j'ai le plus aimées n'ont coïncidé jamais avec mon amour pour elles. Cet amour était vrai, puisque je subordonnais toutes choses à les voir, à les garder pour moi seul, puisque je sanglotais si, un soir, je les avais attendues. Mais elles avaient plutôt la propriété d'éveiller cet amour, de le porter à son paroxysme, qu'elles n'en étaient l'image. Quand je les voyais, quand je les entendais, je ne trouvais rien en elles qui ressemblât à mon amour et pût l'expliquer. Pourtant ma seule joie était de les voir, ma seule anxiété de les attendre. On aurait dit qu'une vertu n'ayant aucun rapport avec elles leur avait été accessoirement adjointe par la nature, et que cette vertu, ce pouvoir simili-électrique avait pour effet sur moi d'exciter mon amour, c'est-à-dire de diriger toutes mes actions et de causer toutes mes souffrances. Mais de cela, la beauté, ou l'intelligence, ou la bonté de ces femmes étaient entièrement distinctes. Comme un courant électrique qui vous meut, j'ai été secoué par mes amours, je les ai vécus, je les ai sentis : jamais je n'ai pu arriver à les voir ou à les penser. J'incline même à croire que dans ces amours (je mets de côté le plaisir physique qui les accompagne d'ailleurs habituellement, mais ne suffit pas à les constituer), sous l'apparence de la femme, c'est à ces forces invisibles dont elle est accessoirement accompagnée que nous nous adressons comme à d'obscures divinités. C'est elles dont la bienveillance nous est nécessaire, dont nous recherchons le contact sans y trouver de plaisir positif. Avec ces déesses, la femme durant le rendez-vous nous met en rapport et ne fait guère plus. Nous avons comme des offrandes promis des bijoux, des voyages, prononcé des formules qui signifient que nous adorons et des formules contraires qui signifient que nous sommes indifférents. Nous avons disposé de tout notre pouvoir pour obtenir un nouveau rendez-vous, mais qui soit accordé sans ennui. Or, est-ce pour la femme elle-même, si elle n'était pas complétée de ces forces occultes, que nous prendrions tant de peine, alors que quand elle est partie nous ne saurions dire comment elle était habillée et que nous nous apercevons que nous ne l'avons même pas regardée ?

Comme la vue est un sens trompeur ! Un corps humain même aimé comme était celui d'Albertine nous semble, à quelques mètres, à quelques centimètres, distant de nous. Et l'âme qui est à lui de même. Seulement que quelque chose change violemment la place de cette âme par rapport à nous, nous montre qu'elle aime d'autres êtres et pas nous, alors aux battements de notre cœur disloqué, nous sentons que c'est, non pas à quelques pas de nous, mais en nous, qu'était la créature chérie. En nous, dans des régions plus ou moins superficielles. Mais les mots : « Cette amie, c'est Mlle Vinteuil » avait été le Sésame, que j'eusse été incapable de trouver moi-même, qui avait fait entrer Albertine dans la profondeur de mon cœur déchiré. Et la porte qui s'était refermée sur elle, j'aurais pu chercher pendant cent ans, sans savoir comment on pourrait la rouvrir.

Ces mots, j'avais cessé de les entendre un instant pendant qu'Albertine était auprès de moi tout à l'heure. En l'embrassant comme j'embrassais ma mère, à Combray, pour calmer mon angoisse, je croyais presque à l'innocence d'Albertine ou du moins je ne pensais pas avec continuité à la découverte que j'avais faite de son vice. Mais maintenant que j'étais seul, les mots retentissaient à nouveau comme ces bruits intérieurs de l'oreille qu'on entend dès que quelqu'un cesse de vous parler. Son vice maintenant ne faisait pas de doute pour moi. La lumière du soleil qui allait se lever en modifiant les choses autour de moi me fit prendre à nouveau, comme en me déplaçant un instant par rapport à elle, conscience plus cruelle encore de ma souffrance. Je n'avais jamais vu commencer une matinée si belle ni si douloureuse. En pensant à tous les paysages indifférents qui allaient s'illuminer et qui la veille encore ne m'eussent rempli que du désir de les visiter, je ne pus retenir un sanglot quand, dans un geste d'offertoire mécaniquement accompli et qui me parut symboliser le sanglant sacrifice que j'allais avoir à faire de toute joie, chaque matin, jusqu'à la fin de ma vie, renouvellement solennellement célébré à chaque aurore de mon chagrin quotidien et du sang de ma plaie, l'œuf d'or du soleil comme propulsé par la rupture d'équilibre qu'amènerait au moment de la coagulation un changement de densité, barbelé de flammes comme dans les tableaux, creva d'un bond le rideau derrière lequel on le sentait depuis un moment frémissant et prêt à entrer en scène et à s'élancer, et dont il effaça sous des flots de lumière la pourpre mystérieuse et figée. Je m'entendis moi-même pleurer. Mais à ce moment contre toute attente la porte s'ouvrit et le cœur battant il me sembla voir ma grand-mère devant moi, comme en une de ces apparitions que j'avais déjà eues, mais seulement en dormant. Tout cela n'était-il donc qu'un rêve ? Hélas, j'étais bien éveillé. « Tu trouves que je ressemble à ta pauvre grand-mère », me dit maman — car c'était elle — avec douceur, comme pour calmer mon effroi, avouant du reste cette ressemblance, avec un beau sourire de fierté modeste qui n'avait jamais connu la coquetterie. Ses cheveux en désordre où les mèches grises n'étaient point cachées et serpentaient autour de ses yeux inquiets, de ses joues vieillies, la robe de chambre même de ma grand-mère qu'elle portait, tout m'avait pendant une seconde empêché de la reconnaître et fait hésiter si je dormais ou si ma grand-mère était ressuscitée. Depuis longtemps déjà ma mère ressemblait à ma grand-mère, bien plus qu'à la jeune et rieuse maman qu'avait connue mon enfance. Mais je n'y avais plus songé. Ainsi quand on est resté longtemps à lire, distrait, on ne s'est pas aperçu que passait l'heure et tout d'un coup, on voit autour de soi le soleil inévitablement entraîné à passer par les mêmes phases, rappeler à s'y méprendre le soleil qu'il y avait la veille à la même heure, éveiller autour de lui les mêmes harmonies, les mêmes correspondances qui préparent le couchant. Ce fut en souriant que ma mère me signala à moi-même mon erreur, car il lui était doux d'avoir avec sa mère une telle ressemblance. « Je suis venue, me dit ma mère, parce qu'en dormant il me semblait entendre quelqu'un qui pleurait. Cela m'a réveillée. Mais comment se fait-il que tu ne sois pas couché ? Et tu as les yeux pleins de larmes. Qu'y a-t-il ? » Je pris sa tête dans mes bras : « Maman, voilà, j'ai peur que tu me croies bien changeant. Mais d'abord, hier je ne t'ai pas parlé très gentiment d'Albertine ; ce que je t'ai dit était injuste. » — « Mais qu'est-ce que cela peut faire ? » me dit ma mère, et apercevant le soleil levant, elle sourit tristement en pensant à sa mère et pour que je ne perdisse pas le fruit d'un spectacle que ma grand-mère regrettait que je ne contemplasse jamais, elle me montra la fenêtre. Mais derrière la plage de Balbec, la mer, le lever du soleil, que maman me montrait, je voyais, avec des mouvements de désespoir qui ne lui échappaient pas, la chambre de Montjouvain où Albertine, rose, pelotonnée comme une grosse chatte, le nez mutin, avait pris la place de l'amie de Mlle Vinteuil et disait avec des éclats de son rire voluptueux : « Eh bien ! si on nous voit, ce n'en sera que meilleur. Moi ! je n'oserais pas cracher sur ce vieux singe ? » C'est cette scène que je voyais derrière celle qui s'étendait dans la fenêtre et qui n'était sur l'autre qu'un voile morne, superposé comme un reflet. Elle semblait elle-même en effet presque irréelle, comme une vue peinte. En face de nous, à la saillie de la falaise de Parville, le petit bois où nous avions joué au furet inclinait en pente jusqu'à la mer, sous le vernis encore tout doré de l'eau, le tableau de ses feuillages, comme à l'heure où souvent à la fin du jour, quand j'étais allé y faire une sieste avec Albertine, nous nous étions levés en voyant le soleil descendre. Dans le désordre des brouillards de la nuit qui traînaient encore en loques roses et bleues sur les eaux encombrées des débris de nacre de l'aurore, des bateaux passaient en souriant à la lumière oblique qui jaunissait leur voile et la pointe de leur beaupré comme quand ils rentrent le soir : scène imaginaire, grelottante et déserte, pure évocation du couchant qui ne reposait pas, comme le soir, sur la suite des heures du jour que j'avais l'habitude de voir le précéder, déliée, interpolée, plus inconsistante encore que l'image horrible de Montjouvain qu'elle ne parvenait pas à annuler, à couvrir, à cacher — poétique et vaine image du souvenir et du songe. « Mais voyons, me dit ma mère, tu ne m'as dit aucun mal d'elle, tu m'as dit qu'elle t'ennuyait un peu, que tu étais content d'avoir renoncé à l'idée de l'épouser. Ce n'est pas une raison pour pleurer comme cela. Pense que ta maman part aujourd'hui et va être désolée de laisser son grand loup dans cet état-là. D'autant plus, pauvre petit, que je n'ai guère le temps de te consoler. Car mes affaires ont beau être prêtes, on n'a pas trop de temps un jour de départ. » — « Ce n'est pas cela. » Et alors, calculant l'avenir, pesant bien ma volonté, comprenant qu'une telle tendresse d'Albertine pour l'amie de Mlle Vinteuil, et pendant si longtemps, n'avait pu être innocente, qu'Albertine avait été initiée, et autant que tous ses gestes me le montraient, était d'ailleurs née avec la prédisposition du vice que mes inquiétudes n'avaient que trop de fois pressenti, auquel elle n'avait jamais dû cesser de se livrer (auquel elle se livrait peut-être en ce moment, profitant d'un instant où je n'étais pas là), je dis à ma mère, sachant la peine que je lui faisais, qu'elle ne me montra pas et qui se trahit seulement chez elle par cet air de sérieuse préoccupation qu'elle avait quand elle comparait la gravité de me faire du chagrin ou de me faire du mal, cet air qu'elle avait eu à Combray pour la première fois quand elle s'était résignée à passer la nuit auprès de moi, cet air qui en ce moment ressemblait extraordinairement à celui de ma grand-mère me permettant de boire du cognac, je dis à ma mère : « Je sais la peine que je vais te faire. D'abord au lieu de rester ici comme tu le voulais, je vais partir en même temps que toi. Mais cela n'est encore rien. Je me porte mal ici, j'aime mieux rentrer. Mais écoute-moi, n'aie pas trop de chagrin. Voici. Je me suis trompé, je t'ai trompée de bonne foi hier, j'ai réfléchi toute la nuit. Il faut absolument, et décidons-le tout de suite, parce que je me rends bien compte maintenant, parce que je ne changerai plus, et que je ne pourrais pas vivre sans cela, il faut absolument que j'épouse Albertine. »

SIGLES ET ABRÉVIATIONS

BIP	*Bulletin d'informations proustiennes*, Presses de l'Ecole normale supérieure.
BSAMP	*Bulletin de la Société des amis de Marcel Proust et des amis de Combray*.
CG	*Correspondance générale*, publiée par Robert Proust et Paul Brach, Plon 1930-1936. Le chiffre romain, dans les références, indique le volume.
CSB	*Contre Sainte-Beuve*, précédé de *Pastiches et Mélanges* et suivi de *Essais et Articles ;* édition établie par Pierre Clarac et Yves Sandre, Gallimard, Bibliothèque de la Pléiade, 1971.
Corr.	*Correspondance de Marcel Proust*, texte établi par Philip Kolb. Plon 1970-1987. Le chiffre romain, dans les références, indique le volume.
Fug.	*La Fugitive*, GF Flammarion, 1986.
Gu. I *Gu. II*	*Le Côté de Guermantes*, GF Flammarion, 1987, 2 volumes.
JFF 1re p. *JFF 2e p.*	*A l'ombre des jeunes filles en fleurs*, GF Flammarion, 1987, 2 volumes.
J. S.	*Jean Santeuil*, précédé de *Les Plaisirs et les Jours ;* édition établie par Pierre Clarac et Yves Sandre, Gallimard, Bibliothèque de la Pléiade, 1971.
NAF	Nouvelles acquisitions françaises (classement au cabinet des manuscrits de la Bibliothèque nationale).
Pris.	*La Prisonnière*, GF Flammarion, 1984.
SG vol. 1	*Sodome et Gomorrhe* (premier volume) de la présente édition.
SG vol. 2	*Sodome et Gomorrhe* (second volume) de la présente édition.
Sw.	*Du côté de chez Swann*, GF Flammarion, 1987.
TR	*Le Temps retrouvé*, GF Flammarion, 1986.

NOTES

1. Dans une lettre à la comtesse de Maugny, Proust écrit ces lignes à propos d'un petit chemin de fer de montagne qui a été le modèle du petit chemin de fer de Balbec (*CG* V, p. 122-123) :

« Que de soirs nous avons passés ensemble en Savoie, à regarder le Mont-Blanc devenir, tandis que le soleil se couchait, un fugitif Mont-Rose qu'allait ensevelir la nuit. Puis il fallait regagner le lac de Genève et monter, avant Thonon, dans un bon petit chemin de fer assez semblable à celui que j'ai dépeint dans un de mes volumes non encore parus, et que vous recevrez l'un après l'autre, si Dieu me prête vie. Un bon petit chemin de fer patient, d'un bon caractère, qui attendait, le temps voulu, les retardataires et, même une fois parti, s'arrêtait si on lui faisait signe pour recueillir ceux qui, soufflant comme lui, le rejoignaient à toute vitesse. A toute vitesse, en quoi ils différaient de lui, qui n'usait jamais que d'une sage lenteur. A Thonon, long arrêt, on serrait la main d'un tel qui était venu accompagner ses invités, d'un autre voulant acheter les journaux, de beaucoup que j'ai toujours soupçonnés de n'avoir rien d'autre à faire que retrouver des gens de connaissance. Une forme de vie mondaine comme une autre que cet arrêt à la gare de Thonon. »

2. Pour une version antérieure du texte qui va suivre, voir le Cahier 51 (NAF 16691, f°s 9-17), dans *Matinée chez la Princesse de Guermantes,* Henri Bonnet en collaboration avec Bernard Brun, Gallimard, 1982, p. 55-61.

3. Citation de « La Maison du Berger » d'Alfred de Vigny, vers 323-324.

4. Abel-François Villemain (1790-1870). Professeur de littérature française à la Sorbonne et membre de l'Académie.

5. Paul de Gondi était le nom du cardinal de Retz ; prince de Marcillac celui que portait le duc de la Rochefoucauld avant qu'il n'eût hérité du titre. L'expression anglaise « the struggle for life » a

été adoptée en français sous la forme « struggle-for-lifeur », utilisée pour la première fois par Alphonse Daudet dans sa pièce *La Lutte pour la vie* (1889). L'expression fait référence à une personne qui, sans scrupules, essaie d'améliorer sa position dans le monde. (En français, on trouve également la forme « Strugforlifeur ».) Nous gardons la forme qu'a utilisée Proust dans une addition à sa dactylographie, NAF 16740, f° 19.

6. L'Abbaye-aux-Bois était le nom du lieu à Paris (actuellement la rue de Sèvres) où Mme Récamier tenait un salon littéraire. Au cours de ses dernières années, Chateaubriand y prit part assidûment. La marquise du Châtelet était amante de Voltaire.

7. Citation du troisième chant d'« Éloa » d'Alfred de Vigny, vers 557.

8. Potain (1825-1901) et Charcot (1825-1893) étaient médecins. Charcot était membre de l'Académie des sciences et s'intéressa aux maladies nerveuses. On lui doit la création, à la Salpêtrière, de toute une école avec ses laboratoires.

9. Tous partisans de Dreyfus. Voir la note 13 de *SG vol. 1*.

10. Henry Meilhac (1831-1897). Auteur dramatique qui, en collaboration avec Ludovic Halévy, écrivit des livrets d'opéras bouffes dont Offenbach composa la musique.

11. Ici débute l'une des longues digressions faites par Brichot au sujet des étymologies. Le curé de Combray avait déjà proposé quelques explications étymologiques des noms de lieu. (Voir *Sw.*, p. 208-211.) Pour les discours de Brichot, Proust s'est essentiellement inspiré de l'ouvrage en deux tomes d'Auguste Longnon intitulé : *Les Noms de lieu de la France, leur origine, leur signification, leurs transformations*. Ces volumes furent publiés entre 1920 et 1929 par l'éditeur Champion. Dès 1919, Proust correspondait avec Longnon au sujet des étymologies des noms de lieux de Normandie. (Voir Painter, *Marcel Proust*, *op. cit.*, tome 2, p. 114 et 442.) Proust s'est servi aussi du livre de J. Quicherat : *De la formation française des anciens noms de lieu*, publié chez Frank en 1867, mais il tire beaucoup moins d'exemples de ce second ouvrage. Cependant, les étymologies de Brichot ne sont pas toujours fondées sur des documents scientifiques, et peuvent aussi être inventées par l'auteur de la *Recherche*. Comme Proust l'explique dans une lettre à Louis Martin-Chauffier : « Soyez rassuré pour les terribles étymologies que je devais vous demander. Je m'en suis tiré tout seul de mon mieux, ou plutôt fort mal. On mettra ce qu'elles ont de fantaisiste ou d'erroné sur le compte de mes ignorants personnages. » (*CG* III, p. 304, lettre XIV à Louis Martin-Chauffier.) Jacques Nathan, dans *Citations, références et allusions de Marcel Proust dans « A la recherche du temps perdu »* (Nizet, 1952), commente chaque étymologie de Brichot quant à sa véracité et pour sa source. A ce sujet, voir surtout l'excellent article de Victor E. Graham : « Proust's Etymologies » dans *French Studies*, vol. 29, n° 3, 1975, p. 300-312.

12. Poquelin est le nom de famille de Molière. Brichot fait ici une petite parodie du docteur Purgon dans *Le Malade imaginaire*. Voir acte III, scène v : « Que vous tombiez dans la bradypepsie... De la bradypepsie dans la dyspepsie [...] De la dyspepsie dans l'apepsie [...] de l'apepsie dans la lienterie... de la lienterie dans la dysenterie [...] de la dysenterie dans l'hydropisie [...] Et de l'hydropisie dans la privation de la vie, où vous aura conduit votre folie. »

13. Francisque Sarcey (1827-1899), critique dramatique du *Temps*, était connu pour sa fidélité à la tradition, son goût de la pièce bien faite et ses opinions quelque peu « terre à terre ». Son ton à la fois réprobateur et bonhomme lui valut le surnom d' « oncle ».

14. Trad. : « Quel grand artiste périt avec moi ! » Selon Suétone, Néron, juste avant de se donner la mort, a prononcé ces paroles.

15. La *Messe en ré* est aussi connue sous le titre de : « Missa solemnis ». Il s'agit de l'*opus* 123 de Beethoven.

16. Pampille est un pseudonyme de Mme Léon Daudet. Elle écrivait des recettes culinaires dans *L'Action française*, bien qu'elle n'eût pas, à ma connaissance, publié de recette pour les demoiselles de Caen du vivant de Proust. En revanche, Émilie de Clermont-Tonnerre dans son chapitre « août » de *L'Almanach des bonnes choses de France* (Georges Crès et Cie, 1920, p. 108) écrit : « La demoiselle de Caen, qui n'est qu'une langouste plus petite et plus fine, est très bonne grillée. »

17. D'après la seizième élégie de Ronsard, sa famille descendait d'un ancêtre originaire des provinces danubiennes :

« Or, quant à mon ancestre, il a tiré sa race
D'où le glacé Danube est voisin de la Thrace.
Plus bas que la Hongrie, en une froide part,
Est un Seigneur, nommé le Marquis de Ronsart. »

18. Dans la conversation qui suit, nous pouvons constater que M. de Cambremer connaissait deux fables de La Fontaine : « L'Homme et la Couleuvre » (livre X, fable I, qu'il cite *SG vol. 2*, p. 87) et « Le Chameau et les Bâtons flottants » (livre IV, fable X, à laquelle il fait allusion *SG vol. 2*, p. 129). Il dit connaître aussi une fable de Florian (1755-1794), voir note 22.

19. François, et non Julien de Monchâteau, était, comme le philosophe Jean Pic de la Mirandole, un enfant prodige. La confusion ici, sans doute volontaire de la part de la duchesse de Guermantes, a vraisemblablement été suggérée à Proust par le livre de Michel Masson, *Les Enfants célèbres* (1837), dans lequel la vie de François de Beauchâteau est racontée dans le chapitre « Les enfants poètes » et celle de Pic de la Mirandole dans « Les enfants savants ».

20. John Stuart Mill, philosophe anglais, auteur du *Système de logique déductive et inductive, exposé des principes de la preuve et des méthodes de recherche scientifique* (1843). Le philosophe français Jules

Lachelier, qui a étudié la même question dans son ouvrage *Du fondement de l'induction* (1871), est moins affirmatif que Mill sur le fait que la perception de l'individu puisse être une preuve de la réalité. Il se réfère davantage aux lois générales, valables pour tout le monde extérieur.

21. Trad. : « Un pont qui s'ouvre. »

22. Il n'y a ni dans La Fontaine ni dans Florian de fable concernant la grenouille devant l'aréopage. M. de Cambremer confond peut-être deux fables de Florian : *Le Berger et le Rossignol* (livre V, fable I), dans laquelle nous trouvons des grenouilles devant le rossignol, et *La Fauvette et le Rossignol* (livre IV, fable 9), dans laquelle c'est le rossignol qui est devant l'aréopage.

23. Citation approximative d'une lettre datée du 1er octobre 1684 de Mme de Sévigné à Mme de Grignan, dans laquelle elle parle ainsi de la femme de son fils, Charles de Sévigné :

« Elle a de très bonnes qualités, du moins je le crois ; mais dans ce commencement, je ne me trouve disposée à la louer que par les négatives : elle n'est point *ceci,* elle n'est pas *cela ;* avec le temps je dirai peut-être elle est *cela*. Elle vous fait mille jolis compliments, elle souhaite d'être aimée de nous, mais sans empressement ; elle *n'est donc point empressée :* je n'ai que ce ton jusqu'ici : elle ne parle point breton, elle n'a point l'accent de Rennes. »

24. Porel fut le directeur du théâtre de l'Odéon de 1884 à 1891.

25. *La Chercheuse d'esprit* (1741), opéra-comique de Charles Simon Favart. Il fut joué à l'Opéra-Comique en 1900.

26. Henri Bataille, le directeur du théâtre de l'Odéon, fit une adaptation scénique du roman de Tolstoï *Résurrection* (14 novembre 1902). Cette adaptation fut reprise au théâtre de la Porte Saint-Martin le 25 janvier 1905. Edmond Guiraud monta *Anna Karénine* au Théâtre-Antoine le 30 janvier 1907.

27. Charlus parle ici d'un portrait de Favart. Cette incohérence narrative est sans doute due au fait que ce passage est une addition que Proust a faite au manuscrit au net (NAF 16712, f° 87).

28. Il s'agit sans doute de Marie Samary, comédienne dans la troupe de l'Odéon de 1870 à 1880. « La Zerbine », rôle de soubrette, ne figure cependant pas parmi les personnages de *La Chercheuse d'esprit* de Favart, mais il y a bien une « Zerbine » dans *Le Capitaine Fracasse* de Théophile Gautier.

29. Comme la Zerbine, le Pédant et le Tranche-Montagne sont des personnages « types » que l'on retrouve dans *Le Capitaine Fracasse* de Gautier. Ce roman — qui fut d'ailleurs l'un des livres de chevet du jeune Proust — fut adapté à la scène, dans un opéra-comique d'Émile-Louis-Fortuné Pessard et Catulle Mendès, présenté au Théâtre-Lyrique en 1878.

30. Dans sa première exposition des étymologies, Brichot avait critiqué le curé de Combray qui confond *bricq* (pont) avec *briga* (hauteur), et il avait cité des exemples de Longnon (Bricquebosc, Briqueville, et Bricquebec. Voir *SG vol. 2*, p. 46). Mais ici, Brichot se contredit, car il reprend à son propre compte l'étymologie de *briga*, explique que ce préfixe signifie « hauteur » ou « lieu fortifié » et cite les mêmes noms de lieu. Cette contradiction est expliquée par la genèse de ces deux passages. La première occurrence est en fait une addition faite au manuscrit (f° 52 de NAF 16712). Il est donc possible que Proust, ayant pris connaissance des théories de Longnon, ait ajouté cette correction, en omettant de supprimer la deuxième explication étymologique qui la contredit. (Voir note 11.)

31. Le peintre Paul Helleu (1859-1927) avait une telle passion pour l'art du XVIIIe siècle et peignait si vite qu'on le surnomma un « Watteau à vapeur ».

32. Hugo von Tschudi (1851-1911) était un historien de l'art allemand, nommé en 1896 directeur de la Galerie nationale de Berlin. Lors d'une visite à Paris, il acheta des tableaux impressionnistes pour les musées allemands, ce qui déplut à l'empereur Guillaume II, qui était fortement opposé à toute nouvelle école de peinture, et cela lui coûta son poste.

33. Guillaume II, membre de la famille de Hohenzollern, empereur d'Allemagne et roi de Prusse, utilisa cette expression pour exprimer ses sentiments sur l'annexion de l'Alsace-Lorraine, où il voulait être accueilli par une poignée de main, comme ami, et non par un coup de chapeau, comme conquérant (comme en témoigne Ferdinand Bac dans « Notes et Souvenirs sur Guillaume II », *La Revue de Paris*, 1er avril 1916, p. 494). Le prince von Faffenheim avait utilisé cette expression lors du dîner chez la duchesse de Guermantes. Voir *Gu. II*, p. 289.

34. L'affaire Eulenbourg éclata en Allemagne en 1906. Le prince Philip von Eulenbourg, conseiller secret et influent de l'empereur Guillaume II, fut attaqué par ses ennemis dans la presse allemande en 1906. Après de longs procès, Eulenbourg fut accusé d'homosexualité et, abandonné par l'Empereur, il fut disgracié.

35. Le titre allemand « Durchlaucht » correspond à celui d' « Altesse » en français.

36. L'almanach de Gotha, qui contient des renseignements généalogiques sur les familles titrées, a paru en français et en allemand de 1763 à 1944.

37. Trad. : « Mécène, issu d'ancêtres royaux. » Citation des *Odes* d'Horace, I, I.

38. *Robert le Diable* (1831), opéra de Meyerbeer, livret de Scribe.

39. Vers 1881, un groupe d'artistes et d'écrivains français prit le nom de « Rose-Croix » en référence à la secte religieuse allemande

du XVIIe siècle qui portait ce nom, afin de désigner leur nouveau mouvement intellectuel et artistique.

40. Ce jeu de mots est construit sur les noms de deux cantatrices : Célestine Gallimarié (1840-1905), qui joua et chanta à l'Opéra-Comique, y créant entre autres le rôle de Carmen, et Speranza Engalli, une autre cantatrice de la fin du XIXe siècle, qui fit ses débuts à l'Opéra-Comique en 1878.

41. Bouchard (1837-1915) et Charcot (1825-1893) étaient tous deux médecins. Pour une note biographique sur Charcot, voir note 8. Bouchard a exercé une très grande influence sur la médecine de son époque et les disciplines d'élite qu'il a su former continuent à assurer la pérennité de ses conceptions. Sa renommée était mondiale : il était membre de l'Académie de médecine et, juste avant sa mort, le gouvernement français l'avait élevé à la dignité de grand-croix de la Légion d'honneur.

42. Bouffe de Saint-Blaise et Courtois-Suffit étaient tous deux médecins. Le docteur Courtois-Suffit (1861-1947) a été une grande figure de la médecine officielle à la fin de la IIIe République. Il a beaucoup écrit dans les revues et les encyclopédies médicales.

43. Voir dans les *Mémoires* de Saint-Simon, année 1703, ce portrait du maréchal d'Huxelles :

> « Il ressembloit tout à fait à ces gros brutaux de marchands de bœufs ; paresseux, voluptueux à l'excès en toutes sortes de commodités, de chère exquise, grande, journalière, en choix de compagnie, en débauches grecques, dont il ne prenoit pas la peine de se cacher et accrochoit de jeunes officiers, qu'il adomestiquoit, outre de jeunes valets très bien faits, et cela sans voile, à l'armée et à Strasbourg ; glorieux jusqu'avec ses généraux et ses camarades et ce qu'il y avoit de plus distingué, pour qui, par un air de paresse, il ne se levoit pas de son siège ; »

Il sera de nouveau question du maréchal d'Huxelles, dans *Pris.*, p. 410.

44. Citation du poème XXXIX des *Fleurs du Mal* de Baudelaire :

> « Ta mémoire, pareille aux fables incertaines,
> Fatigue le lecteur ainsi qu'un tympanon. »

45. Plotin, philosophe grec néo-platonicien, dont les œuvres furent publiées par son disciple, Porphyre, philosophe de l'école alexandrine, sous le titre les *Ennéades*.

46. Le manuscrit au net (NAF 16712, f°s 132-133, NAF 16713, f°s 1-3) contient à cet endroit un intéressant développement sur le sommeil, le rêve et la recherche du temps perdu, ainsi qu'un rapprochement important de la grand-mère et de l'écriture :

« De ces premiers sommeils quand ils sont vraiment profonds il nous est difficile de parler. Sans doute le plus souvent il ne tarde pas à y filtrer un rayon de conscience qui les éclaire mais les modifie, et l'état de nature inconnaissable, que nous voulons connaître, se détruit dans la mesure où nous devenons capables de lui appliquer des instruments de connaissance. Puis le jour de la conscience grandit, la mémoire le fixe et l'on est — je fus moi-même alors — la proie de ces accès intermittents d'aliénation mentale [...] où, se tenant debout auprès de nous, reviennent les morts. Ma grand-mère était dans la chambre contiguë, moi je travaillais à ma table, et je me disais : « Enfin, elle va me voir travailler, elle qui l'a tant désiré, et avait fini par désespérer, par renoncer pour toujours. » Quelle joie ça allait être de tenir ses joues froides et rouges, de les embrasser, et de lui prouver, par le travail déjà accompli, la continuité de mes habitudes. Par instants je sortais à demi du sommeil, mais sans perdre le contact avec l'irréel, comme un nageur qui sort à demi de l'eau pour tendre quelque chose à une personne restée sur la plage. [...] Ces sommeils secondaires, différents du plus profond que je venais de quitter, prenaient pour moi, par contraste, l'aspect, la vérité de la veille. Je n'étais qu'endormi d'une autre manière, je me croyais réveillé. Oui, tout à l'heure, je dormais, me disais je. Mais maintenant je suis éveillé, je sens bien mes membres qui peuvent remuer. Et pourtant je sais que ma grand-mère est à côté, qu'elle sera heureuse de me trouver au travail. Il est donc bien certain que les morts vivent. Ce n'est pas comme si je l'avais cru pendant le sommeil. Maintenant il n'y a plus aucun doute. »

[...] [Nous reprenons la transcription du manuscrit à partir de NAF 16713, f° 1.]

« A ce moment le réveil, comme un magnétiseur qui aurait touché mon front, me fit sortir de ce sommeil où s'étaient montrés tout nus des sentiments selon lesquels je n'avais pas vécus, qui n'inspireraient en rien la vie si différente que j'allais recommencer à mener, et pourtant collaborant peut-être déjà à l'esquisse d'une vie plus lointaine qui un jour pouvait devenir la mienne. « Elle est partie pour toujours » me dis-je en m'éveillant, car le premier moment de conscience au réveil n'est pas mobile et met seulement en pleine lumière le moment où nous nous trouvons. J'étais bien entré dans les pensées claires de la veille. »

[...]

« Alors je me rappelai que malgré qu'elle eût passé si près de moi dans mon rêve, ma grand-mère n'était plus. Mais si je me mis à pleurer sur ce passé n'étant plus qu'une image immatérielle, si je dus me résigner dans ma clairvoyance revenue à l'idée que ce passé n'existait plus nulle part dans le monde réel, que je ne pourrais jamais retourner à lui, si je pleurais sur les êtres aimés qui l'avaient aimé et qui s'étaient si doucement penchés sur mon enfance, tout ce qui composait ce temps irretrouvable, passé, me semblait si indivisible, je venais de le revoir il y avait encore seulement un instant si homogène, en songe, et j'avais si bien l'impression que je ne pouvais rien en revoir qu'en songe, je savais si bien que tout cela, et jusqu'à l'odeur des joues de ma grand-mère que je sentais encore, tout cela ne pouvait plus exister maintenant que j'étais réveillé, qu'il eût fallu pour cela une impossible résurrection. »

47. Citation d'Élise dans *Esther*, I, I. Dans le manuscrit, M. de Charlus cite d'abord les vers d'Élise qui précèdent cette citation (mais il qualifie la pudeur d' « admirable » au lieu d'« aimable » comme Racine) :

« Ciel ! quel nombreux essaim d'innocentes beautés
S'offre à mes yeux en foule et sort de tous côtés
Quelle admirable pudeur sur leur visage est peinte ! »

(Cette citation est rédigée sur une feuille manuscrite, encore non cotée à la Bibliothèque nationale, mais que j'identifie comme étant arrachée de f° 6 de NAF 16713. Voir *SG vol. 1*, note 39.)

48. Esther, à la fin de la première scène du premier acte, appelle le chœur en disant :

« Il faut les appeler. Venez, venez mes filles. »

Proust se trompe donc doublement ici : d'abord il intervertit les hémistiches, ensuite il attribue le vers à Josabeth dans *Athalie*.

49. Le narrateur fait ici allusion aux travaux faits par Viollet-le-Duc qui, en 1845, restaura les sculptures de Notre-Dame endommagées pendant la Révolution. On lui reproche d'avoir commis d'impardonnables erreurs dans cette entreprise. Le narrateur a d'ailleurs déjà critiqué Viollet-le-Duc, voir *SG vol. 2*, p. 40.

50. Ces trois dernières phrases sont une reprise presque littérale d'un passage d'*A l'ombre des jeunes filles en fleurs*. Voir *JFF 2ᵉ p.*, p. 95.

51. Cette description de Mme Verdurin dans son jardin ressemble en bien des points à celle de la marquise de Cambremer dans le sien. (Voir *SG vol. 1*, p. 301-302 et note 92.)

52. Automobile était aussi un nom masculin jusque vers 1915.

53. Ici, lorsque Charlus donne des conseils au violoniste Morel, on peut s'étonner qu'il le blâme d'avoir joué au piano une transcription du XVᵉ quatuor. Cette incohérence, qui fait de Morel un pianiste, provient sans doute d'une version antérieure de ce texte. A l'origine, comme Proust l'écrit dans une lettre à la N.R.F. de novembre 1912, Charlus (qui s'appelait encore M. de Fleurus ou M. de Gurcy), devait « entretenir un pianiste » (*Corr.* XI, p. 287). A ce propos, voir Albert Feuillerat : *Comment Marcel Proust a composé son roman*, Yale University Press, New Haven, 1934, p. 176-178.

54. Dans ce passage sur les poires, M. de Charlus cite d'abord *La Comtesse d'Escarbagnas* de Molière (scène IV). Il fait ensuite allusion à

l'Almanach des bonnes choses de France (voir la note 16), dont la section sur le mois de septembre comporte une longue entrée sur les poires (p. 140-142). Voir également *CSB*, p. 514. Proust donne à Charlus cette remarque que Robert de Montesquiou a déjà faite.

55. Dans une lettre à Mme de Grignan, datée du 27 mai 1680, Mme de Sévigné écrit à propos de son fils, Charles de Sévigné :

« Il trouve l'invention de dépenser sans paraître, de perdre sans jouer, et de payer sans s'acquitter ; toujours une soif et un besoin d'argent, en paix comme en guerre ; c'est un abîme de je ne sais pas quoi, car il n'a aucune fantaisie, mais sa main est un creuset qui fond l'argent. »

56. Benjamin Godard (1849-1895), compositeur d'opéras (*Jocelyn, La Vivandière*), qui connurent un succès de courte durée après sa mort, mais que les connaisseurs dédaignaient.

57. Fontanes (1757-1821) écrivit à Chateaubriand le 28 juillet 1798 : « Travaillez, travaillez, mon cher ami, devenez illustre. Vous le pouvez : l'avenir est à vous. » (Cette lettre est citée par Chateaubriand dans ses *Mémoires d'outre-tombe*, section datée : avril-septembre 1822, à Londres et intitulée *Promenades avec Fontanes*.)

58. Dans les lettres XXXII et XXXIII à Lucien Daudet, datées de 1916, Proust demande à son ami des renseignements sur ce nécessaire qu'il a l'intention de donner à Albertine. Voir Lucien Daudet : *Autour de soixante lettres de Marcel Proust*, Gallimard, 1929, p. 165-167.

59. La première phrase en latin signifie : « pas toujours dans les combats » ; la deuxième : « rien n'est accompli sans efforts ».

60. Le titre exact du livre d'Henry Roujon (1853-1907) est *Au milieu des hommes*. Il s'agit d'un recueil d'articles de critique littéraire.

61. Dans *Contre Sainte-Beuve*, Proust avait déjà écrit à propos de *Splendeurs et misères des courtisanes* : « Mais le plus beau sans conteste est le merveilleux passage où les deux voyageurs passent devant les ruines du château de Rastignac. J'appelle cela la *Tristesse d'Olympio* de l'Homosexualité. » (*CSB*, 274. Voir également le Carnet 2, f° 2, transcrit par Takaharu Ishiki dans le *BSAMP* 1984, n° 34, p. 216.) *Tristesse d'Olympio* est en fait le titre du poème XXXIV des *Rayons et les Ombres* de Victor Hugo. C'est dans *Sainte-Beuve et Balzac* que Proust explique que « l'homme de goût » qui était si touché par la mort de Lucien de Rubempré était Oscar Wilde (voir *CSB*, 273).

62. Il s'agit des titres des parties de *Splendeurs et misères des courtisanes*. Les deux premières parties de ce roman furent publiées en 1844 sous les titres *Esther heureuse* et *A combien l'amour revient aux vieillards*. Mais, dans la version définitive du roman, le titre *Esther heureuse* est remplacé par *Comment aiment les filles*. La troisième partie s'intitule *Où mènent les mauvais chemins* et la dernière *La Dernière Incarnation de Vautrin*.

63. *Les Exploits de Rocambole*, œuvre en vingt-deux volumes par Pierre-Alexis, vicomte de Ponson du Terrail (1829-1871).

64. « Que sais-je ? » est une question posée en 1576 par Montaigne dans l'*Apologie de Raymond Sebond* pour indiquer son scepticisme. La devise grecque « Gnothi seauton » (connais-toi toi-même) était gravée au fronton du temple de Delphes et fut adoptée par Socrate.

65. Brichot fait allusion ici aux demeures de quelques écrivains français : Rabelais était curé de Meudon ; Voltaire habitait à Ferney, près du lac de Genève ; *La Vallée-aux-Loups* était le domaine de Chateaubriand, près de Sceaux ; *Les Jardies* était la maison de Balzac à Ville-d'Avray, où il demeura de 1837 à 1840. On sait qu'il eut une longue correspondance avec la comtesse polonaise Hanska, qu'il épousa en 1850.

66. Le narrateur parlera plus tard de *La Fille aux yeux d'or* avec Gilberte. Voir *TR*, p. 72.

67. Hippolyte Taine avait publié un article sur Balzac dans le *Journal des Débats* de 1858, qui fut repris dans son volume *Nouveaux Essais de critique et d'histoire*, Hachette, 1892, p. 51-140.

68. La toilette en question est décrite dans les termes suivants par Balzac, dans *Les Secrets de la princesse de Cadignan :*

> « Elle offrit au regard une harmonieuse combinaison de couleurs grises, une sorte de demi-deuil, une grâce pleine d'abandon, le vêtement d'une femme qui ne tenait plus à la vie que par quelques biens naturels, son enfant peut-être, et qui s'y ennuyait. »

Pour une analyse de cette description de robe, et de la lecture de Balzac dans *A la recherche du temps perdu*, voir Françoise van Rossum-Guyon : « Proust et Balzac : La robe de la princesse de Cadignan et les vertus de la lecture », dans *Nederlandse Vereniging van Vrieden van Marcel Proust, Jaarboek*, 1977, n° 5-6, p. 353-372.

69. Paul Thureau-Dangin (1837-1913), historien français, secrétaire perpétuel de l'Académie française, connu pour ses études sur la Restauration et la monarchie de Juillet. Gaston Boissier (1823-1908), également secrétaire perpétuel de l'Académie française, auteur d'ouvrages célèbres sur l'Antiquité romaine et la littérature française. Morel confondra cet académicien avec le confiseur parisien de l'époque Boissier.

70. « Le samedi soir, après l' turbin » sont les premiers mots de la célèbre chanson populaire d'Henri Christiné, *Viens poupoule*, créée par Félix Mayol au café-concert l'Eldorado en novembre 1902.

71. Trad. : « mon espoir ».

72. Trad. : « Il ne décevra pas les espérances. »

73. « Sustentant lilia turres » veut dire : « les tours sont les soutiens des lys ». Habituellement, cette devise signifie que les grands seigneurs féodaux (les tours) sont les soutiens des rois (les lys). Ici la devise est détournée de son sens, car les hommes forts (comme Charlus) soutiennent les jeunes « fleurs » (comme Morel).

74. Trad. : « Ma dernière demeure se trouve au ciel. »

75. Trad. : « Ce que je veux est immortel. » Il s'agit d'une citation inexacte des *Métamorphoses* d'Ovide (II, 56).

76. Trad. : « par les ancêtres et par les armes ».

77. Trad. : « un tel éclat vient d'un seul ».

78. *L'Aiglon* est une pièce d'Edmond Rostand, créée par Sarah Bernhardt en mars 1900. *Œdipe-Roi* de Sophocle fut joué par Mounet-Sully à partir de 1892. *Les Annales du théâtre et de la musique* de 1900 décrivent ainsi une des représentations de Mounet-Sully dans ce rôle : « [...] en soirée, *Œdipe-Roi*, où, dans le vaste cadre, M. Mounet-Sully donnait aux Parisiens la sensation des inoubliables représentations d'Orange. » (*Annales du théâtre et de la musique*, année 1900 ; P. Ollendorff, 1901, p. 35.) *Œdipe-Roi* fut donc joué à Orange et non dans les Arènes de Nîmes, comme le dit M. de Charlus.

79. Trad. : « Il releva le front de l'homme ; il voulut que celui-ci contemplât le ciel. » Citation approximative d'Ovide, *Les Métamorphoses*, livre I, vers 85-86.

80. Le narrateur fait ici allusion à la confusion possible entre le duc Ferdinand d'Alençon (1844-1910) et la grande cocotte de Paris au début de ce siècle, Émilienne d'Alençon. La famille du duc d'Alençon fut plongée dans le deuil en 1896 lors de la mort de son père, mais rien ne pouvait frapper le duc plus douloureusement que la fin tragique de sa femme, brûlée vive dans la catastrophe du Bazar de la Charité en mai 1897. Lui-même fut gravement brûlé dans l'incendie en essayant de sauver les victimes. Dès lors, il voulait se retirer dans la solitude et se consacra de plus en plus à la vie et aux œuvres religieuses.

81. Jean-Alexis Périer (1869-1954), chanteur et acteur, créa le rôle de Pelléas à l'Opéra-Comique le 30 avril 1902. *La Châtelaine* d'Alfred Capus (1858-1922) avait été créée au théâtre de la Renaissance en 1902. Le Gymnase était un théâtre où se jouait surtout des spectacles comiques. Simone Frévalles, Marie Magnier et Baron fils (fils du grand acteur Louis Baron) étaient tous des acteurs comiques.

82. Yvette Guilbert (1867-1944) était une célèbre chanteuse de café-concert. Charcot était médecin (voir note 8).

83. Cornaglia (né en 1834) et Dehelly (né en 1871) étaient tous deux acteurs.

84. Jean Milly fait une analyse des traits de style que Proust critique chez Sainte-Beuve. Voir *Les Pastiches de Proust,* édition critique et commentée, Armand Colin, 1970, p. 108-110.

85. Mme de Bargeton et Mme de Mortsauf, personnages de romans de Balzac, l'une dans *La Muse du département*, l'autre dans *Le Lys dans la vallée.*

86. « In medio stat virtus. » Trad. : « La vertu est au milieu. » Proust fait allusion ici aux pages roses du dictionnaire *Le Petit Larousse.*

87. En grec, Hypnos est le nom du sommeil, Thanatos celui de la mort, et Léthé est le fleuve de l'oubli. Dans la traduction faite par Leconte de Lisle des *Hymnes orphiques,* n° LXXXII, intitulé « Parfum de Hypnos... le pavot », on peut lire : « tu apaises les âmes, car tu es le frère de Lèthè et de Thanatos ». Voir *SG vol. 1*, p. 331 ; note 99. Dans la *Théogonie* d'Hésiode, on lit également que « Nyx enfanta Thanatos [...], Hypnos [...] et Lèthè ».

88. Kroniôn est père de Zeus et dieu du temps dans la mythologie grecque.

89. *L'Enchantement du Vendredi saint* se trouve dans le troisième acte de *Parsifal* de Wagner et était l'un des morceaux préférés de Proust. Voir le Cahier 57 (NAF 16697) f° 29-30, dans *Matinée chez la Princesse de Guermantes, op. cit.*, p. 172-173.

90. Dans le manuscrit (NAF 16714, f° 1), Proust avait écrit : « M. de Rochegude appelle cette rue le ghetto parisien », phrase que le dactylographe a omis de taper (sur f° 93 de NAF 16741). En effet, pour ce passage sur le Marais, Proust a puisé ses informations dans l'ouvrage du marquis de Rochegude intitulé : *Promenades dans toutes les rues de Paris,* publié par Hachette en 1910. Le quatrième volume est exclusivement consacré au quatrième arrondissement.

91. Khairé, en grec ancien, signifie « au revoir ».

92. Voir p. 341 et note 113 de *SG 1.*

RÉSUMÉ
DE SODOME ET GOMORRHE
**

SODOME ET GOMORRHE II *(suite)*

Chapitre deux (suite)

Le côté de Gomorrhe

La dame inconnue (5). La jeune femme élancée qui semble faire signe à Albertine dans le Casino (5). Les membres de Gomorrhe, dispersés dans le monde, se rejoignent (6). Cette jeune femme séduit la cousine de Bloch (7). Les ruses d'Albertine pour dépister mes soupçons (7) : son effronterie envers une amie invertie de sa tante (8).

A la gare

M. Nissim Bernard et les tomates (9). Pour occuper Albertine, je lui ai demandé de prendre le train avec moi pour aller rendre visite à Saint-Loup, à Doncières (10). Je suis invité à la Raspelière (11) : les mercredis de Mme Verdurin sont des œuvres d'art (12). Dans le compartiment du train, la liseuse de la *Revue des Deux Mondes :* sa vulgarité et sa prétention (13). Notre courte visite avec Saint-Loup, qui me paraît bien trop longue, parce qu'Albertine ne fait plus attention qu'à lui (14). Le moi d'autrefois et les paradis perdus (15). Je reproche à Albertine sa froideur envers moi (15).

Première rencontre de Charlus et Morel

Attente à la gare de notre train de retour (16). J'y vois M. de Charlus, vieilli. Il me demande de lui appeler un militaire de la musique, de l'autre côté de la voie (16). Première esquisse du caractère étrange de Morel, le fils du valet de mon oncle Adolphe. M. de Charlus lui offre de l'argent, et le toise (18). Les pourboires de Charlus, le geste viril de Morel (19). Les qualités de Saint-Loup : changement de perspective pour regarder les gens (20). Puisque Albertine a paru le désirer, je me sens guéri de l'idée qu'elle aime les femmes (21).

En tram jusqu'à la Raspelière

Je prends le petit chemin de fer pour aller à la Raspelière (22). Les fidèles (Cottard, Ski, Brichot) me rejoignent (24). Mme Verdurin mit fin aux aventures amoureuses de Brichot, qui risquaient de le détacher du petit clan (25). L'évolution du salon des Verdurin vers le monde : le Temple de la Musique (26), la Princesse de Caprarola (27), l'habit du soir (28). La timidité de Saniette et ses plaisanteries qui tombent toujours à plat (28). Le sculpteur Ski, son talent pour les arts (29). Brichot cherche la Princesse Sherbatoff dans le train. Cottard suffoqué d'avoir attrapé le train si juste (31).

Le fermier expulsé du compartiment (32). La Princesse Sherbatoff, fidèle type, l'idéal de Mme Verdurin (36). L'assiduité de Cottard, qui ne « lâche » presque jamais les mercredi (37). Il imagine que le salon est le centre des élégances aristocratiques (38). La jeune fille qui fume (41). Le jour fatal est venu : les Cambremer reçoivent les Cambremer, leurs propriétaires, ce soir-là (42). Les fidèles excités par leur désir inavoué de les connaître (45). Les étymologies de Brichot : l'ouvrage du curé de Combray n'est pas fiable (46). Je reconnais en la Princesse Sherbatoff la liseuse de la *Revue des Deux Mondes* (voir *supra* p. 13) (51). Son accent russe (52). Le cocher vient nous chercher à la gare (54).

Une soirée chez les Verdurin

L'ancien pianiste des Verdurin, Dechambre, est mort ; Mme Verdurin n'y voit qu'une absence dans sa société (56). La mer vue de hauteur (57). M. Verdurin nous reçoit à la porte : l'ironie avec laquelle il interdit de parler de Dechambre devant sa femme (59). Saniette est le souffre-douleur des Verdurin (60). Le violoniste Morel amène M. de Charlus ce soir (61). Les mœurs de Charlus sont décriées loin de son milieu, mais les histoires sont fausses et s'appliquent à son homonyme (63). Mon enthousiasme pour la Raspelière (65) ;

je trouve les Verdurin indifférents. Mme Verdurin a changé depuis « la petite phrase » (66). Entrée de Morel et Charlus (66), très « *lady-like* » (68). Morel me demande de cacher la situation de son père (69). Il change d'attitude envers moi une fois satisfaction obtenue (71). L'arrivée des Cambremer annoncée par Cottard (72). Les portraits d'eux : le nez de M. de Cambremer, sa bêtise, sa laideur vulgaire (74). Mme de Cambremer-Legrandin, hautaine et glaciale (75). Elle fond à la perspective d'être présentée au Baron (76). Les deux fables de La Fontaine du Marquis de Cambremer, les faux noms cités par la Marquise (77). M. Verdurin et le protocole. Présentations des invités (78). Le jardin de la Raspelière (79). Clignements de Cottard mal interprétés par le Baron (80). Instinct de conservation de l'inverti (81). L'étymologie de Chantepie (83). La culture de Mme de Cambremer, son snobisme, le raffinement de ses expressions (86). Mes étouffements, qui deviennent une sorte de relation commune entre moi et le Marquis (88). Je pense à la conversation que j'ai eue avec ma mère à propos de mariage avec Albertine (89). Mme de Cambremer sur Saint-Loup et Charlus (91). Encore des étymologies de Brichot (92). Le philosophe norvégien (93). Saniette tourmenté par M. Verdurin à propos de *La Chercheuse d'Esprit* (96). Nouvelles étymologies (100). Elstir a rompu avec le petit groupe (101). M. Verdurin veut s'excuser auprès de Charlus pour ne pas avoir respecté l'ordre à table (voir *supra* p. 78) : « en être » (104). Le rire spécial du Baron (105). Le Baron cite ses titres (106). Les fleurs d'Elstir (106). M. de Cambremer offre sa chaise à Charlus, qui proteste d'une manière « Guermantes » (107). Les Cambremer n'apprécient pas les changements apportés par les Verdurin à la maison (108). La lettre de la Marquise douairière de Cambremer et ses trois adjectifs (109). Le Baron est fier de son rang d'Altesse devant les Cambremer (110). Dissertation historique sur son héritage (112 et 116). Les Verdurin rient de Brichot, mais cela fait partie des affections humaines (115). Une tare physique et un don spirituel unis chez Charlus : inverti mais Guermantes. Morel et Charlus jouent de la musique (118). Dispositions artistiques du Baron, sa tristesse d'avoir perdu sa femme, ce qui n'exclut pas son ignominie (119). Le goût musical de Mme de Cambremer (119). Couplets ineptes et bigarrés de Brichot sur la littérature (121). Charlus et son patron l'archange saint Michel (122). La partie de whist (123). M. Verdurin révèle l'identité du Professeur Cottard à M. de Cambremer, étonné

(124). Mme Cottard s'endort (125). Les médicaments pour dormir (126). Mme Cottard se réveille, gênée (127). M. de Cambremer explique les armes de la famille Arrachepel à Mme Verdurin (129). Le jeu de cartes continue (129). La Patronne veut prolonger la soirée (131). M. de Cambremer me fait l'éloge d'un colonel juif ; « c'est beau » (132). Charlus révèle ses goûts en préférant la fraisette à l'orangeade (132). Les raisons pour lesquelles Charlus reste obstinément assis, avec la Patronne debout à côté (133). La première escarmouche entre Mme Verdurin et Charlus (133), la stupéfaction et l'incertitude de celle-ci quand celui-ci lui apprend qu'il est frère du Duc de Guermantes (134). Mme Verdurin me décourage d'aller chez les Cambremer (135), et m'invite à amener ma « cousine » Albertine avec moi, même demeurer à la Raspelière (139). Saniette agace de nouveau M. Verdurin : la splendeur de la bêtise (140). Le trait zoologique de satisfaction chez Cottard (141). Nous quittons la Raspelière dans la nuit fraîche (142). Cottard critique son confrère et rival le Docteur du Boulbon (143). M. de Cambremer donne un pourboire au cocher (144). Mme de Cambremer prend congé de moi : sa prononciation de Saint-Loup (145). Son mari rit de ses taquineries (146).

Chapitre trois (147)

Retour au Grand-Hôtel

Je retourne à l'hôtel après la première soirée chez les Verdurin (147). Dans le lift, le chasseur louche me parle de sa famille, placée au service de l'aristocratie (148). Réflexions sur le sommeil (151). Le sommeil et les narcotiques (153). Le valet de chambre (154). Le déjeuner de Charlus au Grand-Hôtel, avec un valet de pied efféminé (155), qui est deviné comme tel par des domestiques (157). Aimé aime « discuter » avec moi (158) : il prétend ne pas connaître Charlus (159). Le « service » qu'Aimé donne aux clients (159). La lettre que Charlus lui a adressée (162).

Vie quotidienne à Balbec avec Albertine. Mes sorties en automobile avec Albertine (163). Nous traversons la fraîche forêt de Chantepie (164). J'offre à Albertine une toque et un voile (165). La vitesse de l'automobile qui nous donne une nouvelle perception de distance (166). Nous arrivons à

l'improviste chez Mme Verdurin (167). Les promenades que les Verdurin font avec leurs invités (168). Le visiteur mondain à la Raspelière est transposé et transformé dans ce cadre campagnard (170). Je refuse avec impolitesse aux Verdurin de repartir avec nous dans l'automobile (174). Les lieux visités de l'automobile, qui ne respecte aucun mystère (176). Morel et Charlus sont d'autres clients du chauffeur (176). Le déjeuner de Charlus et Morel dans un restaurant de la côte (177). Envie de Morel de supplanter Jupien et son désir de dépuceler une jeune fille (179). Aux étranges bontés de M. de Charlus, Morel répond par une sécheresse et une violence croissantes (182). Je me promène pendant qu'Albertine reste à Saint-Jean-de-la-Haise pour peindre, mais je ne pense qu'à elle (182). Ma poursuite des fantômes en amour (183). Les arbres me conseillent de me mettre au travail (184). Au retour, nous passons devant l'église de Marcouville-l'Orgueilleuse, qui est restaurée, donc ne plaît pas à Elstir (185). Notre vie d'amants (186). Ma jalousie pour Albertine se renouvelle (187). Le déjeuner à Rivebelle : le garçon qu'Albertine suit des yeux (187). L'apaisement de mon inquiétude : ma vie mêlée à celle d'Albertine donne du calme (189). Exhortations de ma mère, qui retardent ma décision de terminer cette existence (190). Nos sorties nocturnes (191). Mon inquiétude le matin de son emploi du temps (192). Saint-Loup ne vient me voir que sur mon appel (193). Je n'invite pas Saniette, qui est ennuyeux (197). Le message du lift, qui a la coqueluche, et la leçon sur le mot « Monsieur » qu'il me donne (199). Le chauffeur évangéliste (200) ; mon désir d'évasion d'Albertine, mais je suis prisonnier de l'habitude (201). Ma promenade solitaire en cheval, et ma première vue d'un aéroplane, symbole de la liberté (202). Morel machine méchamment le renvoi du cocher des Verdurin, qui est remplacé par son ami, le chauffeur (204). Changements d'attitude de Morel à mon égard : sa gentillesse (205). Les contradictions dans son caractère (207). L'été finissant, départ dans la nuit pour la Raspelière (208). Albertine et son nécessaire (210). M. de Charlus dans le petit chemin de fer (211), sa lecture de Balzac (212), sa piété (214). Les fidèles attirés par son étrangeté (215). Charlus parle des « mauvaises mœurs » (216), mais pense que le petit clan n'est pas « fixé sur son compte » (217). Mme Verdurin incertaine de la situation mondaine du Baron (219). Ma brouille avec la Princesse Sherbatoff, provoquée par la rencontre que je fais dans le train de Mme de

Villeparisis (221). Le grand musicien qui par amabilité mondaine et serviabilité professionnelle favorise les relations de Charlus et Morel (222). Le potin (223). M. de Charlus vit « dupé » dans le monde des Verdurin (224). Discussion de M. de Charlus, Brichot et Cottard sur Balzac (la pédérastie) et Chateaubriand (228). Charlus surveille sa conversation devant Morel (229). La toilette d'Albertine ressemble à celle de la Princesse de Cadignan de Balzac (230). Le « 40 bis », chez mon oncle, hôtel admiré par Morel (233). La mélancolie de Charlus, qui s'identifie à la Princesse Cadignan (234). Charlus flatté de protéger un musicien acclamé (236). Ressemblance de Morel avec Rachel (236).

Les tristesses de M. de Charlus. Insolence de Morel avec le Baron (237). Charlus veut le renommer « Charmel » (238). Un jour Morel laisse tomber le Baron, parce qu'il a « à faire » (240). Déception de Charlus, qui m'envoie à Doncières avec une lettre pour Morel (241). Le duel fictif de Charlus pour attirer Morel auprès de lui (242). Chez Morel, les livres donnés par le Baron, sa lecture de la lettre (243). A la grande joie de Charlus, Morel vient le retrouver au café (245). Morel est pris dans le piège, et pour sauvegarder sa carrière de violoniste, il convainc Charlus de ne pas prendre part à ce duel (246). Cottard arrive, appelé comme témoin (248). Charlus le remercie d'être venu, le docteur interprète mal les gestes du Baron (249). Mme Cottard nous rejoint au café (251). Réconciliation entre Morel et Charlus n'est que temporaire (252). Morel demande de l'argent à Charlus, qui le lui refuse, car il ne fait pas confiance au peuple (253).

Les stations du Transatlantique

Maineville : la maison de prostitution (253). Le voyageur naïf qui veut s'y loger (254). Morel garde des heures de liberté pour faire de l'algèbre et donner des cours de violon (255). Sa rencontre avec le Prince de Guermantes, qui le paye pour passer la nuit avec lui à Maineville (256). Charlus a l'idée de ce qui se passe et où ; il est jaloux, fait venir Jupien (256) : ils vont à Maineville pour espionner (257). Là le Baron voit Morel transfiguré de terreur, qui le voit en plein (258). Le Prince est furieux de sa déconvenue (259). Le lendemain, Morel se rend à la villa du Prince (260). Il y voit la photographie de Charlus, et, croyant à un guet-apens, s'enfuit à toutes jambes (260). *Grattevast* (261) : Le Comte de Crécy, dépourvu de ses richesses, que j'invite à dîner pour partager les délices du Grand-Hôtel (261). Le jour où le directeur découpe les dindonneaux (262). De Crécy découvre en moi quelqu'un pour qui l'univers social existe (263). *Hermonville :* M. de Chevrigny, parent provincial des Cambremer, qui adore Paris et le théâtre (265). Du nouveau sur la règle des trois adjectifs de Mme de Cambremer (266. Voir *supra* p. 109). Les relations entre les Cambremer et les Verdurin deviennent moins parfaites : les Cambremer n'invitent qu'une sélection des fidèles (267) : Mme Verdurin en est outrée (268). L'esquisse sommaire — et scatologique — du monde que Charlus fait à Morel, qui agit ensuite « en Guermantes » (269). Brichot amoureux de la Marquise de Cambremer, mais Mme Verdurin y met le holà (271). Morel arrive seul pour le dîner avec les Féré chez les Cambremer qui soupçonnent qu'une cabale de la part de Mme Verdurin les prive de Charlus (273). M. et Mme Cambremer m'expliquent leur brouille avec Charlus, parce qu'il est dreyfusard (273), celle avec Mme Verdurin, parce qu'ils ne veulent pas recevoir sa visite (274). Notre long trajet entre la gare et la Raspelière dans l'obscurité (276). La bribe d'information que me donne Mme de Cambremer à propos du mauvais genre d'Albertine (277).

Fatigué d'Albertine, je veux rompre avec elle. (278) D'autres étymologies de Brichot (279). Nous faisons de courtes visites en route, dans les stations (280). Une fois avec Bloch, à qui je refuse d'aller saluer son père, pour tenir Albertine prisonnière sous mon regard (281). Bloch me trouve snob (282), il ne me loue pas chez Mme Bontemps (284). Charlus s'intéresse à Bloch. Ses propos sur les Juifs (288). Les arrêts du petit chemin de fer : un cadre de vie mondaine, des amitiés qui forment une chaîne le long du parcours (291). Les lieux ont perdu leur mystère pour moi (292). Le mariage avec Albertine m'apparaît comme une folie (293).

Chapitre quatre (295)

Étrange et douloureuse raison d'un projet de mariage

La veille de son départ pour Combray, j'annonce à ma mère ma décision de rompre avec Albertine (295). Dans le train au retour d'une soirée chez les Verdurin, à la mention du musicien Vinteuil, Albertine dit qu'elle connaît intimement Mlle Vinteuil et son amie (297). Souvenir de la scène saphique de Montjouvain (297, voir *Du côté de chez Swann*). La *terra incognita* terrible où j'atterris (298). Brusque revirement vers Albertine : je lui demande de passer la nuit avec moi à l'hôtel (299). Confirmation dans mon esprit de ce que Cottard m'a dit dans le Casino d'Incarville (300). Désolation au lever du soleil : souffrance dans ma chambre (300). J'appelle Albertine dans ma chambre, lui raconte la fiction d'une femme que je devais épouser (301). Albertine est à la fois le mal et le remède (302). Ma jalousie à l'égard de Mlle Vinteuil (303). Pourquoi je quitte brusquement Balbec avec la volonté d'épouser Albertine ; pour l'empêcher de repartir à Gomorrhe, je veux l'amener avec moi, dès demain, à Paris (305). Je fais de vagues allusions à la possibilité de mariage (307). Elle se décide à venir, avec l'accord de sa tante (308). Les plaintes désespérées des gens de l'hôtel, de M. de Cambremer, à propos de mon départ (309). Les forces invisibles de l'amour (311). Albertine est entrée dans la profondeur de mon cœur déchiré (312). Ma mère ressemble à ma grand-mère (313). Je lui dis qu'il faut absolument que j'épouse Albertine (315). *Je pars immédiatement avec Albertine pour Paris.*

L'ACCUEIL DE LA CRITIQUE

Nous avons constitué un dossier des comptes rendus de *Sodome et Gomorrhe* qui ont été publiés immédiatement après la parution du livre, et nous présentons ici les extraits d'articles, voire les articles entiers les plus intéressants, cités dans la partie « Textes ».

La presse a réagi en trois temps à ce nouveau volume de *La Recherche du temps perdu :* d'abord, en mai 1921, les critiques ont pu écrire sur *Sodome et Gomorrhe I*, les trente premières pages du roman publiées à la fin du *Côté de Guermantes II ;* ensuite, en novembre 1921, la revue *Comœdia* publie un long article sous forme de conversation à propos de *Jalousie* (l'extrait du début de *Sodome et Gomorrhe II*, publié plusieurs mois avant le roman) et, à partir de mai 1922, les articles commencent à rendre compte des trois volumes de *Sodome et Gomorrhe II*. Si la presse semble unanime sur le fait que *Sodome et Gomorrhe* est franchement trop long, elle est plus divisée dans sa réaction au sujet de l'homosexualité : les uns trouvent le livre scandaleux et n'osent même pas prononcer son titre, alors que les autres avouent être déçus que le sujet annoncé sur la couverture ne soit pas davantage traité dans le texte.

La mort de Proust en novembre 1922 met fin aux articles consacrés spécifiquement à *Sodome et Gomorrhe*, pour céder la place à des nécrologies et des articles généraux sur toute l'œuvre déjà publiée[1].

1. Pour une étude complète de l'accueil de la critique de *Sodome et Gomorrhe*, voir Douglas W. Alden : *Marcel Proust and his French critics*, Lymanhouse, Los Angeles, 1940 et Eva Ahlstedt : *La pudeur en crise, un aspect de l'accueil d'*A la recherche du temps perdu *de Marcel Proust (1913-1930)*, Acta Universitatis Gothoburgensis, Göteborg, Suède, 1985.

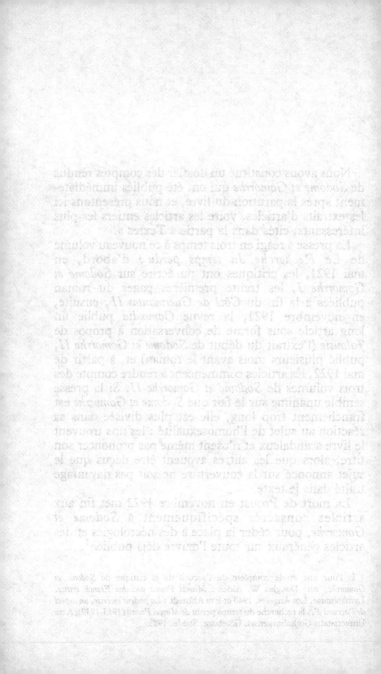

CRITIQUE CHRONOLOGIQUE DE SODOME ET GOMORRHE I

12 mai 1921	Paul Souday, « *A la recherche du temps perdu*, IV. *Le Côté de Guermantes II. Sodome et Gomorrhe I.* » *Le Temps.* Quelques lignes pour annoncer le portrait peu sommaire du baron de Charlus.
15 mai	Paul Lombard, « *A la recherche du temps perdu* tome IV. *Le Côté de Guermantes II, Sodome et Gomorrhe I.* » *L'Homme libre.* Le chapitre de *Sodome et Gomorrhe* tend à « introduire, parmi les hommes, des mœurs que les botanistes seraient étonnés de voir pratiquer ailleurs que dans leurs parterres. »
22 mai	Binet-Valmer, rubrique « La semaine littéraire », *Comœdia.* D'après Binet-Valmer, « Paris est à la fois Sodome et Gomorrhe ». Il annonce que le monument qu'est *A la recherche du temps perdu* sera couronné par quatre volumes qui étudieront l'inversion sexuelle.

5 juin	Les Treize, « *Le Côté de Guermantes II, Sodome et Gomorrhe I.* » *L'Intransigeant.* « Le début de *Sodome et Gomorrhe* étonne par un réalisme sans ménagements, et par des plaidoiries d'une romantique et amorale véhémence. »
15 juin	Fernand Vandérem, « Les lettres et la vie », *La Revue de France,* 1re année, 2e tome, p. 848-849. Proust s'engage d'une allure résolue dans les régions scabreuses de Sodome et Gomorrhe.
26 juin	Binet-Valmer, « La semaine littéraire ». *Comœdia.* Les pages de *Sodome et Gomorrhe* sont du galimatias assez malpropre.
juillet	André Germain, « Le dernier livre de Marcel Proust. » *Écrits nouveaux,* p. 63-65. Paris se repaît de la lecture des fameuses trente pages de *Sodome et Gomorrhe.*
1er juillet	Paul de Belleu, « Un herborisateur humain ». *La Libre parole* (Bruxelles). A la hardiesse de l'écriture de Marcel Proust sont mêlés une grande délicatesse, un tact parfait, une connaissance des subtilités de la langue française. Son portrait minutieux des mœurs qu'il dénonce ne tombe jamais dans la vulgarité.
3 juillet	P. O. Graillet, rubrique « Chronique littéraire », *Journal de*

Bruxelles. *Sodome et Gomorrhe* se perd en une « interminable dissertation d'allure lyrique sur le vice qui précisément donne son nom à la ville maudite ».

17 juillet — Raymond Clauzel, « *Sodome et Gomorrhe I* ». *Eve*, nouvelle série, 2e année, n° 42, p. 11. « Cette partie de l'œuvre de Marcel Proust ne sera pas à recommander aux jeunes filles en fleurs, ni à la délicieuse adolescence qui recherche amoureusement leur pur ombrage. »

18 juillet — J. Gahier, « Deux romans ». *Le Nouvelliste de Bretagne, Maine et Normandie*, p. 4. Gahier trouve les pages de *Sodome et Gomorrhe* risquées et déplaisantes, et il conseille à Proust de jeter un voile sur certains tableaux.

31 juillet — Aristide, rubrique « La critique d'Aristide ». *Aux Écoutes*. Article qui annonce les révélations sodomites et gomorrhéennes à venir.

6 août — Orion, rubrique : « Le carnet des lettres, des sciences et des arts ». *L'Action française*. « Avertissons pour finir que le livre de Proust porte en ses dernières pages le premier chapitre de la suite. Le titre en est tel qu'on hésite à le reproduire et le sujet à l'unisson. Quelle rage de tout traiter ! »

1er septembre — Roger Allard, « *Le Côté de Guermantes II*. *Sodome et Gomor-*

	rhe I ». *La Nouvelle Revue française*, p. 355-357. Important article qui place Proust à la tête des artistes traitant le sujet de l'homosexualité. Allard écrit : « On ne saurait préjuger de la suite du roman, mais ce premier chapitre sur les hommes-femmes est une date d'histoire littéraire. En effet ces pages d'une si brûlante éloquence, d'une poésie si âpre et si noble, rompent un charme, le charme esthétique de l'inversion sexuelle sous lequel les arts et la littérature sont si longtemps demeurés. »
19 septembre	Henri de Régnier, rubrique : « La vie littéraire ». « Le Côté de Guermantes par Marcel Proust. » *Le Figaro*. La fin du *Côté de Guermantes* comporte le commencement de *Sodome et Gomorrhe*.
décembre	Frédéric Mallet, rubrique : « Les livres ». *L'Esprit nouveau*, n° 11-12, p. 1280. « Mais il y a les vingt-huit dernières pages. L'auteur y tient la parole donnée sur la couverture. Triste chose. Et M. Marcel Proust nous annonce trois volumes sur les mêmes sujets ! Libre à lui ! Et libre à nous de dire que l'art littéraire n'a rien à voir à cela. »
15 avril 1922	Edmond Jaloux, *Bulletin de la maison du livre français*, p. 137-138. « On a reproché à l'auteur ses portraits de personnages

	vicieux, mais il faut dire qu'il se place, ici, pour nous les décrire, à un point de vue totalement scientifique. Plusieurs de ses observations prendront évidemment place dans les travaux des savants, au même titre que des expériences de laboratoire. L'extraordinaire génie d'introspection de Marcel Proust se trouve tout entier dans ce volume, ainsi que son comique très particulier. »

Critique de Jalousie, prépublication du début de Sodome et Gomorrhe II dans les Œuvres libres, 1er novembre 1921.

13 novembre 1921	Binet-Valmer, rubrique : « La semaine littéraire ». *Jalousie. Comœdia.* Article sous forme de dialogue sur la soirée chez la princesse de Guermantes, qui ouvre *Sodome et Gomorrhe II.* Binet-Valmer voit surtout dans cette partie du roman une analyse de Gomorrhe.

L'accueil de la critique de Sodome et Gomorrhe II

8 mai 1922	Robert Kemp, « Les livres : *A la recherche du temps perdu* ». *La Liberté,* p. 2. Kemp apprécie surtout les digressions et les passages poétiques de *Sodome et Gomorrhe,* et pense qu'il n'y a pas autant de pratiquants des mœurs homosexuelles que Proust ne le laisse entendre.
12 mai	Paul Souday, rubrique : « *Les Livres* ». *Le Temps.* Plusieurs

colonnes du *Temps*, dans lesquelles Souday critique la longueur de *Sodome et Gomorrhe*, ses phrases boiteuses et ses fautes de syntaxe, alors qu'il loue les observations très fines que fait l'auteur. Proust répond à cet article en en écrivant un pastiche qu'il adresse à Souday (voir *CG* III, p. 97-101, lettre XX à Paul Souday, mai 1922).

14 mai — Jacques Patin, « Chez le libraire : *A la recherche du temps perdu* ». *Le Figaro*. Supplément littéraire. *Sodome et Gomorrhe* est une étude de psychologue qui débute dans les salons parisiens où domine M. de Charlus et se termine sur les plages de Balbec, où fleurissent Albertine et ses amies.

15 mai — Rubrique : « Compte rendu critique des œuvres nouvelles ». *Afrique latine*, n° 6, p. 435-436. Le titre est fallacieux, car Proust ne donne pas assez de détails sur Sodome et Gomorrhe, et ne semble s'intéresser qu'au monde aristocratique.

15 mai — Lucien Wahl, rubrique : « Courrier des livres ». *L'Information*. Article qui ne fait que citer quelques détails épisodiques du roman.

27 mai — Rubrique : « Ce qu'on lit ». *L'Opinion*, 15e année, n° 21,

p. 581. Proust continue ses analyses des vices honteux.

28 mai — Rubrique : « Conseils pour les achats de livres ». *Eve*, 3ᵉ année, nº 87. Sous le titre : « A ne pas laisser lire aux jeunes filles », le critique affirme que Charlus domine cet ouvrage, et que « jamais moraliste ne pénétra si profondément dans les replis secrets des passions ».

juin — Rubrique : « Les livres », *L'Âne d'or* (Montpellier), p. 34-35. L'auteur de cet article est déçu par la suite d'*A la recherche du temps perdu*, car ce volume ne contient pas assez de souvenirs de jeunesse et on n'y trouve pas non plus de tableaux lubriques. Sa lecture laisse une désagréable impression de délayage et de bavardage.

juin — Andrée Martignon, rubrique : Les livres. *Bon plaisir* (Toulouse), 1ʳᵉ année, nº 2, p. 101-102. Martignon remarque surtout que les trois volumes de *Sodome et Gomorrhe II*, à la différence des volumes précédents de la *Recherche*, sont imprimés en caractères gras fort lisibles.

1ᵉʳ juin — Roger Allard, « *Sodome et Gomorrhe* ou Marcel Proust moraliste ». *La Nouvelle Revue française*, p. 641-646. Cité intégralement comme « Texte nº 1 ».

1er juin — Henri Bidou, « Parmi les livres ». *La Revue de Paris*, p. 641-645. Cité intégralement comme « Texte n° 2 ».

10 juin — Gaston Rageot, rubrique : « Les livres du jour ». *Le Gaulois du dimanche*. Court article qui annonce la publication de *Sodome et Gomorrhe* et compare brièvement Proust à Saint-Simon.

11 juin — Binet-Valmer, rubrique : « La semaine littéraire ». *Comœdia*. Article sous forme de dialogue : du côté négatif, Proust a oublié les souffrances de la guerre de 1914, du côté positif il sait comment dépeindre la psychologie dans toute sa minutie.

15 juin — Fernand Vandérem, rubrique : « Les lettres et la vie ». *La Revue de France*, p. 856-859. Les trois volumes du second tome de *Sodome et Gomorrhe* poursuivent la recherche du temps perdu. Il y règne le snobisme, mais Vandérem apprécie surtout la délicatesse et le comique de la scène de séduction entre Charlus et Morel.

16 juin — Gus Bofa, rubrique : « Les livres à lire... et les autres ». *Le Crapouillot*. Gus Bofa est à la recherche du temps nécessaire pour lire Proust. Il écrit : « La littérature de M. Proust échappe ainsi à toute analyse.

« Je la comparerai volontiers à

un moulin hautain et misanthrope (quel que puisse être l'aspect d'un tel moulin) mû par un courant puissant, et dont la meule active, broie indifféremment tout ce que la vie lui apporte : le bon grain avec l'ivraie, l'orge et l'avoine, avec leurs sacs de toile, le petit âne qui les portait et le jeune ânier lui-même, avec bien d'autres choses encore.

« Cela donne une farine étrangement complexe et d'une digestion difficile, que l'auteur emmagasine pourtant dans ses greniers avec autant de soin et d'attention qu'il ferait de la plus pure fleur de froment. »

juillet — Ludovic Dombreilles, rubrique : « Revues », *Feuilles au vent*, 5e année, p. 36 (Toulouse). Dans cette note sur *Sodome et Gomorrhe*, l'auteur cite un passage de l'article du *Crapouillot* (16 juin 1922) dans lequel il y a la comparaison du texte de Proust avec un moulin, pour faire référence après à l'article du *Bon Plaisir* (juin 1922).

7 juillet — Max Buteau, rubrique : « Les livres ». *La Revue de la semaine*, tome VII, 3e année, p. 105-106. Les trois volumes de *Sodome et Gomorrhe* sont bien lourds, mais leur lecture est captivante. « Il ne se passe aucun événement dans *Sodome et Gomorrhe* », mais des

gens de la haute société — qui ressemblent à des enfants, mais, comme le titre l'indique, sans en avoir l'ingénuité — se rencontrent, se reçoivent et papotent indéfiniment.

8 juillet — Charles-André Grouas, rubrique : « Les tablettes du liseur ». *L'Horizon*, p. 3 (Bruxelles). Grouas écrit : « Disons qu'en dépit du titre, une grisaille opportune estompe les passages scabreux, et que l'auteur est trop fin lettré pour avoir outrepassé les limites d'une licence qui eût cantonné dans le cadre d'un érotisme hors nature les données psychologiques de son art. »

13 juillet — Les Treize, « *Sodome et Gomorrhe* par M. Marcel Proust », *L'Intransigeant*, p. 2. Dans *Sodome et Gomorrhe*, le regard de l'auteur est multiple : il ne laisse rien dans l'ombre. Proust ne prend pourtant jamais parti : l'affaire Dreyfus apparaît ici lumineuse, car elle est éclairée de tous les côtés.

3 août — C. K. Scott-Moncrieff, « Foie gras », *The Times Literary Supplement*, p. 506 et s. (Londres). Article en anglais, dans lequel l'auteur résume *Sodome et Gomorrhe* et en cite trois assez longs passages. Il ne semble guère apprécier la longueur du texte et trouve fort ennuyeuse la

description des soirées mondaines. Après avoir cité un passage des *Intermittences du cœur*, dans lequel Françoise se souvient du jour où la grand-mère du narrateur s'est fait prendre en photographie, Scott-Moncrieff développe la métaphore suivante de la lecture de Proust : « Le lecteur moyen-sensuel, attiré par le récit des intermittences de l'amour, sera troublé par ce passage, comme on verrait un fin gourmet, qui pourtant n'aime pas les truffes, en déposer une sur le bord de son assiette, pour retourner à la terrine, replonger sa cuillère dans la pâte lisse du foie gras. Cependant, après la noirceur de cette truffe, la pâte ne semble que grise, et après son âpreté, onctueuse. »

4 août — Edmond Jaloux, rubrique : « Les livres français ». *Le Soir* (Bruxelles). L'auteur place Proust dans la lignée des moralistes du XVIIe siècle. Il analyse aussi une description poétique dans *A l'ombre des jeunes filles en fleurs*, et loue les observations sociales que Proust fait dans *A la recherche du temps perdu*. Il ajoute quelques lignes sur *Sodome et Gomorrhe* dans lesquelles il précise que Proust n'écrit pas pour les jeunes filles, « sinon pour celles, si spéciales, que l'on voit évoluer dans son livre ».

27 août Georges Rency, « *Sodome et Gomorrhe* ». *L'Indépendance belge*, p. 4 (Bruxelles). Rency loue surtout l'art délicat et subtil de Marcel Proust. Il écrit : « L'art de M. Proust [...] excelle à montrer comment, insensiblement, par le jeu des circonstances, uni aux mouvements mystérieux de notre sensibilité, un individu humain en arrive à faire tout autre chose que ce qu'il devrait faire logiquement, à être tout différent de ce qu'il devrait être, d'après son ascendance et son éducation. Ainsi, [...] M. de Charlus, [...] chez qui le vice de sodomie provoque les plus étonnantes métamorphoses. Ce très grand seigneur, en qui bat un cœur vraiment noble et généreux, a la répugnante enveloppe de tous ceux de sa confrérie : gras, d'allure papelarde et doucereuse, les yeux jésuitiquement baissés, les lèvres peintes, il croit son vice caché à tous, alors qu'il s'étale sur toute sa personne. Il n'a pas d'ailleurs la sodomie platonique, et, à la fin du deuxième volume de *Le Côté de Guermantes,* nous l'avions vu se conjoindre, aussi matériellement que possible, à un assez méprisable individu. Cela n'empêche qu'il soit parfaitement capable d'affections pures — faute de pire, peut-être ? — et que nous le voyions ici s'éprendre, en tout bien tout honneur, d'un petit musicien, un certain

Morel qui lui tient la dragée haute et le fait souffrir horriblement, ainsi qu'une catin torture un vieil amant. C'est là le côté nouveau de l'étude de M. Proust. Il ne regarde pas la pédérastie comme un vice, mais comme une disposition particulière, non seulement physique, mais surtout morale, de certaines natures. »

7 septembre — Edmond Jaloux, rubrique : « La vie littéraire », *L'Éclair*. Jaloux apprécie surtout le portrait de Françoise et des deux courrières de Balbec.

1er octobre — Marcel Martinet, « Les lettres : Sur les prix littéraires. M. Marcel Proust, ou le " monde " vu du dedans. » *L'Humanité*. *Sodome et Gomorrhe* est en effet très long.

15 octobre — Léon Paschal, « Marcel Proust » *Thyrse*, tome 20, p. 401-403 (Bruxelles). « Les trois volumes qui ont paru récemment semblent témoigner de quelque fatigue [...] cette pimbêche encombrante et prétentieuse de Mme Verdurin et ses familiers ne valent pas les pages innombrables qui leur sont consacrées. Le style est aussi moins étoffé ; le récit moins corsé et jusqu'à la disposition typographique, différente des autres tomes, donne l'impression du délayage. »

TEXTE N° 1

1 juin 1922 Roger Allard, « *Sodome et Gomorrhe* ou Marcel Proust moraliste. » *La Nouvelle Revue française*, p. 641-646.

Il y a entre M. Marcel Proust et Zola un trait de ressemblance : Tous deux ont été, sont et demeureront probablement toujours admirés à contresens par certains lecteurs et pré-jugés par les personnes déterminées à ne pas lire les ouvrages sur lesquels il leur plaît de garder une opinion de rencontre. A quiconque trouverait irrévérencieux pour l'auteur de Swann, ce rapprochement avec le romancier naturaliste, je dirai que, retourné récemment à *Nana* et à la *Curée,* j'ai trouvé à la lecture de ces deux romans, surtout du second, plus d'agrément que je n'en espérais. C'est en éprouvant une satisfaction imparfaite qu'il me devint sensible que M. Proust possédait justement tous les dons ou plutôt le charme dont Zola est si cruellement dépourvu. Par la suite, lisant *Sodome et Gomorrhe,* je fus spontanément conduit à imaginer ce que fussent devenus, entre les doigts qui forcèrent les serrures bourgeoises de Pot-Bouille, un tel sujet et de tels personnages, puis à considérer le sens moral de l'œuvre de M. Marcel Proust.

Sodome, c'est M. de Charlus et Gomorrhe c'est

Albertine. Entre ces deux figures, chacune étant le centre d'une tragi-comédie dont le spectateur ne fait que percevoir les échos mêlés, le héros du livre, celui qui parle à la première personne, poursuit son voyage *à la recherche du temps perdu*.

Le soin qu'il a de placer le mot de *vice*, lorsqu'il s'en sert pour désigner les goûts de M. de Charlus, entre des guillemets qui lui ôtent tout sens péjoratif et toute signification morale, marque bien que, dans sa pensée, la tendance des êtres de cette espèce n'a rien d'une perversion. Il suffit du reste de se reporter aux quarante premières pages de *Sodome et Gomorrhe* et au tableau des hommes-femmes d'un mouvement oratoire si ample et si brillant.

Le héros de M. Proust reçoit avec répulsion les avances du baron de Charlus, mais après que l'aventure du giletier lui a révélé la nature vraie de son noble ami, il lui voue une sympathie bizarre, qui prend des nuances changeantes, selon qu'il y mêle plus d'admiration, de pitié ou d'ironie.

Qu'il nous dépeigne M. de Charlus, avec ses cheveux gris, sa moustache teinte et ses lèvres fardées, opérant, sur le quai de la petite gare, sa première conjonction avec le violoniste Morel, c'est d'abord un trait un peu caricatural et comique. Aussi l'intérêt que nous portons à ces personnages, la curiosité qui nous attache au développement de leur caractère, au jeu de leurs désirs, bref, tous les sentiments qu'ils peuvent inspirer au lecteur doivent nécessairement traverser une première zone de cocasserie où l'aventure dépouille toute équivoque mystérieuse et toute ambiguïté esthétique.

Un semblable souci n'est-il pas comparable à celui que Molière eut, à n'en pas douter, de faire aimer l'honnête misanthropie d'Alceste, sans pour cela le poser en martyr, en réprouvé, ni le proposer en exemple.

Lorsqu'il traite des qualités du cœur et de l'esprit, des vertus sociales, de l'amitié, des tourments délicieux qu'engendre la délicatesse du goût, de l'aptitude des êtres à recevoir ou à donner le bonheur et la souffrance, M. Marcel Proust juge et décide avec la plus grande netteté. Aussi bien ne laisse-t-il passer aucune occasion de venger, avec l'esprit qui est le sien, les griefs communs à tous les hommes sensibles et bons.

Les seuls êtres à l'endroit desquels il laisse percer un mépris sarcastique sont ceux qu'il nous représente comme incapables de souffrir eux-mêmes ou d'être une source de plaisir pour autrui. Au contraire, M. de Charlus, le duc de Guermantes, le violoniste Morel, même lorsqu'ils prêtent à rire par les aventures bizarres et grotesques où les entraîne leur penchant, ne sont pas moins éloquents, ni moins touchants que les rois et les princesses de Racine. On remarquera justement que dans son dernier ouvrage, M. Proust a multiplié les citations d'*Esther* et d'*Athalie*. C'est, à vrai dire, dans une intention de parodie, mais de semblables allusions auraient un air insolite et choquant si le lecteur ne pouvait retrouver quelque chose de racinien dans les passions qui agitent les héros de *Sodome et Gomorrhe*.

L'indulgence que l'on sent chez M. Marcel Proust n'est pas faite de scepticisme, elle est comme le reflet de l'intime satisfaction que donne au moraliste la sûreté vérifiée de son diagnostic, alors que chez d'autres psychologues, une amertume constante trahit le trouble où les jette le voisinage des passions dont ils ne peuvent se détacher pour les considérer à loisir, où dont l'attrait leur demeure incompréhensible.

Rien n'est plus significatif, à cet égard, que les gracieux traits de plume dont M. Proust se plaît à fleurir la pointe d'une pensée trop aiguë. Nul ne sait mieux rafraîchir à propos le lecteur oppressé par la révélation d'un instinct obscur, pudiquement méconnu. Loin de se complaire dans le trouble qu'il a suscité il nous rend, grâce à la poésie des mots, à l'invention d'une image divertissante par sa justesse même, le goût de respirer la lumière et l'air libre, tel Pelléas à la sortie du souterrain.

Par exemple, s'il veut exprimer que le désir physique naît parfois au milieu d'un chagrin encore tout vif, M. Proust écrira : « Ne voit-on pas, dans la chambre même où ils ont perdu un enfant, des époux, bientôt de nouveau enlacés, donner un frère au petit mort. » Il serait facile de montrer combien un tel art est le contraire du naturalisme et de l'impressionnisme. M. Proust ne décrit les paysages que pour y faire apparaître ce que ses héros y mêlent de leurs propres passions et maint détail pittoresque est là comme une pierre de touche où ils viennent éprouver la valeur et la force de leurs sentiments. Si l'on nous fait voir le petit chemin de fer côtier, la mer, la plage et les falaises, ou l'hôtel de Balbec, c'est toujours à travers le désir, l'angoisse ou le regret d'un des personnages du drame. Tout ce que peint, tout ce que raconte Proust semble être vu reflété dans leurs propres yeux. Sites ou visages, il ne décrit pas, il révèle. Ainsi surtout d'Albertine : La voici dansant avec une autre jeune fille dans la salle du casino de Balbec : « ... Je venais de l'entendre rire. Et ce rire évoquait aussi les roses carnations, les parois parfumées contre lesquelles il semblait qu'il vînt de se frotter et dont, âcre, sensuel et révélateur comme une odeur de géranium il semblait, etc. » Je ne sais comment, mais cette odeur de géranium semble la matérialisation même du soupçon qui nous est suggéré des mœurs d'Albertine. Nulle autre odeur ne convenait mieux à cette sorte de nostalgie des exilées de Gomorrhe, partout et toujours inquiètes de se reconnaître et de se rejoindre.

Et ce rire d'Albertine qui sonne « comme les premiers ou les derniers accords d'une fête inconnue » ! Jamais on n'avait rendu d'une manière aussi vive, aussi poignante, la sensation qu'un être dont on jouit sans le posséder, est animé d'une vie lointaine, étrangère, mystérieuse aux jeux de laquelle on n'a point de part, et qui pourtant peut devenir pour un cœur jaloux et tourmenté la source d'une volupté inavouable. Qu'on me montre dans *Adolphe*, dans *Dominique*, des beautés aussi fortes que cet endroit du livre où le héros de M. Proust écoute dans le téléphone, avec la voix d'Albertine, les bruits, l'atmosphère nocturne de l'endroit où elle est, qu'il ignore, et où il sait qu'elle goûte certains plaisirs que lui-même ne peut lui donner.

Avec quelle finesse et quelles nuances nous est peinte sa jalousie, et ce sombre et doux masochisme qui vient, de temps à autre, redonner du ton à un amour plus conscient qu'enivré et trop perspicace. Aussi longtemps qu'il demeure incertain des mœurs d'Albertine, nous voyons le héros prêt à s'abandonner à la lassitude, presque au dégoût. Mais c'est dans l'instant même où le doute ne lui est plus permis, où mille petits faits se groupent, où tant de chemins suivis et perdus se recoupent au même point brillant et douloureux qu'il puise dans la certitude même du vice soupçonné en elle, la résolution d'épouser son amie.

De telles analyses passent les bornes de la psychologie romanesque. Elles déposent en nous tout un résidu d'inquiétudes et de remords. Il semble qu'à tous les détours du labyrinthe charmant où M. Proust nous entraîne, des miroirs inattendus sollicitent nos regards, pendant que le guide impassible continue son commentaire fleuri. Mais la noblesse de cœur, la qualité suprême d'intelligence dont témoigne l'art de Marcel Proust a pu faire illusion sur le vrai caractère de sa morale. Le mot de relativité se présente naturellement à l'esprit de quiconque réfléchit à la portée de cette découverte psychologique, celle d'une vérité soumise non seulement aux lois du temps et de l'espace, mais encore au rythme plus ou moins accéléré de la vie et de la passion, chez tel ou tel observateur.

Il est évident qu'à la triangulation de Laclos, M. Proust a ajouté des théorèmes nouveaux et des solutions élégantes ; faut-il dire qu'il a bouleversé la psychologie, comme on dit qu'Einstein a fait la physique ? Il paraît que certains critiques ont comparé l'œuvre de Proust à celle du savant allemand. Étant de ceux qui n'entendent point les théories de cet illustre mathématicien, je ne puis vérifier la justesse d'un tel rapprochement. Dirai-je pourtant qu'il a quelque chose d'assez séduisant pour l'imagination ? Si la notion de relativité morale peut être déduite d'une œuvre d'imagination et de psychologie, n'est-ce pas de celle de Marcel Proust où les points de vue sont multipliés à l'infini, où l'indépendance des sentiments à l'égard des mœurs est rendue sensible, où les terres inconnues de l'inconscient sont réduites à une ceinture mince comme une ligne d'horizon.

TEXTE N° 2

1er juin 1922 Henri Bidou, « Parmi les livres ». *La Revue de Paris*, p. 641-645.

On est au milieu des personnages créés par M. Proust comme dans une foule vivante. J'étais un peu songeur en remarquant que, des trois volumes qu'il nous envoie ensemble, le premier portait l'inscription tome V, avec la mention II et au-dessous un astérisque. C'est une partie de *Sodome et Gomorrhe*, qui est une partie du *Côté de Guermantes*, qui est une partie de *A la recherche du temps perdu*. « Jamais, pensais-je, je ne me reconnaîtrai dans tout cela. » Le talent de l'auteur était plus présent à ma mémoire que les figures de ses personnages, et je craignais d'être parmi eux comme un étranger. Mais, dès la première page, nous voici, un soir de réception, chez la princesse de Guermantes. Et le sens du réel est si fort chez l'auteur, qu'il nous le communique. Ce n'est pas une lecture, mais une présence.

Il en vient à ce résultat sans user d'un procédé connu. Pendant cent trente pages, il nous fait tourner dans les salons de cette demeure historique, au milieu de personnages dont la grande affaire est de savoir s'ils se salueront. Point de passions, ou guère, et quelques-unes singulières. Point de grands intérêts. Tout se réduit à marquer les préséances, à esquiver une présentation, à répondre une impertinence. Voir ou ne pas voir, là est la question.

Que nous ayons envie de quitter cette soirée, c'est là le danger. Mais point. Non seulement cette foire aux vanités nous retient, mais ces personnages mêmes apparaissent comme des êtres vivants. Ils plaisent ou ils déplaisent, mais ils sont. L'auteur a suggéré une explication de l'étrange intérêt que nous leur portons. La vie du monde, — dit-il en substance, — est une image atténuée de l'histoire d'un temps. Dans un salon, toute une époque est présente, avec ses révolutions, ses guerres, ses catastrophes sociales, ses idées nouvelles, ses arts. Mais ces grands événements ne s'y manifestent que par des formes légères et vaines. Les géologues obtiennent dans un laboratoire, avec une presse et une plaque, les puissantes torsions qui ont créé les montagnes. D'autres étudient les torrents dans de petites cuvettes où ils ont mis du sable. C'est à ce degré que l'histoire se renouvelle autour d'une table à thé. Mais il n'en faut pas plus pour que les mouvements et les signes de tête, autour de cette table, soient la figure de grandes choses.

Si les manifestations sont réduites à l'échelle, elles sont du moins décrites avec une précision minutieuse et un art pittoresque. Il me semble que cet art consiste surtout en deux choses : un talent d'horloger à démonter les pièces, et une adresse de peintre à noter les signes. L'auteur soupçonne que la princesse de Guermantes a du tendre pour M. de Charlus : voyez à quel symptôme il l'a reconnu :

> une fois ayant dit devant elle que M. de Charlus avait en ce moment un assez vif sentiment pour une certaine personne, je vis avec étonnement s'insérer dans les yeux de la Princesse ce trait différent et momentané qui trace dans les prunelles comme le sillon d'une fêlure, et qui provient d'une pensée que nos paroles à leur insu ont agitée en l'être à qui nous parlons, pensée secrète qui ne se traduira pas par des mots, mais qui montrera des profondeurs remuées par nous à la surface un instant altérée du regard.

Tout le livre est dans ce passage, qui a la valeur d'un symbole. Une variation d'intensité dans l'éclat d'un regard est un événement qui bouleverse cet univers. Cette variation est un signe, et le signe peut rester infiniment petit quand la cause croît indéfiniment ; c'est le rapport de l'un à l'autre, c'est l'écart entre la manifestation et la pensée qui fait l'éternelle occupation des psychologues. Pour eux, les mots sont des devinettes, qu'il faut résoudre pour connaître les sentiments : Stendhal, — comme une princesse italienne lui avait dit *voi* pour *lei*, — demanda à Mérimée s'il ne devait pas la prendre aussitôt d'assaut. Mérimée l'y exhorta. Ce trait est dans le goût de M. Proust.

Dans l'analyse de l'inexprimé, il montre une subtilité précise et forte. Swann demande à l'auteur s'il a été jaloux, et part de là pour décrire la jalousie, qui est un supplice quand elle est aiguë, mais qui n'est pas tout à fait désagréable à ressentir quand l'aiguillon n'est pas trop piquant. Voici le cuisant plaisir qu'elle donne alors : d'une part, elle est, pour les gens qui ne sont pas nés curieux, l'unique occasion de s'intéresser à la vie des autres ; d'autre part, la surveillance qu'elle exerce sur une femme fait sentir la douceur de la posséder.

Tout l'ouvrage est rempli de ces maximes et de ces observations. On a vu l'auteur analyser un trouble léger dans le regard de la princesse de Guermantes ; mais les yeux de sa cousine, la duchesse, ne sont pas moins surprenants.

> Dans l'ordinaire de la vie, les yeux de la Duchesse de Guermantes étaient distraits et un peu mélancoliques, elle les faisait briller seulement d'une flamme spirituelle chaque fois qu'elle avait à dire bonjour à quelque ami [...] Mais pour les grandes soirées, comme elle avait trop de bonjours à dire, elle trouvait qu'il eût été fatigant, après chacun d'eux, d'éteindre à chaque fois la lumière ; [...] ainsi c'était dès son arrivée que la Duchesse allumait pour toute la soirée. Et tandis qu'elle donnait son manteau du soir, d'un magnifique rouge Tiepolo, lequel laissa voir un véritable carcan de rubis qui entourait son cou, après avoir jeté sur sa robe ce dernier regard rapide, minutieux et

complet de couturière qui est celui d'une femme du monde, Oriane s'assura du scintillement de ses yeux non moins que de ses autres bijoux.

Le goût de l'analyse est si fort chez M. Proust que les moindres paroles de sa vieille domestique Françoise lui sont une matière à réflexions infinies. Il étudie son dialecte et, comparant entre eux les patois, il fait les déductions les plus justes et les plus profondes. Il découvre chez cette femme dévouée des trésors d'hypocrisie innocente et sournoise, un art, bien au-dessus de sa condition, de choisir les mots désobligeants pour les circonstances qu'elle désapprouve et une certaine mise en scène des reproches muets, digne d'un autre théâtre. Comme elle a dû s'éveiller pour ouvrir la porte, au milieu de la nuit, à Albertine qu'elle déteste, elle a ajusté, pour une plainte silencieuse, ses traits et son accoutrement.

> Françoise avait su faire la leçon à son corsage, à ses cheveux dont les plus blancs avaient été ramenés à la surface, exhibés comme un extrait de naissance, à son cou courbé par la fatigue et l'obéissance. Ils la plaignaient d'avoir été tirée du sommeil et de la moiteur du lit, au milieu de la nuit, à son âge, obligée de se vêtir quatre à quatre, au risque de prendre une fluxion de poitrine.

Il se peut que le service soit malaisé, de ce maître perspicace, attentif et tatillon. Quant au rôle de mademoiselle Albertine, qui est d'avoir des bontés pour l'auteur, il est simplement impossible. M. Proust se plaît à scruter ses silences, à démasquer ses réticences, à la contraindre par de pressantes questions à des suites de mensonges qu'il la force ensuite à défaire un à un. Et de tous ces menus supplices qu'il lui inflige, c'est lui qui ressent la piqûre. Il souffre de l'absence, mais la présence qu'il désire cesse de lui être agréable aussitôt qu'elle est réalisée. Il implore, il obtient, et le voilà dégoûté.

Cette analyse sans répit, dont il ne peut pas se défendre (car il suffit qu'un sujet de méditation se présente pour qu'il le suive tout au travers d'un autre récit), cette analyse aboutit à la dissociation de toutes choses. Il faudrait les procédés délicats de l'analyse musicale pour décrire les résultats de ce travail : comme les harmonistes, M. Proust découvre dans les sentiments humains des notes étrangères, des altérations, des syncopes, des retards : il y a en particulier une étude du retard dans le chagrin, qui est fort curieuse. La personne humaine se dédouble, se détriple, se divise en un nombre infini d'êtres successifs. Notre moi d'hier nous est étranger. Mais il revient parfois reprendre sa place et nous hanter, de telle sorte que nous devenons pour un moment le fantôme de notre passé. Nous sommes sans cesse chassés de nous-mêmes par des images nouvelles de nous. Mais notre âme du moment ne nous appartient même pas. Nous n'avons à notre usage qu'un petit nombre de nos propres sentiments. Les autres sont enfouis on ne sait où, et quoiqu'ils existent en nous, ne nous rendent nul service. Mais si de certaines circonstances les rappellent au jour et en particulier si les sensations qui accompagnaient leur naissance sont ravivées, ils expulsent à leur tour les sentiments qui les offusquaient, et reprennent tout leur pouvoir. Ces résurrections du moi ancien sont singulièrement douloureuses ; car elles ramènent tout un ensemble d'affections et de désirs, que le temps a privés de leur objet et qui se changent en nostalgie du passé.

C'est de ces drames intérieurs que le livre est fait. Les causes apparentes sont fort peu de chose : une soirée dans le monde, un voyage à la mer. Mais pour une sensibilité si aisée à émouvoir, les moindres déplacements sont des bouleversements. L'arrivée à l'hôtel est un événement. Il ne s'agit pas seulement d'ouvrir ses valises, mais « de poser sur les choses l'âme qui nous est familière au lieu de la leur qui nous effrayait ». Cet emménagement spirituel est en même temps accompagné du phénomène opposé qui est la défense de l'être qu'on est contre l'être qu'on a été, qu'on retrouve et qui reprend corps. Il faut à la fois s'imposer aux choses et se défendre contre les souvenirs. Ce combat ne va point sans quelques jours de maladie. Le singulier c'est que cette lutte épuisante de la sensibilité contre elle-même n'empêche point le regard d'être très attentif, l'esprit de construire des théories, et la main de tracer des portraits. Ce mélange étonnant d'émotions pathétiques et d'observation ironique, n'est pas rare chez les nerveux. On les croit en plein lyrisme, ils y sont, et déjà ils dessinent une caricature. Cette mobilité les rend aussi attachants qu'insupportables. Elle fait la richesse du livre de M. Proust.

BIBLIOGRAPHIE SOMMAIRE

Le manuscrit, les dactylographies, les placards

Sodome et Gomorrhe : manuscrit au net, cahiers 1 à 7, NAF 16708-16714.

Jalousie : NAF 16728.

Dactylographies : NAF 16738-16741.

Reliquats : NAF 16729 & 16776.

Placards : NAF 16766.

Les extraits en prépublication

« Les Intermittences du cœur », *La Nouvelle Revue française*, 1er octobre 1921, p. 385-410.

« Jalousie », *Les Œuvres libres*, 1er novembre 1921, p. 7-156.

« En tram jusqu'à la Raspelière », *La Nouvelle Revue française*, 1er décembre 1921, p. 641-675.

« Étrange et douloureuse raison d'un projet de mariage », *Intentions*, avril 1922, p. 1-20.

« Une soirée chez les Verdurin », *Les Feuilles libres*, avril-mai 1922, p. 75-86.

« Les livres de demain : *A la recherche du temps perdu : Sodome et Gomorrhe II* », *Le Figaro*, 30 avril 1922, p. I.

Les éditions

Sodome et Gomorrhe I, 30 avril 1921, *La Nouvelle Revue française*. Publié à la fin de *Le Côté de Guermantes II*.

Sodome et Gomorrhe II, 3 avril 1922, en trois volumes. *La Nouvelle Revue française.*

Sodome et Gomorrhe, 1930, Gallimard, collection « La Gerbe », en deux volumes.

A la recherche du temps perdu, (*Sodome et Gomorrhe* est publié dans le deuxième volume), Gallimard, Bibliothèque de la Pléiade, 1954 ; texte établi et annoté par Pierre Clarac et André Ferré.

Études et ouvrages portant entièrement ou partiellement sur Sodome et Gomorrhe

1er avril 1924	Fernandez, Ramon : « La garantie des sentiments et les intermittences du cœur », dans *La Nouvelle Revue française*, p.389-408. Étude du passage capital de *Sodome et Gomorrhe.*
6 oct. 1927	Frêne, R. : « Marcel Proust et les deux courrières », *Procès-verbaux des séances de la société des lettres, sciences et arts de l'Aveyron*, tome 30-31, p. 127-128 ; notes sur Marie Gineste et Céleste Albaret et leur langage.
1928	Pierre-Quint, Léon : *Comment travaillait Proust*, Cahiers libres, p. 17-31 : Première partie : « Quelques variantes dans les textes proustiens. » Étude détaillée des variantes entre l'article « En tram jusqu'à la Raspelière » et le passage dans *Sodome et Gomorrhe.*
24 avril 1930	Dropy, Paul : « Les courrières de Marcel Proust », *Procès-verbaux des séances de la société des lettres, sciences et arts de l'Aveyron*, tome 30-31, p. 316-323. Réponse à l'article de R. Frêne.
1932	*Lettres à la NRF*, Cahiers Marcel Proust n° 6, Gallimard. De nombreux échanges concernant la publication de *Sodome et Gomorrhe.*
1939	Ferré, André : *Géographie de Marcel*

Proust, avec index des noms de lieux et des termes géographiques, Sagittaire. Étude de la géographie de Balbec, et de l'itinéraire du petit chemin de fer.

1943 Dolowitz, Grace B. : *A critical study of the composition of ' Sodome et Gomorrhe ' by Marcel Proust*. Thèse de Bryn Mawr College, University Microfilms International n° 658. Étude « à la Feuillerat » de la genèse de *Sodome et Gomorrhe :* hypothèses non fondées sur les documents.

1952 Nathan, Jacques : *Citations , références et allusions de Marcel Proust dans ' A la recherche du temps perdu '*, Nizet. Index par page de quelques-unes des citations, références et allusions faites par Proust. Travail complété maintenant par Maxine Vogely.

1954 *Contre Sainte-Beuve* suivi de *Nouveaux Mélanges,* Gallimard. Préface de Bernard de Fallois. Certains passages narratifs peuvent être lus comme des avant-textes de *Sodome et Gomorrhe*.

— Ferré, André : « Inédits de *Sodome et Gomorrhe* », *BSAMP*, n° 4, p. 12-26. Publication de certains passages du manuscrit au net que Clarac et Ferré mettront en note dans l'édition de la Pléiade.

1955 *Marcel Proust et Jacques Rivière : Correspondance 1914-1922*, Plon. Présentée et annotée par Philip Kolb. Il est souvent question de *Sodome et Gomorrhe* dans ces lettres.

1956 Ferré, André : « Première version du début de *Sodome et Gomorrhe* », *BSAMP*, n° 6, p. 165-170. Transcription de NAF 16708 f°s 1-14.

1966 Painter, George D. : *Marcel Proust*, Mercure de France, traduit de l'anglais par G. Cattaui et R. P. Vial. 2 volumes. Voir vol. 1 chap. XI : « Descente dans les cités de la Plaine » ; vol. 2 chap. XIII : « Le Puits de Sodome ».

1967 Fearn, Liliane : « Sur un rêve de Marcel », *BSAMP*, n° 17, p. 535-549. Analyse du rêve *SG vol. I*, p. 242-244 et tentative d'interprétation des mots : « Cerfs, cerfs, Francis Jammes, fourchette. »

— Howard, R. G. : « The construction of an episode in *A la recherche du temps perdu* », *Australian Journal of French Studies*, vol. 6, p. 74-85. Étude de la scène de rencontre Jupien-Charlus dans *Sodome et Gomorrhe I*.

1971 Bardèche, Maurice : *Marcel Proust romancier*, Les Sept Couleurs, en 2 volumes. Voir chap. V : *Sodome et Gomorrhe*, étude de la genèse ; et chap. VI : *Sodome et Gomorrhe* (suite), étude des mœurs, et les intermittences du cœur.

— Muller, Marcel : « *Sodome* I ou la naturalisation de Charlus », *Poétique* n° 8, p. 470-478. Excellent article sur *Sodome et Gomorrhe I*.

— Tadié, Jean-Yves : *Proust et le roman, Essai sur les formes et techniques du roman dans* ' *A la recherche du temps perdu* ', Gallimard, *La Nouvelle Revue française*. Contient l'étude fondamentale de la structure de *Sodome et Gomorrhe*.

— Viers, Rina : « Évolution et sexualité des plantes dans *Sodome et Gomorrhe* », *Europe*, n° 49, fév.-mars,

p. 100-113. A propos des plantes dans la cour de l'hôtel des Guermantes.

1974 Mackenzie, Susan : « La Pluie d'or, note sur une allusion mythologique dans la première version de *Sodome et Gomorrhe* », *BSAMP* n° 24, p. 1905-1907. Étude de la pluie d'or de Sémélé à laquelle Proust fait allusion dans sa première version du début de *Sodome et Gomorrhe I*. Voir André Ferré, 1956, *BSAMP*, n° 6, p. 165-170.

1975 Bersani, Jacques : « Un découpage inédit de Proust », *BIP*, n° 2, p. 7-19. Rivière, dans une crise de pudeur, demande à Proust d'éliminer les passages licencieux de Charlus dans l'article pour la NRF : « Les Intermittences du cœur. » Bersani en fait l'analyse.

— Cellard, Jacques : « Lapsus à l'oreille », *Le Monde*, 24 août. Sur les cuirs du directeur de l'hôtel de Balbec.

1977 Meyers, Jeffrey : *Homosexuality and Literature 1890-1930*, London, the Athlone Press. Chap. V (p. 58-75) : « Proust : Cities of the Plain ».

— Miller, Milton L. : *Psychanalyse de Proust*, préface de Jean-Yves Tadié, traduit de l'américain par Marie Tadié, Fayard. Chapitre sur *Sodome et Gomorrhe*, et sur l'homosexualité de Proust.

1978 Mingelgrün, Albert : *Thèmes et structures bibliques dans l'œuvre de Marcel Proust*, L'Age d'homme, Lausanne. Chap. : *Sodome et Gomorrhe*, p. 145-163.

1980 Bem, Jeanne : « Le juif et l'homosexuel dans *A la recherche de temps perdu* (fonctionnements textuels) »,

Littérature, n° 37, p. 100-112. Important article sur les rapports juif-inverti.

— Henry, Anne : « Proust et la Normandie : Excursions dans l'arrière-pays des noms », dans *Le Paysage normand dans la littérature et dans l'art*, Presses Universitaires de Paris (p. 137-156 sur Balbec).

— Rivers, Julius Edwin : *Proust and the Art of Love. The Aesthetics of sexuality in the Life, Times and Art of Marcel Proust*, Columbia University Press, New York. Étude importante sur l'homosexualité.

1981 Vogely, Maxine A. : *A Proust Dictionary*, Troy, New York, the Whitston Publishing Co. Dictionnaire des allusions, citations, références faites par Proust.

1982 *Matinée chez la Princesse de Guermantes. Cahiers du Temps retrouvé*, Gallimard. Edition critique établie par Henri Bonnet en collaboration avec Bernard Brun. Importants avant-textes de *Sodome et Gomorrhe*.

— Miguet-Ollagnier, Marie : *La Mythologie de Marcel Proust*, Les Belles Lettres. Étude des références mythologiques.

1984 Compagnon, Antoine : « Proust sur Racine », *Revue des Sciences humaines*, n° 196, p. 39-64. Excellent article sur la fonction de Racine dans *Sodome et Gomorrhe*.

— Eells-Ogée, Emily : « La publication de *Sodome et Gomorrhe* (première partie), *BIP*, n° 15, P. 65-84. Étude de la genèse de *Sodome et Gomorrhe*, des documents manuscrits conservés à la

Bibliothèque nationale, et des difficultés de l'établissement du texte.

1985 Eells-Ogée, Emily : « La publication de *Sodome et Gomorrhe* » (fin), *BIP*, n° 16, p. 19-23 et p. 59-75. Addendum à l'article ci-dessus sur une boîte de fragments manuscrits de *Sodome et Gomorrhe*, encore non classée à la BN. Calendriers établis d'après la correspondance de Proust concernant la publication de *Sodome et Gomorrhe*.

CHRONOLOGIE

1871 (10 juillet) : Naissance à Paris de Marcel Proust, fils du docteur Adrien Proust, agrégé de médecine (1834-1903), lui-même fils d'un épicier d'Illiers (Eure-et-Loir), et de Jeanne Weil (1849-1905), fille d'un riche agent de change juif d'origine messine.

1873 (24 mai) : Naissance de Robert, frère de Marcel, à Paris. Il deviendra chirurgien, et lui aussi professeur à la faculté de médecine.

1880 : Première crise d'asthme de Marcel. Il souffrira sa vie durant de cette maladie.

1882-1889 : Études secondaires au lycée Condorcet à Paris. Attiré très tôt par la littérature et curieux du Symbolisme, Marcel Proust rédige avec ses condisciples la *Revue Lilas,* sur des cahiers d'écolier, en 1888. Il a pour professeur de philosophie Alphonse Darlu, qu'il admire vivement (voir M. Beulier dans *Jean Santeuil*). Premières expériences mondaines.

1889-1890 : Volontariat au 76e régiment d'infanterie à Orléans.

1890 : S'inscrit à la faculté de droit de Paris et à l'École des sciences politiques, sans conviction. Mène une vie surtout mondaine.

1892 : Collabore à la revue symboliste *Le Banquet.*

1893 : Collabore à *La Revue blanche.* Fait la connaissance de Robert de Montesquiou.

1894 : Fait la connaissance du musicien Reynaldo Hahn.

1895 : Obtient la licence ès lettres. Entre comme assistant non rémunéré à la Bibliothèque Mazarine, où il se fera accorder congé sur congé jusqu'en 1900, date où on le considère comme démissionnaire. Commence à Beg-Meil, pendant l'été, un projet de roman autobiographique qui l'occupera jusqu'en 1899 et auquel il renoncera ; les ébauches en seront publiées sous le nom du héros, *Jean Santeuil*. Se lie d'amitié avec Lucien, fils d'Alphonse Daudet.

1896 : Publication des *Plaisirs et les Jours*, préfacé par Anatole France, recueil d'essais remontant pour la plupart à la collaboration au *Banquet* et à *La Revue blanche*.

1897 (6 juillet) : Duel avec le journaliste Jean Lorrain, à la suite d'insinuations de celui-ci sur ses relations avec Lucien Daudet.

1898 : Proust ardent dreyfusard.

1899 : Passionné depuis 1893 par Ruskin, dont il lit tous les articles traduits en revues, il entreprend la traduction et le commentaire de *La Bible d'Amiens*, avec l'aide de sa mère et de Marie Nordlinger.

1900 : Mort de Ruskin. Proust donne des articles d'hommage à cette occasion. Voyages à Venise en mai, avec sa mère, et en octobre.

1903 : Mort du professeur Adrien Proust, père de Marcel.

1904 : Publication par Proust de la traduction annotée de *La Bible d'Amiens*, de Ruskin.

1905 : Mort de Jeanne Proust, mère de Marcel.

1906 : Publication de la traduction de *Sésame et les Lys*, de Ruskin, avec une importante préface de Proust sur la lecture.

1907 : Article important dans *Le Figaro* du 1er février : « Sentiments filiaux d'un parricide. » Vacances à Cabourg. Excursions en automobile à travers la Normandie, avec Alfred Agostinelli pour chauffeur.

1908 : Dans *Le Figaro*, série de pastiches littéraires, en février-mars, à propos d'une affaire d'escroquerie aux faux diamants, l'Affaire Lemoine. A partir de l'été, Proust travaille à un projet d'ouvrage miromanesque, mi-critique, où il compte évoquer une matinée avec sa mère, et se livrer à une étude sur la méthode de Sainte-Beuve.

1909-1912 : L'ouvrage de Proust prend de l'ampleur, et devient uniquement un projet de roman. Proust le propose tour à tour, mais en vain, au Mercure de France, au *Figaro*, à Fasquelle, à la NRF. Il en fait paraître des extraits dans *Le Figaro* et au *Gil Blas*. Il songe à deux volumes de 700 pages, dont le titre général sera *A la recherche du temps perdu*.

1913 : Il négocie avec Grasset l'édition à compte d'auteur de son roman, dont la première partie, *Du côté de chez Swann*, paraît le 13 novembre. Il a repris à son service, comme secrétaire-dactylographe, son ancien chauffeur Agostinelli.

1914 : Le 30 mai, mort d'Agostinelli dans un accident d'avion. Néanmoins, Proust prépare l'édition du second volume, qui doit s'intituler *Le Côté de Guermantes*, l'ensemble de l'ouvrage devant désormais comporter trois parties.
Le 1er août, la guerre est déclarée. Le projet d'édition est arrêté.

1914-1918 : Proust, malade et dégagé du service militaire, continue de travailler à son roman, qu'il développe considérablement.

1919 (mars) : Proust publie à la NRF un volume de *Pastiches et Mélanges* où il reprend et développe, entre autres, ses pastiches de 1908-1909 dans *Le Figaro*.
(Juin) : Mise en vente (malgré un achevé d'imprimer daté du 30 novembre 1918) du deuxième tome du roman, intitulé cette fois *A l'ombre des jeunes filles en fleurs*. L'éditeur de Proust est désormais la NRF. Le Prix Goncourt lui est attribué en décembre.

1920 : Publication du *Côté de Guermantes I*.

1921 : *Le Côté de Guermantes II*, *Sodome et Gomorrhe I*. Violent malaise de Proust, en mai, tandis qu'il visite au Musée du Jeu de Paume une exposition de peinture hollandaise.

1922 (avril) : *Sodome et Gomorrhe II*. Proust travaille ensuite fiévreusement, pendant les répits que lui laisse sa maladie, à la préparation de *La Prisonnière ;* mais il n'a le temps de revoir que le début des dactylographies.

(18 novembre) : Il meurt d'une pneumonie.

1923 (novembre) : *La Prisonnière*, publiée par Robert Proust et Jacques Rivière.

1925 : *Albertine disparue*, ou *La Fugitive*.

1927 : *Le Temps retrouvé*, dernier tome de la *Recherche*. *Chroniques*, recueil d'articles.

1952 : Publication, par les soins de Bernard de Fallois, sous le titre de *Jean Santeuil*, du projet de roman auquel Proust avait travaillé en 1895-1899.

1954 : Publication, par le même critique, de fragments antérieurs à la *Recherche*, sous le titre de *Contre Sainte-Beuve*. Publication en trois volumes d'*A la recherche du temps perdu*, dans la collection de la Pléiade (Gallimard), par P. Clarac et A. Ferré.

1962 : Acquisition, par la Bibliothèque nationale, du fonds manuscrit conservé par les héritiers de Proust.

1971 : Année du centenaire, marquée par de nombreuses manifestations et publications, dont *Jean Santeuil* (par les soins de P. Clarac et Y. Sandre) et *Contre Sainte-Beuve* (par les soins des mêmes) dans la collection de la Pléiade.

1984 : Acquisition, par la Bibliothèque nationale, de treize nouveaux cahiers de brouillon appartenant à la collection de Jacques Guérin.

TABLE

TITRES RÉCEMMENT PARUS

PROUST
Du côté de chez Swann (475). A l'ombre des jeunes filles en fleurs (T1 : 468, T2 : 469). Le Côté de Guermantes (T1 : 470, T2 : 471). Sodome et Gomorrhe (T1 : 476, T2 : 477). La Prisonnière (376). La Fugitive (446). Le Temps retrouvé (449)

RADIGUET
Le Bal du comte d'Orgel (406). Le Diable au corps (444)

REVERDY
Flaques de verre (405)

RUTEBEUF
Le Miracle de Théophile (texte original et traduction en français moderne) (467)

SAINT PAUL
L'Épître aux Romains. L'Épître aux Galates (traduction de *La Bible de Jérusalem*) (472)

SCIASCIA
Les Poignardeurs. La Disparition de Majorana (427). Le Jour de la chouette (461)

SEGALEN
Le Fils du Ciel (377)

TOCQUEVILLE
De la Démocratie en Amérique 1 (353) - 2 (354)

VESAAS
Palais de glace (423)

VILLIERS DE L'ISLE-ADAM
Contes cruels (340). Claire Lenoir et autres récits insolites (401)

WHARTON
La Récompense d'une mère (454). Le Temps de l'innocence (474)

WOOLF (Virginia)
La Traversée des apparences (435)

GF GRAND-FORMAT

CHATEAUBRIAND
Mémoires d'Outre-Tombe. Préface de Julien Gracq (4 vol.)

FORT
Ballades françaises

GRIMM
Les Contes (2 vol.)

GUTH
Histoire de la littérature française (2 vol.)

HUGO
Poèmes choisis et présentés par Jean Gaudon

LAS CASES
Le Mémorial de Sainte-Hélène (2 vol.)

MAURIAC
Mémoires intérieurs et Nouveaux Mémoires intérieurs

Vous trouverez chez votre libraire le catalogue complet de notre collection.

GF — TEXTE INTÉGRAL — GF

544-IX-1987. — Imp. Bussière, St-Amand (Cher).
Nº d'édition 11344. — Octobre 1987. — Printed in France.